Un cri
dans la nuit

Mary Higgins Clark

Un cri
dans la nuit

FRANCE LOISIRS
123, boulevard de Grenelle, Paris

Édition originale américaine : *A Cry in the Night*
© 1982 by Mary Higgins Clark
Simon & Schuster, Inc., New York

Traduit de l'américain par Anne Damour

Une édition du Club France Loisirs, Paris,
réalisée avec l'autorisation des Éditions Albin Michel

© Éditions Albin Michel SA, 1983,
pour la traduction française

ISBN : 2-7242-7340-0

En souvenir heureux de mes parents et de mes frères,
Luke, Nora, Joseph et John Higgins,
qui comblèrent de joie ma jeunesse.

Je voudrais remercier tout spécialement le docteur John T. Kelly, MD, MPH, professeur de psychiatrie et directeur adjoint du département des problèmes sociaux et communautaires à l'École de médecine du Minnesota, pour m'avoir aidée de ses conseils dans l'interprétation des personnages psychotiques mis en scène dans ce livre.

1

A L'AUBE, Jenny se mit à la recherche du chalet. Incapable de dormir, elle était restée toute la nuit sans bouger dans le grand lit massif à baldaquin, oppressée par le silence qui régnait dans la maison.

Même après des semaines, ses oreilles guettaient encore désespérément le cri affamé du bébé. Ses seins gonflaient, prêts à accueillir la petite bouche avide.

Elle finit par allumer la lampe de chevet. La chambre s'éclaira et la lumière s'accrocha à la coupe de cristal taillé sur la commode. Les petites savonnettes parfumées au pin qui garnissaient cette coupe jetèrent une inquiétante lueur verte sur le nécessaire de toilette ancien en argent.

Elle se leva et commença à s'habiller, choisissant le caleçon long en laine et le coupe-vent en nylon qu'elle portait habituellement sous sa tenue de ski. Elle avait réglé la sonnerie du réveil-radio sur 4 heures. Les prévisions météorologiques demeuraient inchangées pour la région de Granite Place, dans le Minnesota : température de trente degrés au-dessous de zéro, vent soufflant à une moyenne de quarante à l'heure. On annonçait moins quarante degrés dans les endroits exposés au vent.

11

Peu importait. Rien n'avait d'importance. Elle partirait à la recherche de ce chalet, dût-elle en mourir de froid. Il se trouvait là, quelque part dans cette forêt d'érables, de chênes et de conifères, de pins noirs de Norvège et de broussailles. Elle avait élaboré un plan durant ses longues heures d'insomnie. Erich faisait un pas pendant qu'elle en faisait trois. Sa longue foulée l'avait toujours naturellement porté à marcher plus vite qu'elle. Ils en avaient souvent ri ensemble. « Hé ! Pitié pour les citadines ! » protestait-elle.

Un jour, il avait oublié sa clé en allant au chalet et il était immédiatement revenu la chercher. Cela lui avait pris quarante minutes. Pour lui, le chalet était donc approximativement à vingt minutes de la lisière des bois.

Il ne l'y avait jamais emmenée. « Tâche de comprendre, Jenny, tout artiste a besoin d'un endroit où s'isoler. »

Elle n'avait jamais cherché à s'y rendre auparavant. Il était absolument interdit aux employés de la ferme de pénétrer dans les bois. Même Clyde, le régisseur de la propriété depuis trente ans, affirmait ne pas savoir où se trouvait le chalet.

La neige lourde et croûteuse aurait effacé les traces de pas, mais d'autre part elle lui permettrait d'entreprendre ses recherches en skis de fond. Il lui faudrait prendre garde à ne pas se perdre. Avec la densité des broussailles et son sens déplorable de l'orientation, elle risquait à tous les coups de tourner en rond.

À titre de précaution, Jenny avait décidé d'emporter une boussole, un marteau, des clous et des bouts de tissu. Elle clouerait le tissu aux arbres afin de retrouver son chemin.

Sa combinaison de ski était suspendue en bas, dans le placard à côté de la cuisine. Elle l'enfila pendant que l'eau du café bouillait. Dès la première tasse, elle y vit plus clair. Pendant la nuit, elle avait pensé aller trouver le shérif Gunderson. Mais il refuserait sûrement de l'aider et se contenterait de la toiser avec son regard de mépris interrogateur.

Elle emporterait une Thermos de café. Elle n'avait pas la

clé du chalet, mais elle pourrait briser une vitre à l'aide du marteau.

Bien qu'Elsa ne vînt plus depuis deux semaines, toute la grande maison ancienne rutilait de haut en bas, preuve éclatante des principes rigoureux de la femme de ménage en matière de propreté. En s'en allant, elle n'omettait jamais d'arracher la page du jour sur le calendrier au-dessus du téléphone mural. Jenny l'avait fait remarquer à Erich en riant. « Elle ne se contente pas de nettoyer ce qui n'a jamais été sale, elle fait aussi disparaître chaque soir de la semaine. »

À son tour, Jenny détacha le vendredi 14 février, froissa la page et regarda fixement la feuille vierge sur laquelle s'inscrivait en caractères gras : samedi 15 février. Elle frissonna. Près de quatorze mois s'étaient écoulés depuis le jour de sa rencontre avec Erich à la galerie. Non, c'était impossible ! C'était il y a un siècle. Elle se frotta le front.

Ses cheveux châtains avaient foncé pendant sa grossesse jusqu'à devenir presque noirs. Ils lui parurent tristes et sans vie quand elle les serra sous son bonnet de laine. Le miroir encadré de coquillages à gauche de la porte jetait une note incongrue dans l'imposante cuisine au plafond orné de poutres en chêne apparentes. Elle s'y regarda. Elle avait de larges cernes sous les yeux. Normalement d'un bleu tirant sur l'aigue-marine, ils lui renvoyaient ce matin un regard fixe et sans expression. Ses joues étaient creuses. Elle n'avait pas retrouvé son poids depuis l'accouchement. Une veine battit à son cou quand elle ferma sa combinaison. Vingt-sept ans. Elle avait l'impression d'en paraître dix de plus, et se sentait aussi vieille qu'une centenaire. Si seulement cette torpeur pouvait disparaître. Si seulement la maison n'était pas aussi silencieuse, aussi terriblement silencieuse.

Elle regarda le poêle en fonte près du mur orienté à l'est de la cuisine. Le berceau plein de bois avait retrouvé sa place et son utilité à côté de lui.

Elle se força à examiner le berceau, assimilant lentement

le choc permanent de sa présence dans la cuisine, puis elle se détourna, prit la bouteille Thermos, y versa le café, rassembla la boussole, le marteau, les clous et les bouts de chiffon. Elle fourra le tout dans un sac à dos en toile, se protégea la figure d'une écharpe, mit ses chaussures de ski de fond, enfila d'un coup sec de grosses moufles fourrées et ouvrit la porte.

Le vent vif et cinglant rendit son écharpe dérisoire. Le meuglement sourd des vaches dans l'étable lui fit penser aux sanglots épuisés d'un profond désespoir. Le soleil se levait, éblouissant sur la neige, agressif dans sa beauté flamboyante, dieu lointain et impuissant contre la morsure du froid.

À l'heure présente, Clyde devait être en train d'inspecter l'étable. L'équipe de journaliers était sans doute occupée à remplir de foin les nourrisseurs destinés à l'important troupeau de bœufs Black Angus incapables de brouter l'herbe sous la neige tassée et habitués à venir chercher là abri et nourriture. Une demi-douzaine d'hommes en tout travaillant sur l'énorme exploitation et pas un seul à proximité de la maison — on ne voyait d'eux que des petites formes se découpant en silhouette sur l'horizon…

Ses skis de fond étaient rangés dans la véranda à l'extérieur de la cuisine. Jenny les porta en bas des six marches, les jeta à terre, les chaussa et attacha les fixations. Dieu soit loué, elle avait appris à bien skier l'année dernière.

Il était à peine 7 heures passées lorsqu'elle commença à chercher le chalet. Elle s'obligea à ne pas dépasser un trajet de trente minutes à skis dans chaque direction et partit de l'endroit où Erich disparaissait toujours dans les bois. Les branches d'arbres au-dessus d'elle étaient tellement enchevêtrées que le soleil filtrait à peine. Après avoir skié dans la mesure du possible sans dévier, elle tourna à droite, fit environ trois cents mètres, tourna encore à droite et revint à la lisière de la forêt. Le vent recouvrait ses traces sur son passage, mais à chaque changement de direction, elle clouait un morceau de tissu sur un arbre.

À 11 heures, elle rentra à la maison, fit réchauffer du potage, mit des chaussettes sèches, s'efforça de ne pas faire attention au froid qui lui brûlait le front et les mains et ressortit.

À 17 heures, transie, voyant disparaître les derniers rayons obliques du soleil, elle était sur le point d'abandonner les recherches pour la journée, quand elle décida de franchir une dernière butte. C'est alors qu'elle le vit : le petit chalet en rondins de bois et au toit d'écorce, construit en 1859 par l'arrière-grand-père d'Erich. Elle le regarda fixement, se mordant les lèvres, vacillant sous le coup brutal de la déception.

Les stores étaient tirés ; la maison semblait close, comme si elle n'avait pas été ouverte depuis longtemps. Un chapeau de neige recouvrait la cheminée. Aucune lumière ne brillait à l'intérieur.

Avait-elle réellement espéré voir la cheminée fumer, les lampes luire à travers les rideaux ? Avait-elle cru qu'elle n'aurait qu'à pousser la porte ?

Une plaque de métal était clouée à l'extérieur. Bien qu'usées, les lettres étaient encore lisibles : INTERDICTION ABSOLUE D'ENTRER SOUS PEINE DE POURSUITES. Signé Erich Krueger et daté de 1903.

Il y avait une pompe sous un appentis à gauche du chalet, à moitié caché par les longues ramures des sapins. Elle tenta d'imaginer le jeune Erich venant ici avec sa mère. « Caroline aimait ce chalet tel qu'il était, lui avait-il raconté. Mon père désirait le moderniser, mais elle n'a jamais voulu en entendre parler. »

Insensible au froid, à présent, Jenny s'approcha de la première fenêtre. Tirant le marteau du sac à dos, elle frappa un grand coup sur la vitre. Des éclats de verre lui frôlèrent le visage. Elle ne sentit pas le filet de sang qui gela en coulant sur sa joue. Prenant soin d'éviter les pointes acérées, elle tendit le bras à l'intérieur, déverrouilla et souleva la fenêtre à guillotine.

Déchaussant ses skis, elle enjamba le rebord peu élevé

de la fenêtre, écarta le store et pénétra à l'intérieur du chalet.

C'était une seule pièce d'environ six mètres sur six. Placé contre le mur orienté au nord se détachait un poêle colonial avec sa réserve de bûches soigneusement empilées. Autour étaient rassemblés un canapé en velours à haut dossier et larges bras et quelques fauteuils assortis. Un tapis d'Orient aux tons fanés recouvrait presque la totalité du plancher en pin clair. Près des fenêtres de devant, une longue table et des bancs. Dans un coin, un rouet paraissant encore en état de marche. Sur un imposant buffet en chêne trônaient des porcelaines bleues à motifs chinois et des lampes à huile. Un escalier raide prenait sur la gauche. Sur le côté se trouvaient des rangées de casiers remplis de toiles non encadrées.

Les murs étaient en bois blanc, sans nœud, lisses et couverts de tableaux. Jenny alla machinalement de l'un à l'autre. Le chalet était un musée. Même la pénombre ne parvenait pas à cacher la beauté délicate des huiles et des aquarelles, des fusains et des dessins à la plume. Erich n'avait pas encore montré le meilleur de son œuvre. Comment réagirait la critique à la vue de tels chefs-d'œuvre ?

Quelques-unes des toiles accrochées au mur étaient déjà encadrées. Sans doute celles qu'il avait l'intention d'exposer la prochaine fois. Le nourrisseur dans une tempête d'hiver. Qu'y avait-il donc de si particulier dans ces tableaux ? La biche, tête levée, aux aguets, prête à s'enfuir dans les bois. Le veau, cherchant à téter sa mère. Les champs bleus de luzerne fleurie, à quelques jours de la moisson. L'église congrégationaliste et les fidèles se pressant pour l'office. La rue principale de Granite Place, évoquant une sérénité intemporelle.

En dépit de sa détresse, Jenny ressentit pendant un instant une impression de quiétude et de paix devant la beauté sensible de l'ensemble.

Finalement, elle se pencha sur les toiles sans cadre dans le premier casier. À nouveau, elle fut saisie d'admiration.

16

L'étonnante dimension du talent d'Erich, son art de peindre les paysages, les gens, les animaux, avec une égale autorité; la gaieté du jardin d'été avec la voiture d'enfant, le...

Et elle l'aperçut. Sans comprendre, elle se mit à chercher fébrilement parmi les huiles et les dessins dans les autres casiers.

Le long du mur, elle courut d'une toile à l'autre. Ses yeux s'écarquillèrent de stupeur. Inconsciemment, elle se dirigea en titubant vers l'escalier, grimpa les marches quatre à quatre jusqu'à l'atelier.

La pente du toit força Jenny à se baisser en atteignant la dernière marche avant d'avancer dans la pièce.

En se redressant, elle reçut en plein visage une explosion de couleurs cauchemardesques. Frappée d'horreur, elle contempla sa propre image sur le mur du fond. Un miroir?

Non. Le visage peint ne broncha pas à son approche. Le dernier rayon du crépuscule filtrant par l'étroite lucarne venait zébrer la toile, comme s'il la désignait d'un doigt fantomatique.

Un long moment, elle resta figée devant le tableau, incapable d'en détacher les yeux, enregistrant chaque détail grotesque, sentant sa bouche s'ouvrir mollement dans une angoisse indicible, entendant le son rauque qui lui montait aux lèvres.

Elle parvint enfin à forcer ses doigts gourds et réticents à s'emparer de la toile.

Quelques secondes plus tard, elle s'éloignait à skis du chalet, le tableau sous le bras. Le vent à présent plus fort la bâillonna, lui coupa la respiration, étouffant son hurlement.

«Au secours! Quelqu'un, je vous prie, à l'aide, au secours!»

Le vent lui arracha son cri, le dispersant à travers la forêt envahie par l'obscurité.

2

MANIFESTEMENT, l'exposition des tableaux d'Erich Krueger, le peintre du Midwest récemment découvert, était un formidable succès. Le vernissage pour les critiques et les invités de marque commença à 16 heures, mais les curieux avaient défilé dans la galerie pendant toute la journée, attirés par *Souvenir de Caroline*, le superbe portrait à l'huile exposé en vitrine.

Jenny se faufila habilement d'un critique à l'autre, présentant Erich, bavardant avec les collectionneurs, veillant à ce que les serveurs repassent les plats d'amuse-gueules et remplissent les coupes de champagne.

Dès l'instant où elle avait ouvert l'œil ce matin, la journée s'était annoncée difficile. Beth, habituellement si docile, avait fait des histoires pour aller à la garderie. Tina perçait ses molaires de deux ans et s'était réveillée en pleurnichant une demi-douzaine de fois pendant la nuit. Le blizzard du Jour de l'an avait transformé New York en un vrai cauchemar d'embouteillages et de tas de neige grisâtre et glissante au bord des trottoirs. Le temps de déposer les enfants à la garderie et de traverser la ville, elle était arrivée une heure en retard à la galerie. Elle avait trouvé M. Hartley dans tous ses états.

« Tout va mal, Jenny. Rien n'est prêt. Je vous préviens. Il me faut vraiment quelqu'un de sérieux.

— Je suis navrée. » Jenny prit à peine le temps d'accrocher son manteau dans le placard. « À quelle heure attendons-nous M. Krueger ?

— Vers 13 heures. Vous rendez-vous compte qu'il manquait encore trois de ses toiles il y a à peine quelques minutes ? »

Jenny avait à chaque fois l'impression de voir ce petit homme d'une soixantaine d'années se transformer en enfant de sept ans sous l'effet de l'inquiétude. Il fronçait les sourcils ; sa bouche tremblait. « Tous les tableaux sont là maintenant, n'est-ce pas ? demanda-t-elle d'une voix apaisante.

— Oui, oui. Mais lorsque M. Krueger a téléphoné, hier soir, je lui ai demandé s'il avait bien expédié ces trois toiles. L'idée qu'on eût pu les égarer l'a mis hors de lui. Et il tient à ce que le portrait de sa mère soit exposé en vitrine, même s'il n'est pas à vendre. Écoutez, Jenny, on dirait vraiment que vous avez posé pour ce tableau.

— Eh bien, ce n'est pas moi. » Jenny refréna l'envie de lui tapoter l'épaule. « Nous avons tout, à présent. Commençons l'accrochage. »

Elle disposa rapidement tous les tableaux, groupant ensemble huiles, aquarelles, dessins à l'encre et fusains.

« Vous avez un œil formidable, dit M. Hartley, se déridant visiblement dès la dernière toile accrochée. Je savais qu'on y arriverait. »

Tu parles ! pensa-t-elle en retenant un soupir.

La galerie ouvrit à 11 heures. À 11 heures moins cinq, le tableau vedette était en place. À côté, l'annonce en lettres capitales sur fond de velours : PREMIÈRE EXPOSITION À NEW YORK, ERICH KRUEGER. *Souvenir de Caroline* attira immédiatement l'attention des passants de la 57e Rue. Jenny les regarda s'arrêter pour l'examiner. Beaucoup d'entre eux entrèrent, curieux de voir les autres tableaux de l'exposition. Plusieurs lui demandèrent: «Êtes-vous le modèle du tableau en vitrine?»

Jenny distribua des brochures avec la biographie d'Erich Krueger:

Il y a deux ans, Erich Krueger acquit une renommée immédiate dans le monde de l'art. Originaire de Granite Place, dans le Minnesota, il n'a cessé de peindre depuis l'âge de quinze ans. Il habite une ferme ayant toujours appartenu à sa famille, consacrée à l'élevage du bétail de concours. Il est également président des Cimenteries Krueger. Découvert en premier par un marchand de tableaux de Minneapolis, il a depuis exposé à Minneapolis, Chicago, Washington, D C, et San Francisco. M. Krueger a trente-quatre ans et il est célibataire.

Elle contempla la photo sur la couverture de la brochure. Et il a l'air d'un Adonis, pensa-t-elle.

À 11 heures 30, M. Hartley s'approcha d'elle, toute trace d'anxiété et de mauvaise humeur disparue de son visage.

« Tout va bien ?

— Très bien », assura-t-elle. Devançant la question suivante, elle ajouta : « J'ai rappelé le traiteur pour confirmer. Les critiques du *New York Times*, du *New Yorker*, de *Newsweek*, de *Time* et d'*Art News* ont fait savoir qu'ils seraient présents. Nous pouvons nous attendre à quatre-vingts personnes environ au vernissage, une centaine en comptant ceux qui viendront sans invitation. La galerie sera fermée au public à partir de 15 heures. Cela donnera tout le temps au traiteur de s'installer.

— Vous êtes parfaite, Jenny. » M. Hartley était tout charme, maintenant. Mais elle s'attendait au pire lorsqu'elle lui annoncerait son intention de quitter le vernissage avant la fin ! « Lee vient d'arriver, poursuivit-elle en désignant son assistante à mi-temps. Nous sommes fin prêts. » Elle lui sourit.

« Ne vous faites plus de souci.

— Je vais essayer. Prévenez Lee que je serai de retour avant

13 heures pour déjeuner avec M. Krueger. Quant à vous, Jenny, vous feriez bien d'aller manger un morceau tout de suite. »

Elle le regarda passer le seuil d'un pas vif. Le nombre des visiteurs s'était momentanément réduit. Jenny eut envie d'aller examiner le tableau en vitrine. Elle sortit sans prendre la peine d'enfiler son manteau. Elle recula de quelques pas sur le trottoir afin de pouvoir contempler le tableau à distance. Les passants la regardèrent, jetèrent un coup d'œil sur la toile, et s'écartèrent aimablement.

Assise sur une balancelle dans une véranda, la jeune femme du tableau regardait le soleil couchant. La lumière était oblique, nuancée de rouge, de violet et de mauve. La mince silhouette était enveloppée d'une cape vert foncé. Quelques mèches folles couleur aile de corbeau voletaient autour de son visage déjà à moitié dans l'ombre. Je vois ce que veut dire M. Hartley, songea Jenny. Le front dégagé, le nez droit et mince, la bouche généreuse, auraient pu être ses propres traits. La véranda en bois était peinte en blanc, comme le fin pilier d'angle. Le mur de brique de la maison derrière était à peine suggéré dans le fond. Un petit garçon, découpé dans le soleil, courait vers la femme à travers champs. La neige croûteuse évoquait le froid pénétrant de la nuit tombante. Le personnage sur la balancelle semblait immobile, le regard rivé sur le couchant.

En dépit de l'approche empressée de l'enfant, de l'aspect solide de la maison, de la sensation infinie d'espace, il flottait une impression particulière de solitude autour de la jeune femme. Pourquoi ? Peut-être à cause de la tristesse exprimée dans son regard. Ou seulement parce que tout le tableau évoquait un froid mordant ? Qui voudrait rester assis dehors par un temps pareil ? Pourquoi ne pas regarder le coucher du soleil d'une fenêtre à l'intérieur de la maison ?

Jenny frissonna. Elle portait le chandail à col roulé, cadeau de Noël de son ex-mari Kevin. Il était passé sans prévenir à l'appartement, la veille de Noël, avec ce chandail pour Jenny et des poupées pour les filles. Pas un mot sur le fait qu'il ne versait jamais la pension alimentaire, et qu'il lui devait plus de deux cents dollars d'« emprunt ». Le chandail bon marché n'était pas bien chaud. Mais il avait au moins le mérite d'être neuf et son ton turquoise mettait en valeur la chaîne en or et le pendentif de Nana. Heureusement, l'un des privilèges des gens appartenant au monde artistique était de pouvoir s'habiller à leur guise, et la jupe de lainage trop longue de Jenny, ses bottes trop larges ne constituaient pas nécessairement un signe de pauvreté. Malgré tout, mieux valait rentrer à l'intérieur. Il ne manquerait plus qu'elle attrapât la grippe qui circulait dans tout New York.

Elle jeta un dernier coup d'œil au tableau, admirant le talent avec lequel l'artiste amenait le regard du spectateur de la silhouette assise dans la véranda à l'enfant, puis au soleil couchant. « Magnifique, murmura-t-elle. Absolument magnifique. » Elle recula inconsciemment d'un pas en parlant, dérapa sur le trottoir glissant et heurta quelqu'un. Deux mains fortes la retinrent par les coudes.

« Avez-vous pour habitude de sortir sans manteau par ce temps et de parler toute seule ? » Le ton était mi-amusé, mi-agacé.

Jenny pivota sur elle-même. Confuse, elle bégaya : « Je suis vraiment désolée. Excusez-moi. Vous ai-je fait mal ? » Elle se dégagea et s'aperçut alors que le visage en face d'elle était celui reproduit sur la brochure qu'elle avait passé la matinée à distribuer. Dieu du ciel ! pensa-t-elle. C'est bien ma chance d'aller me cogner dans Erich Krueger !

Elle vit son visage pâlir, ses yeux s'agrandir. Il serra les lèvres. Il est furieux, se dit-elle, consternée. Elle lui tendit la main d'un air contrit. « Je suis absolument navrée, monsieur Krueger. Je vous prie de m'excuser. J'étais tellement absorbée par le portrait de votre mère. Il est… il est indescriptible. Oh, mais entrez. Je suis Jenny Mac-Partland. Je travaille à la galerie. »

Il la fixa un long moment, étudiant son visage trait par trait.

Ne sachant quelle contenance adopter, elle resta sans mot dire. Peu à peu, elle vit sa physionomie s'adoucir.

« Jenny. » Il sourit et répéta : « *Jenny*. » Puis ajouta : « Je n'aurais pas été surpris si vous m'aviez dit... mais peu importe. »

Le sourire le transforma complètement. Jenny avait pratiquement les yeux à la hauteur des siens. Ses bottes ayant sept centimètres de talon, elle supposa qu'il mesurait à peu près un mètre soixante-quinze. Son beau visage classique était dominé par des yeux bleus profondément enfoncés. Des sourcils épais et bien dessinés équilibraient un front presque trop large. Ses cheveux mordorés, parsemés de fils d'argent, bouclaient autour de sa tête, rappelant à la jeune fille l'effigie d'une vieille pièce de monnaie romaine. Il avait les mêmes narines étroites, la même bouche sensible que la femme du tableau. Il portait un manteau en cachemire beige, une écharpe nouée autour du cou. À quoi s'était-elle donc attendue ? Le mot *ferme* avait immédiatement évoqué pour elle l'artiste débarquant dans la galerie en veste de jean et bottes crottées. Elle sourit à cette pensée et revint à la réalité. C'était absurde. Elle restait plantée là à grelotter. « Monsieur Krueger... »

Il l'interrompit. « Jenny, vous avez froid. Je suis impardonnable. » Une main passée sous son bras, il l'entraînait vers la galerie, ouvrait la porte devant elle.

Il inspecta aussitôt la disposition de ses tableaux, tout en remarquant que les trois dernières toiles avaient heureusement fini par arriver. « Heureusement pour l'expéditeur », ajouta-t-il en souriant.

Jenny le suivit pas à pas. Il passa tout méticuleusement en revue, s'arrêtant par deux fois pour redresser une toile d'un poil. À la fin, il hocha la tête, l'air satisfait.

« Pourquoi avez-vous accroché *Labours de Printemps* à côté de *Moisson* ? interrogea-t-il.

— Il s'agit du même champ, non ? demanda Jenny. J'ai cru sentir une continuité entre le fait de labourer la terre et celui d'assister à la moisson. J'aurais seulement désiré qu'il y eût aussi une scène d'été.

— Elle existe. Je n'ai pas jugé bon de l'envoyer. »

Jenny jeta un coup d'œil à la pendule au-dessus de la porte. Il était presque midi. « Monsieur Krueger, si vous n'y voyez pas d'inconvénient, je vais vous installer dans le bureau de M. Hartley. Il a fait réserver une table au Russian Tea Room à 13 heures pour vous deux. Il ne va plus tarder. Pour ma part, je vais sortir pour aller avaler un sandwich. »

Erich Krueger l'aida à enfiler son manteau.

« M. Hartley mangera seul aujourd'hui, déclara-t-il. J'ai une faim de loup et l'intention de déjeuner avec vous. À moins, bien entendu, que vous n'ayez rendez-vous avec quelqu'un ?

— Non, je m'apprêtais juste à prendre quelque chose de rapide au drugstore.

— Allons au Tea Room. Je suis certain qu'ils nous trouveront une table. »

Elle le suivit à contrecœur, sachant que M. Hartley serait furieux et qu'elle risquait de plus en plus de perdre sa place. Elle arrivait trop souvent en retard. Elle s'était absentée deux jours entiers la semaine dernière à cause de l'angine de Tina. Mais elle se rendit compte qu'elle ne pouvait pas refuser.

Au restaurant, il écarta d'un geste le fait qu'ils n'avaient pas réservé et obtint d'être placé à la table d'angle qu'il désirait. Jenny refusa le verre de vin qu'il lui proposait. « Sinon, je vais m'écrouler d'ici un quart d'heure. J'ai très peu dormi cette nuit. Un Perrier pour moi, s'il vous plaît. »

Ils commandèrent deux club-sandwiches, puis il se pencha vers elle. « Parlez-moi de vous, Jenny MacPartland. »

Elle se retint de rire.

« Connaissez-vous la méthode *Comment vous faire des amis* ?

— Non. Pourquoi ?

— C'est le genre de question qu'on vous apprend à poser

à la première rencontre. S'intéresser à l'autre. Je veux tout savoir de vous.

— Mais il se trouve que je veux réellement savoir qui vous êtes. »

On leur apporta leurs verres et elle raconta : « Je suis ce que la société moderne appelle "une femme divorcée chef de famille". J'ai deux petites filles. Beth a trois ans et Tina vient d'en avoir deux. Nous habitons un studio dans un petit immeuble en pierre dans la 37e rue Est. À peine la place d'y loger un piano à queue, si j'en avais un. Je travaille chez M. Hartley depuis quatre ans.

— Comment pouvez-vous travailler depuis quatre ans avec des enfants aussi jeunes ?

— J'ai pris deux semaines de congé à leur naissance.

— Vous fallait-il vraiment reprendre si vite votre travail ? »

Jenny haussa les épaules.

« J'ai rencontré Kevin MacPartland lorsque je préparais ma licence d'art à l'université de Fordham au Lincoln Center. Kev tenait un petit rôle dans un théâtre d'avant-garde. Nana m'avait prévenue que je faisais une bêtise mais, naturellement, je ne l'ai pas écoutée.

— Nana ?

— Ma grand-mère. Elle m'a élevée depuis l'âge d'un an. Néanmoins, Nana avait raison. Kevin est un brave garçon, mais il… il ne fait pas le poids. Deux enfants en deux ans de mariage, c'était trop pour lui. Il est parti tout de suite après la naissance de Tina. Nous sommes divorcés à présent.

— Subvient-il aux besoins des enfants ?

— Les revenus moyens d'un acteur sont de trois mille dollars par an. En fait, Kevin a du talent et avec un peu de chance il pourrait s'en tirer. Mais pour l'instant, la réponse est non.

— Vous n'avez tout de même pas mis les enfants dans une garderie dès leur naissance ? »

Jenny sentit une boule lui bloquer la gorge. Dans moins

d'une minute, elle aurait des larmes plein les yeux. Elle s'empressa de répondre : « Ma grand-mère s'est occupée d'elles pendant que je travaillais. Elle est morte il y a trois mois. Je n'ai pas très envie d'en parler maintenant. »

Il referma sa main sur la sienne. « Jenny, je suis désolé. Pardonnez-moi. Je ne suis pourtant pas si obtus, d'habitude. »

Elle parvint à lui sourire. « À mon tour. Dites-moi tout sur vous. »

Elle grignota sans appétit son sandwich pendant qu'il parlait.

« Vous avez sûrement lu la biographie sur la brochure. Je suis fils unique. Ma mère est morte dans un accident quand j'avais dix ans… le jour de mon anniversaire, pour être précis. Mon père est décédé il y a deux ans. Le régisseur de la ferme s'occupe pratiquement de l'exploitation. Je passe la plupart de mon temps dans mon atelier.

— Le contraire eût été dommage, dit Jenny. Vous peignez depuis l'âge de quinze ans, c'est cela ? N'aviez-vous jamais réalisé à quel point vous étiez doué ? »

Erich fit tourner son vin dans son verre, hésita, puis haussa les épaules.

« Je pourrais vous faire la réponse habituelle, que la peinture pour moi n'était qu'un violon d'Ingres, mais cela ne serait qu'en partie vrai. Ma mère était une artiste. Je ne pense pas qu'elle ait eu un très grand talent de peintre, mais son père était assez connu. Il s'appelait Everett Bonardi.

— Bien sûr, j'ai entendu parler de lui ! s'exclama Jenny. Mais pourquoi ne l'avez-vous pas mentionné dans votre biographie ?

— Si mon œuvre vaut quelque chose, elle parlera d'ellemême. J'espère avoir hérité un peu de l'art de mon grand-père. Ma mère dessinait simplement pour son plaisir, mais mon père en était terriblement jaloux. Je présume qu'il a dû se sentir aussi gauche qu'un éléphant dans un magasin de porcelaine lorsqu'elle l'a présenté à sa famille à San Francisco. Ils l'ont sûrement pris pour un paysan du Midwest en sabots. Il s'est vengé en obligeant sa femme à employer ses dons à des choses utiles comme la confection de patchworks. Et pourtant il l'adorait. Mais j'ai toujours su qu'il aurait détesté me voir "perdre mon temps à peindre"; aussi le lui ai-je caché. »

Perçant le ciel couvert, le soleil de midi fit danser sur la table quelques rayons épars, irisés par les vitraux de la fenêtre. Jenny cligna des yeux et se détourna.

Erich l'observait. « Jenny, dit-il soudain, ma réaction a dû vous surprendre lorsque nous nous sommes rencontrés. Franchement, j'ai cru voir un fantôme. Votre ressemblance avec Caroline est stupéfiante. Elle avait à peu près votre taille. Ses cheveux étaient plus sombres que les vôtres et ses yeux d'un vert lumineux. Les vôtres sont bleus, avec juste une pointe de vert. Mais il y a autre chose. Votre sourire. La façon dont vous penchez la tête en écoutant. Vous êtes très mince, comme elle. Mon père passait son temps à s'inquiéter de sa maigreur. Il s'acharnait à la faire manger davantage. Et à mon tour, j'ai envie de vous dire : "Jenny, finissez votre sandwich. Vous y avez à peine touché. "

— Je n'ai plus faim, dit Jenny. Mais voulez-vous avoir la gentillesse de commander rapidement un café ? M. Hartley aura une attaque en apprenant que vous êtes arrivé pendant son absence. De plus, je dois m'échapper avant la fin du vernissage, ce qu'il n'appréciera guère. »

Le sourire d'Erich disparut.

« Vous avez des projets pour ce soir ?

— Capitaux. Si j'arrive en retard pour prendre les enfants chez Mme Curtis, c'est la catastrophe. »

Haussant les sourcils, pinçant les lèvres, elle imita Mme Curtis. « Mon heure normale de fermeture est 17 heures, mais je fais une exception pour les femmes qui travaillent, madame MacPartland. Cependant, 17 h 30 est le maximum. Je ne veux pas entendre parler d'autobus ratés ou de coups de téléphone de dernière minute. Ou vous êtes là à

17 h 30, ou vous pouvez garder vos enfants à la maison demain matin. Eche clair ? »

Erich éclata de rire. « Ch'est clair. À présent, parlez-moi de vos filles.

— Oh ! c'est simple. Elles sont intelligentes, belles, adorables et…

— Et elles marchaient dès l'âge de six mois, parlaient à neuf. On croirait entendre ma mère. Il paraît qu'elle disait la même chose de moi. »

Jenny eut un singulier petit pincement au cœur à la vue de l'expression soudain nostalgique d'Erich. « Je suis certaine que c'était la vérité », dit-elle.

Il rit. « Et je suis sûr que ça ne l'était pas. Jenny, New York me tue. Comment peut-on y passer son enfance ? »

Ils continuèrent à bavarder en buvant leur café. Elle lui parla de sa ville. « Il n'est pas un immeuble dans tout Manhattan que je n'aime pas. » Et lui, sèchement : « Je ne peux pas le croire. Mais vous n'avez jamais connu un autre genre de vie. » Ils parlèrent de son mariage. « Qu'avez-vous éprouvé lorsque tout a été fini ?

— Bizarrement, pas plus de regret que pour la fin du traditionnel premier amour, j'imagine. À cette différence près que j'ai mes enfants. Et pour cela, j'en serai éternellement reconnaissante à Kev. »

À leur retour à la galerie, M. Hartley attendait. Jenny remarqua anxieusement les taches rouges qui marbraient ses pommettes, puis admira la façon dont Erich sut l'apaiser. « Vous êtes sûrement de mon avis, les repas à bord des avions sont immangeables. Comme Mme MacPartland s'apprêtait à aller déjeuner, je me suis permis de l'accompagner. Mais je n'ai pratiquement rien mangé et je serai ravi de me rendre au Russian Tea Room avec vous à présent. Auparavant, puis-je vous féliciter pour l'accrochage de mes tableaux ? »

Les taches rouges s'estompèrent. À la pensée de l'énorme sandwich qu'Erich avait avalé, Jenny dit d'un air innocent :

« Vous devriez pousser M. Krueger à commander des côtelettes Kiev. Je les lui ai conseillées. »

Erich leva un sourcil et passa devant elle en murmurant: « Merci mille fois. »

Ensuite, elle regretta de s'être laissé aller à le taquiner. Elle le connaissait à peine. Alors, pourquoi cette sensation d'affinité ? Il attirait la sympathie et donnait néanmoins une impression de force cachée. Bon, mais avec de l'argent, un physique avantageux et du talent par-dessus le marché, il n'y a aucune raison de ne pas se sentir sûr de soi.

La galerie ne désemplit pas de l'après-midi. Jenny guetta les plus gros collectionneurs. Elle les avait tous invités au vernissage, mais savait que nombre d'entre eux viendraient plus tôt pour avoir le loisir d'apprécier tranquillement l'exposition. Les prix étaient élevés, très élevés, pour un artiste peu connu. Mais Erich Krueger ne semblait pas concerné par la vente de ses tableaux.

M. Hartley revint au moment où l'on fermait la galerie au public. Il annonça à Jenny qu'Erich était rentré se changer à son hôtel pour le vernissage. « Vous avez fait une très forte impression sur lui, Jenny, dit-il d'un air étonné. Il n'a cessé de poser des questions à votre sujet. »

Vers 17 heures, le vernissage battit son plein. Jenny entraîna Erich avec compétence de critique en collectionneur, faisant les présentations, échangeant quelques mots, lui ménageant un entretien avec l'un, le conduisant vers un autre. À plusieurs reprises, on leur demanda si elle était la jeune femme qui avait posé pour *Souvenir de Caroline*.

Erich sembla s'amuser de la question. « Je commence à croire que oui. »

M. Hartley s'occupa surtout d'accueillir les invités à leur arrivée. À son sourire béat, Jenny présuma que l'exposition était un succès.

Manifestement, les critiques étaient frappés par l'homme autant que par l'artiste. Erich Krueger avait changé sa veste et son pantalon de sport pour un costume bleu nuit d'une coupe parfaite ; sa chemise blanche à poignets mousquetaire était visiblement faite sur mesure ; la cravate bordeaux contre le blanc du col empesé faisait ressortir son teint hâlé, le bleu de ses yeux et les fils d'argent dans ses cheveux. Il portait un anneau d'or au petit doigt de la main gauche. Jenny l'avait déjà remarqué au cours du déjeuner. Elle comprit soudain pourquoi l'anneau lui avait semblé familier. La femme sur le tableau portait le même. Ce devait être l'alliance de sa mère.

Elle laissa Erich en conversation avec Alison Spencer, la jeune et élégante critique d'art du magazine *Art News*. Alison était vêtue d'un tailleur blanc cassé de chez Adolfo parfaitement assorti à ses cheveux blond cendré. Jenny prit soudain conscience de l'aspect avachi de sa vieille jupe en laine, de l'usure de ses bottes, toutes ressemelées et cirées fussent-elles. Et son chandail ne faisait guère illusion ; ce n'était qu'un tricot en polyester, bon marché et sans forme.

Elle s'efforça de trouver une raison à son brusque découragement. La journée avait été longue et fatigante. Elle devait partir et appréhendait presque d'aller chercher les petites. Du temps où Nana était encore là, Jenny se faisait toujours une joie de rentrer chez elle.

« Assieds-toi, chérie, disait Nana. Et repose-toi. Je vais nous préparer un bon petit cocktail. » Elle prenait plaisir à écouter les événements de la journée à la galerie et lisait une histoire aux enfants pendant que Jenny préparait le dîner. « Depuis l'âge de huit ans, tu as toujours été meilleure cuisinière que moi, Jen. »

« Écoute, Nana, la taquinait Jenny, si tu faisais cuire les hamburgers un peu moins longtemps, ils ne ressembleraient peut-être pas à de la semelle de botte. »

Depuis la disparition de Nana, Jenny courait prendre les enfants à la garderie, les ramenait en autobus à la maison, et les calmait à coups de gâteaux secs en préparant le dîner à la six-quatre-deux.

Au moment où elle s'apprêtait à enfiler son manteau, l'un des acheteurs les plus importants l'accapara. Il était 17 h 25 quand elle parvint enfin à s'éclipser. Elle se demandait s'il lui fallait prendre congé d'Erich mais il était toujours en conversation avec Alison Spencer. En quoi le départ de Jenny l'affecterait-il? Repoussant d'un haussement d'épaules un regain de lassitude, Jenny quitta discrètement la galerie par la porte de service.

3

LES PLAQUES DE GLACE sur les trottoirs rendaient le trajet périlleux. L'avenue des Amériques, la 5e Avenue, Madison, Park, Lexington, la 3e Avenue, la 2e Avenue. Interminables blocs. Celui qui a décrit Manhattan comme une île étroite ne l'a sûrement jamais traversé au pas de course et sur un pavé glissant. Mais les autobus roulaient si lentement qu'elle avait préféré faire le chemin à pied. Une fois de plus, elle arriverait en retard.

La garderie était dans la 49e Rue, près de la 2e Avenue. Il était 17 h 45 quand, haletante, Jenny sonna à la porte de l'appartement de Mme Curtis. Celle-ci était bien entendu furieuse, bras croisés, lèvres en forme de mince balafre dans son long visage rébarbatif. « Madame MacPartland ! Nous avons passé une journée épouvantable, poursuivit la femme revêche. Tina n'a pas arrêté de pleurer. Et vous m'aviez dit que Beth ne se chalissait plus, mais je peux vous dire que vous vous trompez.

— Elle ne se chali… je veux dire, elle ne se salit plus, protesta Jenny. C'est sans doute parce que les petites ne sont pas encore habituées à venir ici.

— *Et elles n'en auront pas l'occasion.* Vos filles sont trop fatigantes. Comprenez-moi ; une gosse de trois ans qui n'est pas propre et une autre de deux ans qui n'arrête pas de pleurer... c'est de quoi m'occuper à plein temps rien qu'avec elles.

— Maman ! »

Jenny se désintéressa de Mme Curtis. Beth et Tina étaient assises côte à côte sur le vieux divan défoncé dans l'entrée sans lumière que Mme Curtis appelait pompeusement le « coin-jeux ». Jenny se demanda depuis combien de temps on les avait ainsi empaquetées dans leurs vêtements pour sortir. Dans un élan de tendresse, elle les serra sauvagement dans ses bras. « Hé, salut ma Puce. Bonsoir mon Vif-Argent. » Les joues de Tina étaient trempées de larmes. Jenny repoussa tendrement les doux cheveux auburn qui leur couvraient le front. Elles avaient toutes les deux hérité des yeux noisette et des épais cils noirs de Kev, ainsi que de ses cheveux.

« Elle a eu peur aujourd'hui, rapporta Beth en désignant sa sœur du doigt. Elle a pleuré, beaucoup pleuré. »

La lèvre supérieure de Tina se mit à trembler. Elle leva les bras vers Jenny.

« Et vous êtes encore en retard, accusa Mme Curtis.

— Je suis désolée. » Jenny avait répondu d'un ton distrait. Tina avait les yeux battus, les joues rouges. Serait-elle en train de couver une autre angine ? C'était cet endroit. Jamais elle n'aurait dû choisir cette solution.

Elle souleva Tina dans ses bras. Craignant d'être oubliée, Beth se laissa glisser en bas du divan. « Par pure bonté, je garderai vos filles jusqu'à vendredi, dit Mme Curtis. Mais c'est tout. »

Sans dire bonsoir, Jenny ouvrit la porte et sortit dans le froid.

Il faisait nuit noire et le vent piquait. Tina se cacha la tête dans le cou de Jenny. Beth tenta d'abriter son visage dans le manteau de sa mère. « Je me suis mouillée qu'une fois », confia-t-elle.

Jenny rit. « Oh, ma Puce chérie ! Allons, courage. Dans une minute nous serons bien au chaud dans l'autobus. »

Mais trois bus passèrent complets. Jenny finit par y renoncer et décida de rentrer à pied. Tina était un poids mort. Essayer de se presser signifiait qu'il lui fallait à moitié traîner Beth derrière elle. Au bout de deux blocs, elle la souleva dans ses bras. « Je peux marcher, maman, protesta Beth. Je suis grande.

— Je sais que tu es grande, affirma Jenny, mais on ira plus vite si je te porte. » Joignant solidement les mains, elle parvint à équilibrer les deux petits derrières sur ses bras. « Cramponnez-vous. En route pour le marathon. »

Il lui restait encore dix blocs à descendre, puis deux transversalement. Elles ne sont pas si lourdes, ce sont tes enfants, se dit-elle. Pour l'amour du ciel, où vais-je trouver une autre garderie à partir de lundi prochain? Oh, Nana, tu nous manques tellement! Elle n'oserait jamais s'absenter davantage de la galerie. Erich avait-il invité Alison Spencer à dîner?

Quelqu'un arriva à sa hauteur. Elle eut un sursaut en voyant Erich lui prendre Beth des bras. La bouche de la petite fille s'arrondit de surprise autant que de frayeur. Devançant ses protestations, il lui sourit: « Nous arriverons beaucoup plus vite à la maison si je te porte et si nous faisons la course avec maman et Tina, dit-il en prenant un air de conspirateur.

— Mais…, commença Jenny.

— Vous n'allez tout de même pas refuser mon aide, Jenny? Je porterais volontiers aussi la plus petite, mais je crains qu'elle ne veuille pas venir avec moi.

— Elle ne voudra pas, en effet, admit Jenny, et je vous remercie infiniment, monsieur Krueger, mais…

— Jenny, voulez-vous, s'il vous plaît, cesser de m'appeler M. Krueger? Pourquoi m'avez-vous planté là avec cette raseuse d'*Art News*? J'espérais que vous alliez venir à mon secours. Lorsque j'ai constaté que vous aviez filé, je me suis souvenu de la garderie. Cette mégère m'a dit que vous étiez partie, mais je lui ai extirpé votre adresse. Et j'ai décidé de me rendre à pied chez vous et de sonner à votre porte. C'est alors que j'aperçois soudain juste devant moi une jolie fille en difficulté, et voilà. »

Il la prit résolument par le bras et elle se sentit soudain absurdement heureuse, toute lassitude envolée. Elle le regarda à la dérobée.

« Faites-vous ce trajet tous les soirs ? » interrogea-t-il. Il semblait à la fois incrédule et soucieux.

« Nous prenons généralement l'autobus quand il fait mauvais, dit-elle. Ils étaient tous bondés ce soir ; il y avait à peine de la place pour le conducteur. »

Entre Lexington et Park Avenue se succédaient plusieurs petits immeubles en pierre flanqués de perrons à hautes colonnes. Jenny désigna le troisième sur la gauche. « C'est là. » Elle observa sa rue avec tendresse. Elle lui procurait toujours la même impression de sérénité avec ses maisons presque centenaires, bâties du temps où Manhattan possédait encore des quartiers entiers d'hôtels particuliers. La plupart avaient disparu aujourd'hui, réduits à l'état de décombres pour faire place aux gratte-ciel.

Elle voulut prendre congé d'Erich avant d'entrer, mais il refusa de se retirer.

« Je vous accompagne à l'intérieur », déclara-t-il.

Elle le précéda à contrecœur dans le studio du rez-de-chaussée. Elle avait recouvert en jaune et orange le canapé et les fauteuils achetés d'occasion ; un grand morceau de moquette brun foncé camouflait en partie les éraflures du parquet ; les lits d'enfants rentraient juste dans la petite garde-robe attenante à la salle de bains, à demi dissimulée par la porte à claire-voie. Des reproductions de Chagall cachaient la peinture écaillée du mur et ses plantes vertes égayaient le rebord de la fenêtre au-dessus de l'évier de la cuisine.

À peine posées à terre, Beth et Tina se précipitèrent dans la pièce. Beth fit demi-tour. « Je suis bien contente d'être rentrée à la maison, maman », dit-elle. Elle jeta un coup d'œil à Tina. « Tina aussi est contente. »

Jenny rit. « Oh, ma Puce, comme je te comprends ! Voyez-vous, expliqua-t-elle à Erich, c'est très petit ici, mais nous y sommes bien.

— Je comprends pourquoi. C'est très agréable.

— À condition de ne pas regarder de trop près. La gérance laisse à désirer. L'immeuble va être vendu en copropriété et ils ne dépensent plus un sou.

— Allez-vous acheter votre appartement ? »

Jenny commença à dégrafer la combinaison matelassée de Tina. « Je ne vois pas comment. Cela peut vous paraître incroyable, mais cette seule pièce va coûter soixante mille dollars. Nous ne bougerons pas jusqu'à ce que l'on nous mette à la porte, et ensuite nous chercherons autre chose. »

Erich attrapa Beth au passage. « Si on ôtait ces gros vêtements. » Il déboutonna rapidement la veste de la petite fille, puis déclara : « Maintenant, il faut prendre une décision. En ce qui me concerne, j'ai l'intention de m'inviter à dîner, Jenny. Aussi mettez-moi à la porte si vous avez d'autres projets pour ce soir. Sinon, indiquez-moi le supermarché le plus proche. »

Ils se relevèrent en même temps, l'un en face de l'autre. « Alors, Jenny, le supermarché ou la porte ? »

Elle crut déceler une intonation un peu triste dans sa question. Avant même qu'elle ne pût répondre, Beth le tirait par la jambe. « Tu peux me lire une histoire, si tu veux, quémanda-t-elle.

— Voilà la réponse, décida-t-il. Je reste. Vous n'avez aucune objection à faire, maman. »

Il a donc vraiment envie de rester, songea Jenny. Il désire sincèrement être avec nous. Cette constatation l'emplit soudain de joie. « Je n'ai besoin de rien, lui dit-elle. Si vous aimez le pain de viande, nous sommes sauvés. »

Elle le laissa devant les informations à la télévision avec un verre de chablis pendant qu'elle baignait et faisait manger les enfants. Il leur lut une histoire pendant qu'elle préparait le dîner. Elle mit le couvert, assaisonna la salade, tout en jetant à plusieurs reprises un regard vers le divan. Une petite fille dans chaque bras, Erich lisait *Les Trois Ours* avec les mimiques appropriées. Voyant Tina prête à s'assoupir, il l'installa doucement sur ses genoux. Beth l'écoutait avec ravissement, les yeux rivés sur son visage. «C'était formidable, annonça-t-elle quand il eut terminé. Tu lis presque aussi bien que maman. »

Il leva un sourcil vers Jenny, un sourire de triomphe aux lèvres.

Une fois les enfants couchées, ils dînèrent à la table près de la fenêtre donnant sur le jardin. La neige dans la cour était encore blanche. Les arbres dénudés luisaient dans le reflet des lumières de la maison. Les hauts buissons verts cachaient presque les cours voisines.

«Vous voyez, fit remarquer Jenny, c'est la campagne en ville. Quand les filles sont couchées, j'aime m'attarder ici avec une tasse de café et imaginer que j'ai vue sur ma propriété. Turtle Bay, plus haut, est un quartier somptueux. Les immeubles anciens y ont des jardins superbes. Cet endroit-ci n'en est qu'une pâle imitation, mais je serai très triste lorsqu'il faudra le quitter.

— Où irez-vous ?

— Je l'ignore, mais j'ai six mois pour m'en préoccuper. Nous trouverons bien quelque chose. Si nous prenions un café maintenant ? »

On sonna à la porte. Erich parut contrarié. Jenny se mordit la lèvre. «C'est sans doute Fran, ma voisine de l'étage au-dessus. Elle est entre deux flirts en ce moment et elle descend ici pour un oui ou pour un non. »

Mais c'était Kevin. Il remplit l'embrasure de la porte, avec son air de bel adolescent dans son luxueux pull-over de ski, une longue écharpe négligemment rejetée sur l'épaule, ses cheveux auburn parfaitement coiffés, son teint uniformément hâlé.

«Entre, Kevin », fit-elle en s'efforçant de dissimuler son

exaspération. Seigneur! On peut dire qu'il avait le sens de l'à-propos!

Il s'avança dans la pièce, l'embrassa rapidement. Elle se sentit brusquement gênée, devinant le regard d'Erich posé sur eux.

«Les enfants sont couchées? demanda-t-il. Dommage, j'espérais les voir. Oh! mais tu n'es pas seule.»

Sa voix changea, prit un ton compassé. L'éternel acteur, pensa Jenny. L'ex-mari qui rencontre le nouvel ami de son ex-épouse dans une comédie de salon. Elle présenta les deux hommes; ils inclinèrent la tête sans sourire.

Kevin prit le parti de détendre l'atmosphère.

«Ça sent rudement bon chez toi, Jen. Qu'as-tu cuisiné?»

Il s'approcha de la cuisinière. «Dis donc! Quel superbe pain de viande! Délicieux, ajouta-t-il en goûtant un morceau. Je me demande toujours pourquoi je t'ai laissée partir.

— Erreur impardonnable, fit Erich d'une voix glaciale.

— Sans aucun doute, reconnut imperturbablement Kevin. Bon, je ne veux pas vous déranger. Je passais simplement par là. Oh, Jen, puis-je te parler en particulier une minute?»

Elle sut parfaitement de quoi il voulait l'entretenir. C'était la fin du mois. Elle quitta la pièce, espérant qu'Erich ne la verrait pas glisser son sac sous son bras. «Kev, je n'ai vraiment...

— Jen, je me suis juste laissé entraîner trop loin dans les dépenses de Noël pour toi et les enfants. Je dois mon loyer et le propriétaire ne veut plus rien entendre. Prête-moi seulement trente dollars pour une semaine ou deux.

— *Trente dollars*. Kevin, c'est impossible.

— Jen, j'en ai *besoin*.»

Elle sortit son portefeuille à contrecœur. «Kevin, il faut que nous parlions. Je crains de perdre mon job.»

Il prit promptement les billets. Les fourrant dans sa poche, il se prépara à sortir. «Ce vieux farceur est bien incapable de te renvoyer, Jen. Il connaît trop la valeur de ce qu'il tient.

Prends-le au mot et demande-lui une augmentation. Il ne trouvera personne au prix qu'il te paye. Tu verras. »

Elle revint dans l'appartement. Erich débarrassait la table, faisait couler l'eau dans l'évier. Il prit le reste du pain de viande et se dirigea vers la poubelle.

« Hé, attendez, protesta Jenny. Les filles le mangeront demain soir pour leur dîner. »

Sans l'écouter davantage, il jeta le reste : « Sûrement pas. Pas après que votre bouffon de mari l'eut tripoté ! » Il la regarda droit dans les yeux. « Combien lui avez-vous donné ?

— Trente dollars. Il me les rendra.

— Vous voulez dire que vous le laissez entrer ici, vous embrasser, plaisanter sur le fait qu'il vous a abandonnée, et filer pour aller dépenser votre argent dans un bar de luxe ?

— Il n'a pas de quoi payer son loyer.

— Ne vous racontez pas d'histoires, Jenny. Combien de fois vous a-t-il joué la même comédie ? À chaque fin de mois, je suppose. »

Jenny eut un sourire las. « Non, il n'est pas venu le mois dernier. Écoutez, Erich, laissez la vaisselle, je vous en prie. Je peux la faire.

— Vous avez suffisamment de travail comme ça. »

Sans rien dire, Jenny prit un torchon. Pourquoi Kevin avait-il justement choisi de venir aujourd'hui ? Elle était idiote de lui avoir donné de l'argent.

La réprobation disparut peu à peu sur le visage d'Erich. Il se détendit, lui prit le torchon des mains. « Ça suffit comme ça », sourit-il.

Il remplit deux verres de vin et les apporta jusqu'au divan. Elle s'assit à côté de lui. Il y avait une sorte d'intensité en lui qui la troublait profondément. Elle était incapable d'analyser ses sentiments. Erich s'en irait dans quelques instants. Demain soir à la même heure, elle serait à nouveau seule. Elle revit l'air ébloui des petites filles tandis qu'il leur lisait une histoire, se souvint du soulagement infini qu'elle avait éprouvé en le voyant surgir à ses côtés dans la rue et lui prendre Beth des bras. Le déjeuner et le dîner avaient pris des airs de fête, comme si par sa seule présence il dissipait soucis et solitude.

« Jenny. » Sa voix était tendre. « À quoi pensiez-vous ? »

Elle s'efforça de sourire. « Je crois que je ne pensais à rien. Je me sentais… bien, c'est tout.

— Et moi, je n'ai pas le souvenir de m'être jamais senti aussi heureux. Jenny, êtes-vous certaine de n'être plus amoureuse de Kevin MacPartland ? »

La surprise la fit rire. « Seigneur, oui.

— Alors, pourquoi lui avez-vous si facilement donné de l'argent ?

— Un fâcheux sens des responsabilités, sans doute. La crainte qu'il en eût réellement besoin pour payer son loyer.

— Jenny, je prends un avion tôt demain matin. Mais je peux revenir à New York pour le week-end. Êtes-vous libre vendredi soir ? »

Il allait revenir. Elle éprouva brusquement la même exquise sensation de bonheur et de soulagement qu'à son apparition sur la 2e Avenue.

« Je suis libre. Je trouverai une baby-sitter.

— Et samedi ? Croyez-vous que les enfants aimeraient aller au zoo de Central Park s'il ne fait pas trop froid ? Nous pourrions ensuite les emmener déjeuner chez Rumpelmayer.

— Elles seraient folles de joie. Mais Erich, vraiment…

— Je regrette seulement de ne pouvoir rester à New York plus longtemps. Mais j'ai un rendez-vous à Minneapolis. Je dois prendre certaines dispositions. Oh ! est-ce que je peux… ? »

Il avait remarqué l'album de photos sur le plateau inférieur de la table basse.

« Si vous voulez. Ce n'est pas bien passionnant. »

Ils burent lentement leur verre de vin en feuilletant l'album. « C'est moi le jour où l'on est venu me chercher à l'Assistance, commenta Jenny. J'ai été adoptée. Ce sont mes parents adoptifs.

40

— Ils ont l'air d'un jeune couple bien gentil.

— Je ne m'en souviens pas. Ils sont morts dans un accident de voiture quand j'avais quatorze mois. Après quoi, je suis restée seule avec Nana.

— Est-ce une photo de votre grand-mère ?

— Oui. Elle avait cinquante-trois ans à ma naissance. Je me souviens… j'étais à l'école primaire… je suis rentrée la mine longue à la maison parce que tous les enfants dessinaient leur carte pour la fête des Pères et que je n'avais pas de père. Nana m'a dit : « Écoute, Jenny, je suis ta mère, je suis ton père, je suis ta grand-mère et ton grand-père. Je suis tout ce qu'il te faut. Alors, tu peux *me* faire une carte pour la fête des Pères. »

Elle sentit le bras d'Erich autour de ses épaules. « Je ne m'étonne pas qu'elle vous manque tellement. »

Jenny poursuivit précipitamment : « Nana travaillait dans une agence de tourisme. Nous avons fait des voyages formidables. Regardez, ici nous sommes en Angleterre. J'avais quinze ans. Et là, c'est lors d'un séjour à Hawaii. »

Quand ils arrivèrent aux photos de son mariage, Erich referma l'album. « Il est tard, dit-il. Vous devez être fatiguée. »

Sur le seuil de la porte, il lui prit les deux mains et les porta à ses lèvres. Elle avait enlevé ses bottes. « Même comme ça, vous êtes le portrait de Caroline, dit-il en souriant. Vous paraissez grande avec des talons et petite sans. Êtes-vous fataliste, Jenny ?

— Ce qui doit être sera. C'est du moins ce que je crois.

— C'est une bonne réponse. »

La porte se referma sur lui.

4

A HUIT HEURES TAPANTES, le téléphone sonna. «Avez-vous bien dormi, Jenny?

— Merveilleusement.» C'était vrai. Elle s'était endormie dans une sorte d'euphorie. Erich allait revenir. Elle allait le revoir. Pour la première fois depuis la mort de Nana, elle ne s'était pas réveillée à l'aube avec une amère sensation d'abattement.

«Tant mieux. Moi aussi. Et j'ajouterai que j'ai fait des rêves particulièrement agréables. Jenny, à partir de ce matin, j'ai retenu une limousine qui viendra vous chercher vous et les enfants à 8 h 15. Le chauffeur conduira les petites à la garderie et vous à la galerie. Il viendra vous reprendre tous les soirs à 17 h 5.

— Erich, c'est impossible.

— Jenny, *je vous en prie*. C'est si peu de chose pour moi. Je ne supporte pas de vous imaginer en train de vous débattre avec ces bouts de chou dans le froid et la pluie.

— Mais, Erich!

— Jenny, je suis pressé. Je vous rappellerai plus tard.»

À la garderie, Mme Curtis se montra d'une amabilité

42

pleine d'affectation. «Votre ami est si distingué, madame MacPartland. Il a téléphoné ce matin. Et sachez surtout que vous n'avez pas à chercher un autre endroit pour vos filles. Nous avons seulement besoin de mieux nous connaître et de leur laisser le temps de s'adapter. N'est-ce pas, mes petites?»

Il lui téléphona à la galerie. «Je viens d'atterrir à Minneapolis. La voiture est-elle venue comme prévu?

— Erich, c'était merveilleux! Quel bonheur de ne pas avoir à courir avec les enfants! Qu'avez-vous raconté à Mme Curtis? Elle était tout miel.

— Ça ne m'étonne pas. Jenny, où désirez-vous dîner vendredi soir?

— Peu importe.

— Choisissez un restaurant où vous avez toujours rêvé d'aller... où personne ne vous a jamais emmenée.

— Erich, il y a des milliers de restaurants à New York. Les seuls qui soient à ma portée sont ceux de la 2e Avenue et de Greenwich Village.

— Avez-vous déjà dîné au Lutèce?

— Seigneur, non!

— Bon. C'est là que nous irons vendredi.»

Jenny passa la journée dans une sorte de brouillard. Les remarques répétées de M. Hartley à propos de l'impression qu'elle avait faite sur Erich ne l'aidèrent en rien. «Le coup de foudre, Jenny. Il a eu le coup de foudre pour vous.»

Fran, l'hôtesse de l'air de l'appartement 4 E, au-dessus de chez elle, passa la voir dans la soirée. Elle était morte de curiosité. «J'ai vu ce type superbe dans l'entrée l'autre soir. J'ai bien pensé qu'il devait sortir d'ici. Et c'est avec lui que tu as rendez-vous vendredi. Oh, là, là!»

Elle accepta volontiers de garder les enfants. «J'aimerais faire sa connaissance. Peut-être a-t-il un frère ou un cousin ou un vieux copain de collège.»

Jenny rit. «Fran, il va peut-être revenir sur sa décision et téléphoner pour annuler.

— Non, sûrement pas. » Fran secoua sa tête toute bouclée. « J'ai un pressentiment. »

La semaine s'éternisa. Mercredi. Jeudi. Et soudain, miraculeusement, vendredi.

Erich passa la prendre à 19 h 30. Elle avait choisi de porter une robe à manches longues achetée en solde. Le décolleté ovale mettait en valeur le pendentif en or de Nana; le brillant du milieu étincelait sur la soie noire. Deux nattes retenaient ses cheveux sur sa nuque.

« Vous êtes ravissante, Jenny. » Il donnait une impression d'aisance naturelle et de luxe, dans son costume bleu nuit à fines rayures, son manteau en cachemire de la même couleur et une écharpe en soie blanche.

Elle téléphona à Fran de descendre, surprit la lueur amusée dans l'œil d'Erich devant l'air franchement admiratif de la jeune fille.

Tina et Beth s'extasièrent sur les poupées qu'il leur avait apportées. Jenny regarda les jolis visages peints, les yeux qui s'ouvraient et se fermaient, les mains potelées, les chevelures bouclées et les compara aux piètres cadeaux de Kevin pour Noël.

Elle surprit le froncement de sourcils d'Erich lorsqu'il lui tendit son vieux manteau d'hiver molletonné et regretta un instant d'avoir refusé d'emprunter la veste en fourrure de Fran. Mais Nana lui avait toujours recommandé de ne rien emprunter.

Erich avait loué une limousine pour la soirée. Elle s'appuya au dossier rembourré. Il lui prit la main. « Jenny, vous m'avez manqué. Ce furent les quatre jours les plus longs de ma vie.

— Vous m'avez manqué, aussi. » C'était la simple vérité mais elle regrettait de l'avoir exprimé avec tant de ferveur.

Dans le restaurant, elle jeta un coup d'œil aux autres tables, notant les visages célèbres.

« Pourquoi souriez-vous ? demanda Erich.

— Le choc culturel. Le décalage entre deux mondes. Vous rendez-vous compte que pas une personne dans cette salle ne soupçonne l'existence de la garderie de Mme Curtis ?

— Dieu merci ! » Les yeux d'Erich brillaient d'une tendresse moqueuse.

Le sommelier servit le champagne. « Vous portiez ce pendentif l'autre jour, Jenny. Il est ravissant. Est-ce un cadeau de Kevin ?

— Non, de Nana. »

Il se pencha vers elle à travers la table ; ses doigts minces et bien modelés entrelacèrent les siens. « Tant mieux. Sinon cela m'aurait tracassé toute la soirée. À présent, je le trouve très joli sur vous. »

Il discuta du menu avec le maître d'hôtel dans un français parfait. Elle lui demanda où il avait appris à parler cette langue.

« À l'étranger. J'ai beaucoup voyagé ; avant de finir par comprendre que c'était dans ma ferme où je passe mon temps à peindre que je me sentais le plus heureux et le moins seul. Mais ces derniers jours ont été affreux.

— Pourquoi ?

— Parce que j'étais loin de vous. »

Le samedi, ils allèrent au zoo. Erich prit tour à tour les petites filles sur ses épaules avec une patience infinie. Cédant à leurs supplications, il retourna à trois reprises dans le secteur réservé aux singes.

Au déjeuner, il coupa la viande de Beth pendant que Jenny s'occupait de Tina. Il persuada cette dernière de boire son lait en lui promettant qu'il finirait son Bloody Mary et secoua la tête avec une feinte gravité en voyant la moue que fit Jenny.

Puis, passant outre les protestations de leur mère, il pressa chacune des enfants de choisir l'un des célèbres animaux en peluche de Rumpelmayer et parut ignorer le temps interminable que mit Beth à se décider.

« Êtes-vous certain de ne pas avoir six enfants dans votre ferme du Minnesota ? lui demanda Jenny au moment où ils sortaient du magasin. Personne n'est naturellement doué d'une telle patience avec les enfants.

— Mais on m'a élevé avec ce genre de patience, c'est tout ce que je sais.

— J'aurais aimé connaître votre mère.

— J'aurais aimé connaître votre grand-mère.

— Maman, demanda Beth, pourquoi tu as l'air si heureuse ? »

Le dimanche, Erich arriva avec deux paires de patins à glace pour Tina et Beth et conduisit tout le monde à la patinoire de Rockefeller Center.

Le soir, il emmena Jenny dîner tranquillement à Park Lane. À l'heure du café, tous deux devinrent silencieux. « Ce furent deux jours merveilleux, Jenny, dit-il enfin.

— Oui. »

Mais il ne parla pas de revenir. Elle détourna la tête et regarda Central Park dans le scintillement des feux combinés des réverbères, des phares et des lumières des appartements en bordure. « Le parc est toujours tellement beau, ne trouvez-vous pas ?

— Le regretterez-vous beaucoup ?

— Le regretter ?

— Le Minnesota possède une beauté toute différente. »

Que disait-il ? Elle se tourna vers lui. Leurs mains se rencontrèrent spontanément, doigts entrelacés. « Jenny, c'est très rapide, mais c'est la seule solution. Si vous insistez, je viendrai passer tous les week-ends à New York pendant six mois — un an — pour vous faire la cour. Mais, est-ce nécessaire ?

— Erich, vous me connaissez à peine !

— Je vous ai toujours connue. Vous étiez un bébé à l'air grave ; vous saviez nager à l'âge de cinq ans, vous avez eu le prix d'excellence en neuvième, en huitième et en septième.

— Feuilleter un album de photos ne suffit pas.

— Je suis sûr du contraire. Et je me connais bien. J'ai toujours su ce que je cherchais, su que je saurais le reconnaître le jour venu. Vous le savez aussi. Avouez-le.

— Je me suis déjà trompée une fois. J'étais convaincue d'avoir raison au sujet de Kevin.

— Jenny, ne soyez pas injuste à votre égard. Vous étiez très jeune. Kevin fut votre premier amoureux, m'avez-vous dit. Et ne l'oubliez pas, aussi merveilleuse qu'ait pu être votre grand-mère, il vous a manqué un homme dans votre enfance, un père, un frère. Vous étiez prête à vous amouracher du premier venu. »

Elle réfléchit. « Vous avez raison, je suppose.

— Et les filles ? Ne leur gâchez pas leur enfance, Jenny. Elles sont si heureuses lorsque vous restez avec elles. Il me semble qu'elles pourraient l'être avec moi. Épousez-moi, Jenny. Sans attendre. »

Elle ne le connaissait pas il y a une semaine. Elle sentit la chaleur de la main d'Erich sur ses doigts, plongea ses yeux dans les siens et sut qu'ils reflétaient le même éclat amoureux.

Et elle sut avec certitude quelle réponse elle lui donnerait.

Ils restèrent à bavarder jusqu'à l'aube dans l'appartement. « Je veux adopter les petites, Jenny. Je vais demander à mes avocats de préparer les documents à faire signer à MacPartland.

— Je doute qu'il accepte d'abandonner les enfants.

— J'ai l'intuition du contraire. Je veux qu'elles portent mon nom. Lorsque nous aurons une famille à nous, il ne faut pas que Beth et Tina se sentent étrangères. Je serai un père attentif pour elles. Il est pire qu'un mauvais père. Il est indifférent. Au fait, quelle sorte de bague de fiançailles vous avait-il offerte ?

— Aucune.

— Bon. Je ferai transformer celle de Caroline pour vous. »

Il lui téléphona le mercredi soir qu'il avait pris rendez-vous avec Kevin pour le vendredi après-midi. « Je pense qu'il est préférable que je le voie seul, chérie. »

Tina et Beth passèrent toute la semaine à demander quand « M. Kruer » allait revenir. Elles s'élancèrent dans ses bras dès qu'il entra dans l'appartement le vendredi soir. Jenny sentit des larmes de bonheur lui monter aux yeux en entendant leurs cris de joie pendant qu'il les serrait contre lui.

Au cours du dîner au Four Seasons, il lui raconta son entrevue avec Kevin. « Il ne s'est pas montré particulièrement bien disposé. Je crains qu'il ne soit le genre à mettre des bâtons dans les roues, chérie. Il ne veut ni de vous ni des enfants, mais ne consent à vous laisser à personne d'autre. Je suis parvenu à le persuader que c'était le mieux pour elles. Nous en aurons terminé avec les formalités vers la fin janvier. L'adoption sera ensuite définitive au bout de six mois. Marions-nous le 3 février ; cela fera presque un mois après le jour de notre rencontre. À propos. » Il ouvrit son attaché-case. Elle s'était étonnée de le voir apporter cette mallette à table. « Voyons si cela vous va. »

C'était un solitaire taillé en émeraude. Jenny admira l'extraordinaire pureté de la pierre pendant qu'il lui passait la bague au doigt.

« J'ai finalement préféré ne pas la faire transformer, lui dit-il. Elle est parfaite telle que…

— Elle est magnifique, Erich.

— Et chérie, débarrassons-nous aussi de ceci. » Il sortit une liasse de papiers. « En établissant les papiers d'adoption, mes avocats ont également voulu s'occuper du contrat de mariage.

— Du contrat de mariage ? » demanda Jenny d'un air absent. Elle était absorbée dans la contemplation de sa bague. Tout ceci n'était pas un rêve. C'était réel. Bien réel. Elle allait épouser Erich. Elle faillit éclater de rire au souvenir de la réaction de Fran. « Jenny, il est trop parfait. Bon sang, il ne te quitte pas des yeux ; il est dingue des filles. Ce n'est pas possible, il doit y avoir quelque chose de louche là-dessous. Il est sûrement joueur ou ivrogne ou bigame. »

Elle avait failli le raconter à Erich, mais s'était ravisée. Il appréciait assez peu le caractère impétueux de Fran. Que disait-il ?

« C'est parce que je suis — comment dire — un homme plutôt riche... Mes avocats ont été contrariés par la façon un peu rapide dont les choses se sont déroulées. Ces documents stipulent seulement que si nous devions nous séparer avant dix ans les intérêts Krueger resteraient intacts. »

Elle n'en crut pas ses oreilles. « Si nous devions nous séparer, je n'accepterais rien de vous, Erich.

— J'aimerais mieux mourir que de vous perdre, chérie. Ce n'est qu'une formalité. » Il posa les papiers près de l'assiette de Jenny. « Bien entendu, vous pouvez parfaitement faire examiner ce contrat par vos avocats. En fait, on m'a chargé de vous dire que même dans le cas où les clauses du contrat vous paraîtraient à première vue satisfaisantes, vous pouvez garder les documents deux jours avant de les renvoyer.

— Erich, je n'ai pas d'avocat. »

Elle jeta un coup d'œil en haut de la première feuille, demeura consternée devant le jargon juridique et secoua la tête. D'une façon incongrue, elle revit brusquement Nana en train d'éplucher les relevés des notes d'épicerie, triomphant parfois : « Il m'a compté les citrons deux fois. » Nana aurait examiné attentivement ces papiers de la première à la dernière ligne avant de les signer.

« Erich, je n'ai pas la moindre envie de lire tout ça. Où dois-je signer ?

— J'ai marqué l'endroit, chérie. »

Jenny griffonna rapidement sa signature. Manifestement, les hommes de loi craignaient qu'elle pût épouser Erich pour sa fortune. Elle ne pouvait raisonnablement pas les en blâmer, mais c'était malgré tout gênant.

« Et chérie, outre ces dispositions, ce document lègue un fonds en fidéicommis à chacune des filles dont elles hériteront à l'âge de vingt et un ans. Il prendra effet dès l'adoption définitive. Et il stipule également que vous hériterez de toute ma fortune à ma mort.

— Erich ! Ne parlez pas de ça ! »

Il rangea les papiers dans sa mallette. « Ce sont des choses peu romantiques, mais il faut les faire, dit-il. Que désirez-vous pour nos noces d'or, Jen ?

— Darby et Joan.

— Quoi ?

— Ce sont des statuettes en porcelaine de Royal Doulton. Un vieil homme et une vieille femme assis l'un à côté de l'autre, l'air content. Je les ai toujours adorés. »

Le lendemain matin, Erich portait une boîte enrubannée sous le bras quand il sonna à la porte de l'appartement. Les deux statuettes se trouvaient à l'intérieur.

Plus encore que la bague, elles représentèrent pour Jenny le gage d'un éternel amour.

5

« J'APPRÉCIE TON GESTE, Jen. Ces trois cents dollars vont me rendre un sacré service. Tu t'es toujours montrée très chic.

— Nous avons meublé cet appartement ensemble, Kev. Cet argent te revient à moitié.

— Bon Dieu, quand je pense à nos expéditions la nuit dans les rues pour ramasser les meubles dont les gens se débarrassaient sur les trottoirs avec leurs ordures. Te souviens-tu du soir où nous avons piqué cette boudeuse à la barbe d'un autre type ? Tu t'es assise dessus avant même qu'il n'ait pu s'en approcher.

— Je me souviens, dit Jenny. J'ai bien cru qu'il allait me donner un coup de couteau dans sa rage. Écoute, Kevin, je t'attendais plus tôt. Erich ne va pas tarder à arriver et je crains qu'il ne soit pas ravi de tomber sur toi. »

Ils se tenaient debout au milieu de l'appartement vide. Il ne restait plus rien. Jenny avait tout vendu pour moins de six cents dollars. Sans la note colorée des lithographies, les murs semblaient sales et lézardés. L'état délabré du studio apparaissait tout à coup cruellement maintenant que ni meuble ni tapis n'en dissimulaient la nudité. Seules les belles valises neuves occupaient la pièce.

Kevin portait une veste en daim du dernier chic. Pas étonnant qu'il fût toujours fauché, pensa-t-elle. Elle l'examina froidement, notant les bouffissures sous les yeux. Il boit trop, présuma-t-elle. Elle se sentit coupable d'éprouver moins de nostalgie à la pensée de ne plus revoir Kevin qu'à celle de quitter ce petit appartement.

« Tu es ravissante, Jen. Cette couleur te va à merveille. »

Elle était vêtue d'un ensemble en soie bleue. Au cours d'une de ses visites, Erich avait insisté pour leur acheter à toutes les trois un trousseau complet chez Saks. Il n'avait tenu aucun compte de ses protestations. « Considérez que vous serez ma femme au moment où arriveront les factures. »

Les valises Vuiton étaient aujourd'hui remplies d'ensembles haute couture, de chemisiers, chandails, pantalons, jupes du soir, bottes de chez Raphael et chaussures de chez Magli. D'abord gênée à l'idée qu'Erich lui paye tous ses vêtements avant leur mariage, Jenny avait fini par prendre plaisir à sa nouvelle existence. Et quelle joie de pouvoir faire des achats pour les enfants ! « Vous êtes si gentil avec nous ! » C'était devenu un véritable leitmotiv.

« Je vous aime, Jenny. Chaque dépense m'enchante. Je n'ai jamais été aussi heureux. »

Il l'avait aidée dans le choix de ses vêtements avec un sens inné de l'élégance. « L'œil du peintre », avait-elle plaisanté.

— Où sont les filles ? demanda Kevin. J'aurais aimé leur dire au revoir.

— Fran les a emmenées se promener. Nous irons les chercher après la cérémonie. Fran et M. Hartley déjeunent avec nous. Nous partirons ensuite directement pour l'aéroport.

— Jen, je crois que tu t'es lancée un peu hâtivement dans cette histoire. Tu connais Krueger depuis à peine un mois.

— C'est suffisant lorsque l'on est sûr de soi, tout à fait sûr. Et nous le sommes tous les deux.

— Eh bien, moi, je reste toujours hésitant au sujet de l'adoption. Je n'ai pas envie d'abandonner les enfants. »

Jenny s'efforça de dissimuler son irritation. « Kevin, nous en avons fini avec ça. Tu as signé les documents. Tu ne t'occupes pas des enfants. Tu ne subviens pas à leurs besoins. En fait, à chacune de tes interviews, tu nies avoir une famille.

— Comment réagiront-elles, plus grandes, en comprenant que je les ai abandonnées ?

— Elles te seront reconnaissantes de leur avoir donné la chance de vivre avec un père qui les aime. Tu sembles oublier que moi aussi j'ai été adoptée. Et j'ai toujours remercié celle qui m'avait abandonnée. Avoir été élevée par Nana fut vraiment exceptionnel.

— Je t'accorde que Nana était exceptionnelle. Mais je n'aime pas Erich Krueger. Il y a quelque chose chez lui…

— Kevin !

— Très bien. Je m'en vais. Tu me manqueras, Jen. Je t'aime toujours. Tu le sais. » Il lui prit les mains. « Et j'aime mes enfants aussi. »

Acte trois, rideau, songea Jenny. Tout le monde sort son mouchoir. « Je t'en prie, Kevin. Je ne veux pas qu'Erich te trouve ici.

— Jen, je vais peut-être avoir l'occasion de venir dans le Minnesota. Je me suis démené pour entrer dans la troupe du théâtre Gunthrie à Minneapolis. Si ça marche, je viendrai te voir.

— Kevin, non ! »

Elle ouvrit résolument la porte de l'appartement. L'interphone grésilla : « C'est sûrement Erich, dit anxieusement Jenny. Zut, je ne voulais pas qu'il te voie ici. »

Erich attendait dehors, derrière la double porte vitrée de l'entrée. Il tenait une grande boîte enveloppée de papier cadeau. Consternée, elle vit son sourire se figer sur ses lèvres lorsqu'il l'aperçut dans le hall en compagnie de Kevin.

Elle ouvrit la porte et le fit entrer, prononçant vivement : « Kevin est passé me voir une minute. Au revoir, Kevin. »

Les deux hommes se dévisagèrent. Sans parler. Puis Kevin sourit et se pencha vers Jenny. L'embrassant sur la bouche, il dit d'un ton de confidence : « C'était merveilleux d'être avec toi. Merci encore, Jen. À bientôt dans le Minnesota, chérie. »

6

« NOUS SURVOLONS Green Bay, dans le Wisconsin. Nous volons à une altitude de dix mille mètres. Nous atterrirons à l'aéroport de Minneapolis à 17 h 58. La température à Minneapolis est de vingt-deux degrés en dessous de zéro. Le ciel est dégagé. Nous espérons que vous avez apprécié ce voyage. Merci encore d'avoir choisi la compagnie Northwest. »

Erich posa sa main sur celle de Jenny. « Heureuse ? »

Elle lui sourit. « Très. » Ils regardèrent en même temps l'alliance en or de la mère d'Erich aujourd'hui au doigt de Jenny.

Beth et Tina s'étaient endormies. L'hôtesse de l'air avait relevé le bras entre leurs deux sièges et elles s'étaient pelotonnées l'une contre l'autre, boucles auburn entremêlées, sans se soucier de froisser leurs robes chasubles neuves en velours vert et leurs pull-over blancs à col roulé.

Jenny contempla la masse cotonneuse de nuages qui flottait derrière le hublot. Malgré son bonheur, elle en voulait encore à Kevin. Elle le savait faible et irresponsable mais elle l'avait toujours pris pour quelqu'un de gentil. En réalité, c'était un empêcheur de tourner en rond. Il avait tout fait pour lui gâcher le jour de son mariage.

« Pourquoi vous a-t-il remerciée, que voulait-il dire ? » avait questionné Erich dans l'appartement, après le départ de Kevin. « L'aviez-vous invité à venir chez vous ? »

Elle n'avait trouvé que de piètres mots pour se justifier.

« Vous lui avez donné trois cents dollars ? s'était-il étonné. Mais savez-vous seulement combien il vous doit en pensions et en remboursements ?

— Je n'ai pas besoin de cet argent et les meubles lui appartiennent à moitié.

— Mais vous avez peut-être besoin d'être sûre qu'il aura suffisamment d'argent pour venir vous voir.

— Erich, comment pouvez-vous dire une chose pareille ? » Elle avait refoulé ses larmes mais pas avant qu'Erich ne les aperçût.

« Jenny, pardon. Je suis désolé. Je suis jaloux, c'est vrai. Je déteste l'idée que cet homme ait pu même vous toucher. Je ne veux plus qu'il pose un doigt sur vous.

— Il ne le fera pas. Je peux vous le promettre. Mon Dieu, s'il est pourtant une chose dont je lui suis reconnaissante, c'est d'avoir signé les papiers d'adoption. J'ai prié le ciel jusqu'à la dernière minute.

— L'argent est un excellent argument.

— Erich, vous ne l'avez pas payé ?

— Pas beaucoup. Deux mille dollars. Mille par enfant. C'est plutôt bon marché pour être débarrassé de lui.

— Il vous a vendu ses enfants. » Jenny s'était efforcée de ne pas montrer le mépris qu'elle ressentait.

« J'étais prêt à payer cinquante fois plus.

— Vous auriez dû m'en parler.

— Si je n'avais eu le désir d'éliminer tout reste de pitié à son égard, je ne vous en aurais rien dit... Oubliez-le. C'est notre journée. Si vous ouvriez votre cadeau de mariage ? »

C'était un manteau de vison Blackglama. « Oh, Erich !

« — Allez, essayez-le. »

Il était somptueux, doux, léger, chaud. « Il est fait pour vous, dit Erich avec satisfaction. Savez-vous à quoi je pensais, ce matin ?

— Non. »

Il l'avait prise dans ses bras. « J'ai affreusement mal dormi la nuit dernière. Je déteste les hôtels et je ne pensais qu'à une chose : ce soir, Jenny sera avec moi dans ma maison. Connaissez-vous ce poème, "Jenny m'a embrassé" ?

— Je ne crois pas.

— Je me souviens seulement de deux vers. "Dis que je suis las, dis que je suis triste…" et les derniers mots, triomphants, "Jenny m'a embrassé". Je pensais à cela quand j'ai sonné à votre porte et une minute plus tard je voyais Kevin MacPartland vous embrasser.

— Erich, je vous en prie…

— Pardon. Partons d'ici. C'est trop déprimant. »

Il l'avait entraînée vers la limousine sans lui laisser le temps de jeter un dernier coup d'œil en arrière.

Même durant la cérémonie, elle n'avait pu chasser Kevin de son esprit, se rappelant leur mariage à Santa Monica quatre ans auparavant. Ils avaient choisi cette église parce que Nana s'y était mariée. Nana était assise au premier rang, rayonnante. Bien qu'elle n'appréciât pas Kevin, elle avait fait contre mauvaise fortune bon cœur en constatant son impuissance à dissuader Jen. Qu'aurait-elle pensé aujourd'hui de cette cérémonie civile ? « Moi, Jennifer, je prends… » Elle hésita. Seigneur, elle avait failli dire *Kevin*. Elle sentit le regard interrogateur d'Erich et reprit. Fermement. « Moi, Jennifer, je prends Erich…

— L'homme ne séparera pas ce que Dieu a uni. »

Le magistrat avait prononcé ces mots d'un ton solennel. Mais des paroles toutes semblables avaient déjà été prononcées lors de son mariage avec Kevin.

Ils arrivèrent à Minneapolis une minute avant l'heure

prévue. Un grand panneau annonçait : BIENVENUE À MINNEAPOLIS. Jenny examina l'aéroport avec le plus vif intérêt. « J'ai voyagé dans toute l'Europe, mais je n'ai jamais été plus à l'ouest que la Pennsylvanie, dit-elle en riant. Je m'étais imaginé un atterrissage en pleine prairie. »

Elle tenait Beth par la main. Erich portait Tina. Beth se retourna vers la passerelle de l'avion : « Encore de l'avion, Maman, supplia-t-elle.

— Je crains que vous n'ayez déclenché quelque chose, Erich, dit Jenny. Elles me semblent toutes les deux montrer un goût certain pour les voyages en première classe. »

Erich n'écoutait pas. « J'ai prié Clyde d'envoyer Joe nous chercher, dit-il. Il devrait être à l'arrivée.

— Joe ?

— Un des employés de la ferme. Il n'est pas très malin, mais c'est un bon palefrenier et il conduit bien. Je le prends toujours comme chauffeur lorsque je ne veux pas laisser la voiture à l'aéroport. Ah ! le voilà. »

Jenny vit se précipiter vers eux un jeune homme d'une vingtaine d'années, svelte et blond comme les blés, avec de grands yeux innocents et des joues vermeilles. Il était vêtu avec soin d'un manteau matelassé, d'un pantalon en tricot noir, de grosses bottes et de gants et était affublé d'une casquette de chauffeur posée sur son épaisse chevelure. Il se découvrit en s'arrêtant devant Erich et Jenny se dit qu'il semblait affreusement inquiet pour un si beau garçon.

« Monsieur Krueger, je suis désolé d'être en retard. Les routes sont très verglacées.

— Où est la voiture ? demanda sèchement Erich. Je vais y installer ma femme et les enfants. Nous nous occuperons ensuite des bagages.

— Oui, monsieur Krueger. » L'inquiétude s'accrut dans le regard du jeune homme. « Je suis vraiment désolé d'être en retard.

— Oh ! pour l'amour du Ciel, intervint Jenny. Nous sommes

en avance, nous avons une minute d'avance. Je suis Jenny. »
Elle lui tendit la main.

Il la prit, la tenant avec précaution comme s'il craignait de
lui faire mal. « Je suis Joe, madame Krueger. On attend tous
votre arrivée avec impatience. Tout le monde parle de vous.

— Sans nul doute », coupa Erich. Il poussa Jenny en avant.
Joe resta derrière eux. Elle se rendit compte qu'Erich était
contrarié. Peut-être n'était-elle pas censée se montrer si
familière ? Sa vie à New York et à la galerie Hartley, l'appartement de la 37e Rue, lui semblèrent soudain terriblement
loin.

7

L A CADILLAC Fleetwood bordeaux d'Erich était à l'état
neuf et la seule dans le parking à ne pas être maculée
d'éclaboussures de neige croûteuse. Jenny se demanda si Joe
avait pris le temps de la laver avant d'arriver à l'aéroport. Erich
installa sa femme sur le siège arrière avec Tina, permit à Beth
de monter devant et partit rapidement aider Joe à prendre les
bagages.

Quelques minutes plus tard, ils s'engageaient sur l'autoroute.
« Il y a presque trois heures de trajet jusqu'à la ferme, lui dit
Erich. Tu devrais t'appuyer contre moi et dormir un peu. » Il
semblait détendu maintenant, plein d'attentions, son accès
de colère oublié.

Il tendit la main vers Tina qui s'installa sans broncher sur
ses genoux. Il savait toujours s'y prendre avec la petite fille.
Tous les papillons noirs de Jenny s'envolèrent à la vue du
contentement peint sur le visage de sa cadette.

La voiture fila dans la campagne. Les lumières de l'autoroute disparurent peu à peu. La route s'assombrit et se rétré-
cit. Joe alluma les phares et Jenny distingua des bouquets
d'érables au port gracieux et quelques chênes rabougris. Le

pays semblait absolument plat. Tout était si différent de New York. Voilà sans doute pourquoi elle avait éprouvé cette terrible sensation d'éloignement en quittant l'aéroport.

Il lui fallait un peu de temps, le temps de s'adapter, de s'acclimater. Posant la tête sur l'épaule d'Erich, elle murmura : « Tu sais quoi, je suis fatiguée. » Elle n'eut pas envie d'en dire plus, pas tout de suite. Mais, mon Dieu, que c'était bon de s'appuyer contre lui, de savoir qu'ils ne seraient plus pressés, bousculés par le temps. Il avait suggéré de remettre à plus tard leur voyage de noces. « Tu n'as personne à qui laisser les enfants, avait-il dit. Une fois bien installés, nous trouverons quelqu'un de confiance pour les garder et nous partirons tous les deux. » Combien d'hommes auraient su se montrer aussi attentifs ? s'émerveilla Jenny.

Elle sentit le regard d'Erich posé sur elle.

« Réveillée, Jenny ? », demanda-t-il. Mais elle ne répondit pas. Il lui caressa doucement les cheveux ; lui massa les tempes. Tina dormait ; son souffle était doux et régulier. Sur le siège avant, Beth avait cessé de bavarder avec Joe ; elle aussi s'était sans doute endormie.

Jenny s'efforça de respirer calmement. Il fallait regarder devant soi, à présent, tourner le dos à la vie qu'elle venait de quitter et penser à celle qui l'attendait.

Depuis un quart de siècle, la maison d'Erich avait été privée de toute présence féminine. Elle avait sans doute besoin de certaines transformations. Il serait intéressant d'y trouver les traces de l'influence de Caroline.

C'est drôle, songea Jenny. Je ne pense jamais à la mère d'Erich en tant que mère. Je pense à elle en tant que Caroline.

Elle se demanda si le père d'Erich en parlait de cette façon. Si au lieu de dire « ta mère », lorsqu'il racontait ses souvenirs, il disait « Caroline et moi... ».

Elle se réjouissait à l'avance à l'idée d'arranger la maison. Combien de fois avait-elle contemplé son appartement disant, « Si j'en avais les moyens, je ferais ça... et ça... et ça... »

Ce serait merveilleux de pouvoir s'éveiller le matin sans être obligée de partir au pas de course pour aller travailler. De rester avec les enfants, leur consacrer du temps, du temps réel, non quelques minutes à la fin d'une journée exténuante. Elle avait déjà perdu la meilleure partie de leur petite enfance.

Être une femme, aussi. Kevin n'avait pas plus été un véritable père qu'un vrai mari. Même dans leurs moments les plus intimes, elle avait toujours eu l'impression qu'il jouait le rôle du jeune premier dans un film de la MGM.

Et elle était certaine qu'il l'avait trompée, même pendant la courte période de leur vie commune.

Erich était un homme mûr. Il aurait pu se marier beaucoup plus tôt, mais il avait préféré attendre. Les responsabilités ne l'effrayaient pas. Kevin les avait esquivées. Erich était si réservé. Fran le trouvait plutôt bonnet de nuit et Jenny savait même que M. Hartley ne se sentait pas à l'aise avec lui. Ils ne se rendaient pas compte que cette froideur apparente cachait simplement une nature foncièrement timide. « J'ai plus de facilité à peindre mes sentiments qu'à les exprimer », lui avait-il avoué. Il y avait tant d'amour dans tous ses tableaux…

Elle sentit la main d'Erich lui caresser la joue.

« Réveille-toi, chérie, nous arrivons à la maison.

— Quoi ? Oh ! me suis-je vraiment endormie ? » Elle se redressa.

« Je suis heureux que tu aies dormi, chérie. Mais regarde par la fenêtre. Avec ce clair de lune on y voit presque comme en plein jour. » Il parlait avec ardeur. « Nous sommes sur la départementale 26. La propriété commence à cette clôture, des deux côtés de la route. À droite, elle va jusqu'au lac Gray. À gauche, elle s'étend irrégulièrement. Les bois occupent près de soixante-dix hectares à eux seuls ; ils se terminent aux abords de la rivière qui descend vers le Minnesota. Maintenant, regarde, tu peux voir quelques-uns des bâtiments de la ferme. Voici les nourrisseurs où les bêtes viennent s'alimenter durant l'hiver. Plus loin, tu peux voir la grange, les écuries et le vieux moulin. Après le tournant, tu apercevras le côté ouest de la maison. Elle est située sur ce tertre. »

Jenny pressa son visage contre la vitre. Pour l'avoir vue en arrière-plan sur quelques toiles d'Erich, elle savait qu'une autre partie de la maison était en brique rouge pâle. Elle s'était imaginé une ferme ressemblant aux lithographies de Currier and Ives. Rien dans les descriptions d'Erich ne l'avait préparée à la vue qui s'offrait à ses yeux.

Même de côté, la maison donnait l'apparence d'un véritable manoir. De vingt-cinq à trente mètres de long, elle s'élevait sur deux étages. La lumière ruisselait des grandes fenêtres élégantes du rez-de-chaussée. Le toit et les pignons brillaient sous la lune, blancs diadèmes éblouissants. Les champs luisant comme des manteaux d'hermine sous la neige encadraient l'édifice dont ils rehaussaient l'harmonie des lignes.

« Erich !

— Tu l'aimes ?

— Si je l'aime ? Erich, c'est une splendeur ! Elle est deux fois, cinq fois plus grande que je ne l'imaginais. Pourquoi ne m'as-tu pas prévenue ?

— Je voulais te faire la surprise. J'avais recommandé à Clyde de tout allumer pour ton premier coup d'œil. Je vois qu'il m'a pris au mot. »

Jenny regarda de tous ses yeux, avide de retenir chaque détail à mesure que la voiture longeait lentement la route. Une véranda en bois peinte en blanc soutenue par de fines colonnes partait de l'entrée latérale jusqu'à l'arrière de la maison. Jenny reconnut le décor de *Souvenir de Caroline*. Elle y retrouva même la balancelle du tableau, seule à meubler la véranda. Le vent la faisait doucement osciller d'avant en arrière.

La voiture tourna à gauche et franchit les grilles ouvertes d'un portail. Sur les montants, un panneau éclairé par des torchères indiquait « Ferme Krueger ». Ils suivirent l'allée qui serpentait au milieu de champs enneigés. À leur droite commençaient les bois, épaisse forêt d'arbres aux branches nues et squelettiques sous la lune. La voiture contourna la maison et s'arrêta dans l'allée devant un large perron en pierre.

Massive, très ornée, la porte à double battant était éclairée par une imposte cintrée. Joe s'empressa d'ouvrir la portière du côté de Jenny. Erich lui tendit prestement Tina endormie. « Portez les enfants à l'intérieur, Joe », ordonna-t-il.

Prenant Jenny par la main, il monta à la hâte les marches du perron et ouvrit la porte en grand. Il marqua un temps d'arrêt, la regarda dans les yeux. « J'aimerais pouvoir te peindre en cet instant, dit-il. J'intitulerais le tableau *Arrivée à la maison*. Ta longue chevelure brune, tes yeux si tendres fixés sur moi. Tu m'aimes, n'est-ce pas, Jenny ?

— Je t'aime, Erich, affirma-t-elle doucement.

— Promets-moi de ne jamais me quitter. Jure-le, Jenny.

— Erich, comment peux-tu seulement penser une chose pareille ?

— Je t'en prie, promets, Jenny.

— Je ne te quitterai jamais, Erich. » Elle lui passa un bras autour du cou. Il a un tel besoin d'affection, pensa-t-elle. Durant tout ce mois, elle s'était inquiétée de l'aspect unilatéral de leurs relations. Il donnait, elle recevait. Ce n'était pas aussi simple que cela, constata-t-elle avec soulagement.

Il la souleva dans ses bras. « Jenny, embrasse-moi. » Il souriait à présent. Il l'embrassa sur les lèvres en la portant à l'intérieur de la maison, timidement d'abord, puis avec une émotion grandissante. « Oh ! Jenny. »

Il la reposa à terre dans l'entrée. Elle distingua les parquets reluisants, les murs délicatement peints au pochoir, un grand lustre doré en cristal. Il y avait des tableaux sur tous les murs, avec la signature d'Erich dans le coin à droite. Jenny resta un moment sans voix.

Joe arrivait en haut du perron avec les petites filles. « Ne courez pas », les avertit-il. Mais, tout à fait réveillées après leur somme, elles étaient avides d'explorer. Sans les quitter des yeux, Jenny suivit Erich. Le grand salon s'ouvrait à gauche de l'entrée. Elle s'efforça de retenir les détails qu'il lui donnait sur le mobilier. Tel un enfant faisant admirer ses jouets, il lui désigna la crédence en noyer galbée avec sa tablette inférieure en marbre. « Elle date du début du XVIIIᵉ siècle », dit-il. Des lampes à huile très ouvragées, munies d'un éclairage électrique, se détachaient de part et d'autre d'un imposant canapé à haut dossier. « Mon grand-père l'avait fait fabriquer en Autriche. Les lampes viennent de Suisse. »

Souvenir de Caroline était accroché au-dessus du canapé. La lumière du spot faisait apparaître les traits du visage plus nettement que dans la vitrine de la galerie. Sous cet éclairage, dans cette pièce, Jenny trouva sa ressemblance avec Caroline encore plus marquée. La femme du tableau semblait la regarder. « On dirait presque une icône, murmura-t-elle. Il me semble qu'elle me suit du regard.

— J'ai toujours cette même impression, dit Erich. Crois-tu cela possible ? »

Un superbe harmonium en bois de rose contre le mur orienté à l'ouest attira immédiatement l'attention des enfants. Grimpant sur la banquette en velours capitonnée, elles se mirent à taper sur les touches. Jenny surprit la grimace d'Erich lorsque la boucle de la chaussure de Tina érafla le pied de la banquette. Elle fit promptement descendre les petites filles malgré leurs protestations. « Allons visiter le reste de la maison », proposa-t-elle.

Une grande table où tenaient facilement douze couverts dominait la salle à manger. Un cœur gravé ornait le dossier des chaises.

Un patchwork était tendu sur le mur du fond. Entièrement composé d'hexagones, surpiqué de motifs floraux et rehaussé d'une large bordure festonnée, il apportait une note de gaieté à l'élégance austère de la pièce. « C'est ma mère qui l'a fait, dit Erich. Ce sont ses initiales. »

Des étagères en noyer garnissaient tous les murs de la bibliothèque. Sur chaque rayonnage s'alignait méticuleusement une rangée uniforme de livres. Jenny jeta un coup d'œil à quelques titres. « Cela me promet du bon temps ! s'exclama-t-elle. J'ai hâte de me remettre à lire. Combien d'ouvrages possèdes-tu donc ?

— Onze cent vingt-trois.

— Tu en connais le nombre exact ?

— Bien entendu. »

La cuisine était immense. Les appareils ménagers occupaient tout le mur de gauche. Il y avait une table ronde et des chaises en chêne exactement disposées au milieu de la pièce. Sur le mur est, un gigantesque poêle ancien en fonte, muni de chromes étincelants et de lucarnes en mica, semblait capable de chauffer la maison entière. Près du poêle, un berceau en chêne rempli de bûches. Un divan recouvert d'un tissu imprimé d'époque et un fauteuil assorti étaient placés à angle droit l'un de l'autre. Ici comme ailleurs, tout était parfaitement ordonné.

— C'est un peu différent de ton studio, hein ? » Erich paraissait tout fier. « Tu comprends pourquoi je ne t'ai rien dit. Je voulais savourer ta réaction. »

Jenny eut une envie soudaine de défendre son appartement. « C'est certainement beaucoup plus grand, admit-elle. Combien de pièces y a-t-il ?

— Vingt-deux, annonça-t-il avec orgueil. Allons jeter un coup d'œil aux chambres. Nous finirons la visite demain. »

Il l'entoura de son bras en montant l'escalier. Le geste la réconforta, atténuant l'impression bizarre qu'elle ressentait. En fait, se dit-elle, c'est exactement comme si je suivais une visite guidée. Regardez mais ne touchez pas.

La chambre principale était une vaste pièce d'angle donnant sur le devant de la maison. Des meubles en acajou sombre luisaient avec leur belle patine veloutée. Un brocart lie-de-vin recouvrait le grand lit massif à baldaquin. La courtine et les rideaux étaient dans le même tissu. Une coupe de cristal taillé sur la gauche de la commode était remplie de petites savonnettes parfumées au pin. À droite de la coupe s'alignaient des accessoires de toilette en argent ornés de monogrammes, exactement à deux centimètres les uns des autres. Le nécessaire avait appartenu à la grand-mère d'Erich. La coupe était à Caroline et venait de Venise. « Caroline ne mettait jamais de parfum, mais elle adorait l'odeur du pin, dit Erich. Ces savons sont importés d'Angleterre. »

Du savon au pin. Voilà ce qui l'avait frappée en entrant dans la pièce. Une légère senteur sylvestre. À peine perceptible.

« Maman, c'est ici qu'on va dormir, Tina et moi ? » demanda Beth.

Erich éclata de rire. « Non, Puce. Tina et toi vous dormirez en face. Mais si on allait d'abord voir ma chambre ? Elle est juste à côté. »

Jenny suivit, s'attendant à découvrir une chambre de célibataire. Elle était impatiente de connaître le goût personnel d'Erich en matière de décoration. Tout ce qu'elle avait vu jusque-là semblait lui avoir été légué.

Il ouvrit la porte de la chambre suivante. Ici aussi le plafonnier était déjà allumé. Jenny aperçut un lit d'une personne en bois d'érable recouvert d'un patchwork coloré. Sur le bureau à cylindre à demi-ouvert on distinguait des crayons, des pastels et des carnets de croquis. Une bibliothèque à trois étagères contenait une encyclopédie. Un trophée de base-ball de l'équipe junior se dressait sur la commode. Il y avait un fauteuil à bascule dans le coin gauche près de la porte. Une crosse de hockey était calée contre le mur de droite.

C'était la chambre d'un enfant de dix ans.

8

« JE N'AI PLUS JAMAIS dormi ici après la mort de maman, expliqua Erich. Enfant, j'aimais rester dans mon lit, en l'écoutant bouger dans sa chambre. Le soir de l'accident, je n'ai pas pu entrer dans cette pièce. Pour me calmer, papa a jugé bon de nous installer lui et moi dans les deux chambres du fond. Nous y sommes restés.

— Tu veux dire que personne n'a plus occupé cette pièce ni la grande chambre depuis près de vingt ans ?

— C'est ça. Cependant nous ne les avions pas fermées. Nous ne les utilisions pas, c'est tout. Mais un jour notre fils dormira ici, mon amour. »

Jenny sortit de la chambre avec soulagement. En dépit du patchwork aux couleurs riantes et du joli mobilier en bois d'érable, il régnait une atmosphère troublante dans la chambre d'enfant d'Erich.

Beth la tira impatiemment par la manche. « Maman, on a faim, dit-elle catégoriquement.

— Oh ! ma Puce, je suis désolée. Allons à la cuisine. »

Beth fila en courant dans le long couloir, faisant avec ses pas un bruit d'enfer pour de si petits pieds. Tina se rua derrière elle. « Attends moi, Beth.

— Ne courez pas, leur cria Erich.

— Ne cassez rien », recommanda Jenny, se souvenant des porcelaines délicates dans le salon.

Erich lui ôta son vison des épaules.

« Eh bien, que penses-tu de tout ça ? »

Quelque chose dans sa manière de poser la question alerta Jenny. On aurait dit qu'il guettait son approbation et elle le rassura comme elle l'aurait fait pour Beth. « C'est superbe. Ça me plaît beaucoup. »

Le réfrigérateur était rempli. Elle fit chauffer le lait pour le chocolat et prépara des sandwiches au jambon. « Il y a du champagne pour nous », lui dit Erich en posant son bras sur le dossier de sa chaise.

« Je serai prête dans un petit moment. » Elle lui sourit et tourna la tête vers les filles. « Le temps de débarrasser tout ça. »

Ils allaient se lever de table quand la sonnette de l'entrée carillonna. La physionomie renfrognée d'Erich s'éclaira dès qu'il ouvrit la porte. « Mark, quelle bonne surprise ! Entre. »

Le visiteur emplit l'embrasure de la porte d'entrée. Ses cheveux cendrés ébouriffés par le vent touchaient presque le linteau. Son gros parka à capuche ne dissimulait en rien ses larges épaules carrées. Des yeux bleus perçants dominaient son visage aux traits vigoureux. « Jenny, dit Erich, je te présente Mark Garrett. Je t'ai souvent parlé de lui. »

Mark Garrett. *Le docteur Garrett*, le vétérinaire, l'ami d'enfance d'Erich. « Mark est comme un frère, lui avait dit Erich. En fait, s'il m'était arrivé quelque chose avant de me marier, c'est lui qui aurait hérité de la ferme. »

Jenny tendit la main et sentit celle de Mark, fraîche et robuste, se refermer sur ses doigts.

« J'ai toujours pensé que tu avais bon goût, Erich, fit remarquer Mark. Bienvenue dans le Minnesota, Jenny. »

Elle le trouva immédiatement sympathique. « Je suis si heureuse d'être ici. » Elle lui présenta Beth et Tina. Toutes les deux eurent subitement l'air intimidé. «Tu es très, très grand», souffla Beth.

Il refusa de rester pour prendre un café. «J'ai horreur de faire irruption sans prévenir, dit-il à Erich. Mais je voulais te l'apprendre moi-même. Baron s'est fait une mauvaise entorse. »

Baron, c'était le cheval d'Erich. «Un pur-sang de toute beauté, nerveux, difficile, avait-il un jour raconté. Une bête superbe. J'aurais pu le faire courir, mais j'ai préféré le garder pour moi.

— Rien de cassé ? » Le ton d'Erich était parfaitement calme.

«Rien.

— Qu'est-il arrivé ? »

Mark hésita. «J'ignore pour quelle raison, mais la porte de l'écurie était ouverte et Baron s'est échappé.

— *La porte de l'écurie était ouverte* ? » Chaque mot se détacha avec précision. «Qui l'a laissée ouverte ?

— Personne ne veut l'admettre. Joe jure qu'il l'a refermée après avoir donné sa ration à Baron ce matin. »

Joe. Le chauffeur. Voilà pourquoi il avait l'air si terrifié, pensa Jenny. Elle regarda ses filles, immobiles et silencieuses sur leurs chaises. Prêtes à détaler une minute auparavant, elles semblaient à présent sensibles au changement dans l'atmosphère, à la colère non dissimulée d'Erich.

«J'ai demandé à Joe de me laisser le soin de t'en parler en premier. Baron sera remis dans deux semaines. À mon avis, Joe n'a pas bien tiré la porte en quittant l'écurie. Il ne l'a sûrement pas fait exprès. Il adore cet animal.

— Apparemment, personne dans cette famille ne fait exprès du mal, coupa Erich. Mais ils font tout pour l'occasionner à autrui. Si Baron reste boiteux…

— Il ne le restera pas. Je l'ai bandé après l'avoir passé au jet. Pourquoi ne viens-tu pas le voir ? Tu serais rassuré.

— Je ferais aussi bien. » Erich prit son manteau dans le

placard de la cuisine. Son visage était empreint d'une rage froide.

Mark le suivit dehors. « Encore une fois, soyez la bienvenue, Jenny, dit-il. Et pardon d'être le porteur de mauvaises nouvelles. » Au moment où la porte se referma sur eux, elle entendit sa voix basse et apaisante. « Allons, Erich, ne t'inquiète pas. »

Il fallut un bain chaud et une histoire pour parvenir enfin à calmer Beth et Tina. Exténuée, Jenny sortit de leur chambre sur la pointe des pieds. Elle avait réuni les deux lits jumeaux en poussant le premier contre le mur et rapproché le coffre de voyage du second pour empêcher les enfants de tomber. Parfaitement rangée une heure auparavant, la chambre était complètement en pagaille. Les valises gisaient grandes ouvertes sur le sol. Jenny avait tout mis sens dessus dessous à la recherche des pyjamas et de la vieille couverture fétiche de Tina, sans prendre ensuite la peine de ranger. Elle était trop fatiguée. Cela pouvait attendre demain. Erich apparut juste au moment où elle sortait dans le couloir. Elle vit sa physionomie s'altérer à la vue du désordre à l'intérieur de la pièce.

« Laissons tout ça, chéri, dit-elle avec lassitude. Je sais que tout est en l'air, mais je mettrai de l'ordre demain. »

Elle eut l'impression qu'il faisait un effort considérable pour prendre un ton désinvolte. « J'ai bien peur d'être incapable de me coucher en laissant ça dans cet état. »

Défaire les valises, ranger les sous-vêtements et les chaussettes dans les tiroirs, suspendre les robes et les chandails dans la penderie lui prirent à peine cinq minutes. Jenny renonça à l'aider. Si les petites se réveillaient, elles mettraient des heures avant de se rendormir, pensa-t-elle, trop épuisée pour protester. Pour finir, il aligna exactement les deux lits, rangea les petites chaussures et les bottes, empila les valises sur l'étagère du haut et ferma la porte de la penderie que Jenny avait laissée entrouverte.

Quand il eut terminé, la pièce était dans un ordre

impeccable et les filles n'avaient pas bronché. Jenny haussa les épaules. Au lieu de se montrer reconnaissante, elle ne pouvait s'empêcher de penser que le risque de réveiller les enfants aurait dû l'emporter sur la nécessité d'une démonstration de rangement, surtout un soir de noces.

Dans le couloir, Erich la prit dans ses bras. « Chérie, je sais combien cette journée a dû te paraître longue. Je t'ai fait couler un bain. Il doit être à la bonne température maintenant. Tu devrais te changer pendant que je prépare un plateau pour nous deux. J'ai mis du champagne au frais et une boîte du meilleur caviar de chez Bloomingdale. Qu'en dis-tu ? »

Jenny eut soudain honte de son mouvement d'humeur. Elle leva la tête vers lui en souriant. « Tu es un ange. »

Le bain la délassa. Elle s'y attarda, appréciant la largeur et la profondeur inhabituelles de la baignoire ancienne encore montée sur ses pieds originaux en cuivre en forme de griffes. L'eau chaude soulagea peu à peu ses courbatures et elle se détendit.

En fin de compte, Erich avait toujours soigneusement évité de lui décrire la maison. Que lui avait-il dit ? Oh, oui, des choses comme : « On n'a presque rien changé depuis la mort de Caroline. Notre plus bel effort de décoration a consisté à remplacer les rideaux dans la chambre d'invités. »

Rien ne s'était-il donc abîmé tout au long de ces années ou Erich voulait-il garder religieusement intact le souvenir de la présence de sa mère dans la maison ? Son parfum préféré flottait encore dans sa chambre. Ses brosses, ses peignes, son polissoir à ongles, s'étalaient sur la commode. Jenny se demanda s'il ne restait pas quelques cheveux de Caroline encore accrochés à l'une des brosses.

Le père d'Erich n'aurait jamais dû permettre que la chambre d'enfant de son fils restât inchangée, figée dans le temps, comme si grandir dans cette maison n'avait plus été possible après la mort de Caroline. Cette pensée mit Jenny mal à l'aise et elle la repoussa résolument. Songe à Erich et à toi, se dit-elle. Oublie le passé. Souviens-toi que vous vous appartenez l'un à l'autre à présent. Son pouls battit plus vite.

Elle songea à la jolie chemise de nuit neuve avec son déshabillé assorti dans la valise. Elle les avait achetés chez Bergdorf Goodman avec son dernier mois de salaire. Une folie. Mais elle voulait avoir l'air d'une vraie mariée, ce soir.

Le cœur soudain léger, elle sortit de l'eau, vida la baignoire et prit une serviette. Le miroir au-dessus du lavabo était tout embué. Elle commença à se sécher, puis s'arrêta pour l'essuyer. Au milieu de tant de nouveauté, elle avait besoin de se retrouver, de voir sa propre image. Elle regarda dans la glace une fois la buée disparue. Mais ce qu'elle y vit n'était pas le reflet de ses yeux bleu-vert.

C'était le visage d'Erich, les yeux bleu sombre d'Erich croisant les siens. Il avait ouvert la porte si doucement qu'elle ne l'avait pas entendu. Pivotant sur elle-même, elle serra instinctivement la serviette devant elle, puis la laissa tomber, délibérément.

« Oh ! Erich, tu m'as fait peur, dit-elle. Je ne t'ai pas entendu entrer. »

Il ne quitta pas son visage du regard. « J'ai pensé que tu aimerais avoir ta chemise de nuit, chérie, dit-il. La voici. »

Il lui tendit une chemise de nuit en satin couleur d'aiguemarine, profondément décolletée en V devant et derrière.

« Erich, j'ai une chemise de nuit neuve. As-tu acheté celle-ci pour moi ?

— Non. Elle appartenait à Caroline. » Il se passa nerveusement la langue sur les lèvres. Avec un étrange sourire, il fixa sur Jenny des yeux brillants de passion. Quand il parla à nouveau, ce fut d'un ton implorant. « Pour l'amour de moi, Jenny, porte-la cette nuit. »

9

NTERDITE, Jenny fixa pendant quelques minutes la porte
de la salle de bains, ne sachant que faire. Je ne veux pas
porter le vêtement d'une morte, se récria-t-elle intérieurement.
Le satin moelleux collait à ses doigts.

Après lui avoir tendu la chemise de nuit, Erich avait brusquement quitté la pièce. Jenny frissonna en regardant la
valise. Et si elle mettait tout simplement ses propres affaires,
si elle disait : « Je préfère ça, Erich. »

Elle revit l'expression de son visage lorsqu'il lui avait
donné la chemise aigue-marine.

Peut-être ne m'ira-t-elle pas, espéra-t-elle. Cela résou-
drait tout. Mais elle lui allait comme un gant. Sa minceur supportait la taille en pointe, les hanches étroites, la forme droite
jusqu'aux chevilles. Le décolleté en V mettait en valeur ses
seins ronds. Elle jeta un coup d'œil au miroir. La buée s'était
évaporée, laissant des petites rigoles le long de la glace. Est-
ce pour cela que Jenny avait un air différent, ou parce que le
ton aigue-marine intensifiait le vert de ses yeux ?

Elle pouvait difficilement prétendre que la chemise de nuit
ne lui allait pas ou n'était pas seyante. Mais je ne veux pas la

porter, se dit-elle anxieusement. Je ne me sens pas moi-même là-dedans.

Elle était sur le point de l'ôter quand on frappa doucement à la porte. Elle ouvrit. Erich était vêtu d'un pyjama et d'une robe de chambre en soie grise. Il avait éteint toutes les lumières, excepté celle de la table de nuit et ses cheveux d'or brillaient à la lueur de la lampe.

Le couvre-lit en brocart lie-de-vin était retiré, les draps rabattus, les oreillers brodés calés contre l'imposante tête de lit.

Erich tenait une coupe de champagne dans chaque main. Il en tendit une à Jenny. Ils se dirigèrent vers le milieu de la pièce et il heurta son verre au sien. « J'ai retrouvé la suite du poème, chérie. » D'une voix tendre, il récita :

> Quand Jenny m'a vu, elle m'a embrassé,
> Bondissant du fauteuil où elle se balançait.
> Temps, ô voleur, toi qui aimes sur ta liste
> Coucher tous les délices, inscris ceci :
> Dis que je suis las, dis que je suis triste,
> Dis que m'ont manqué richesse et santé,
> Dis que je vieillis, mais dis aussi
> Dis que Jenny m'a embrassé [1].

Jenny sentit les larmes lui monter aux yeux. C'était sa nuit de noces. Cet homme qui lui avait offert tant d'amour et qu'elle aimait si profondément était son mari. Cette belle chambre était la leur. Au diable la chemise de nuit qu'elle avait sur le dos ! C'était bien peu de chose pour lui faire plaisir. Elle lui rendit son sourire éloquent quand ils portèrent un toast à leur bonheur et s'élança dans ses bras de tout son être lorsqu'il lui retira la coupe de la main pour la reposer.

1. Poème de James Henry Leigh Hunt. (*N.d.T.*)

75

Elle resta éveillée longtemps après qu'Erich se fut endormi contre elle, un bras passé sous sa tête, le visage enfoui dans sa chevelure. Les bruits de la rue faisaient tellement partie de la nuit à New York qu'elle avait du mal à s'habituer d'un seul coup au silence absolu de la chambre.

Il faisait froid dans la pièce. Elle savoura la fraîcheur de l'air. Mais tout était si calme, si parfaitement immobile, à part le souffle régulier contre son cou.

Je suis pleinement heureuse, pensa-t-elle. J'ignorais qu'un tel bonheur pût exister.

Erich était un amant réservé, tendre et attentionné. Elle avait toujours deviné en elle des facultés d'émotion bien plus profondes que celles qu'avait éveillées Kevin.

Ils avaient bavardé avant qu'Erich ne s'assoupît. « Kevin a-t-il été le seul avant moi, Jenny ?

— Oui.

— Il n'y a jamais eu d'autre femme avant toi. »

Cela signifiait-il qu'il n'avait jamais *aimé* quelqu'un d'autre avant elle ou qu'il n'avait jamais fait l'amour avec une autre femme ? Était-ce possible ?

Elle sombra dans le sommeil. La lumière du jour perçait à peine dans la chambre lorsqu'elle sentit Erich bouger et se glisser hors du lit.

« Erich.

— Chérie. Je ne voulais pas te réveiller. Je ne dors jamais plus de quelques heures. Je vais aller peindre au chalet dans un petit moment. Je serai de retour vers midi. »

Il l'embrassa doucement au front et sur la bouche tandis qu'elle se rendormait. « Je t'aime », murmura-t-elle.

La chambre était inondée de lumière quand elle s'éveilla à nouveau. Elle courut à la fenêtre, releva le store et vit avec surprise Erich disparaître dans les bois.

Le spectacle dehors ressemblait à l'un des tableaux d'Erich. Les branches des arbres étaient immobiles sous la neige gelée. Un épais manteau blanc recouvrait le toit mansardé de la grange près de la maison. Loin dans les champs, on distinguait quelques têtes de bétail.

Jenny jeta un regard au réveil en porcelaine sur la table de chevet. Huit heures. Les petites allaient bientôt se réveiller. Elles risquaient d'avoir peur en se retrouvant dans un endroit inconnu.

Pieds nus, elle sortit en hâte dans le couloir. En passant devant l'ancienne chambre d'Erich, elle jeta un coup d'œil puis s'arrêta. Le couvre-lit était rabattu ; les oreillers tassés. Elle entra dans la pièce, toucha le drap. Il était encore tiède. Erich avait quitté leur chambre pour venir ici. Pourquoi ?

Il dort peu, se dit-elle. Il n'a sans doute pas voulu me réveiller en remuant. Il a l'habitude de dormir seul. Peut-être avait-il envie de lire ?

Mais il a affirmé n'avoir jamais dormi dans cette pièce depuis l'âge de dix ans.

Un bruit de pas précipités résonna dans le couloir. « Maman. Maman. »

Jenny courut, se pencha et ouvrit les bras. Beth et Tina, les yeux encore brillants de sommeil, s'élancèrent vers elle.

« Maman, on te cherchait partout, dit Beth d'un ton accusateur.

— Moi, je l'aime bien la maison, gazouilla Tina.

— Et on a un cadeau, annonça Beth.

— Un cadeau ? Qu'as-tu trouvé, mon amour ?

— Moi aussi, cria Tina. Merci, maman.

— C'était sous notre oreiller », expliqua Beth.

Jenny écarquilla les yeux, stupéfaite. Chacune des fillettes tenait dans sa main une petite savonnette ronde parfumée au pin.

Elle vêtit Beth et Tina de leur combinaison neuve en velours côtelé rouge et d'un T-shirt rayé. « Pas d'école », déclara Beth.

« Pas d'école », acquiesça gaiement Jenny. Elle enfila rapidement un pantalon et un chandail et elles descendirent au rez-de-chaussée. La femme de ménage venait d'arriver. Sa silhouette décharnée contrastait bizarrement avec ses gros bras et ses fortes épaules ; ses petits yeux dans un visage bouffi avaient un regard méfiant. Elle ne devait pas sourire souvent. Ses cheveux nattés trop serrés semblaient lui tirer la peau à la naissance du front, la privant d'expression.

Jenny tendit la main. « Vous êtes sans doute Elsa. Je suis… » Elle s'apprêtait à dire : « Jenny », et se souvint de l'air contrarié d'Erich devant son attitude trop familière avec Joe. « Je suis Mme Krueger. » Elle présenta les deux enfants.

Elsa hocha la tête. « Je fais de mon mieux, ici.

— Je m'en aperçois, dit Jenny. La maison resplendit.

— Vous direz à M. Krueger que la tache sur le mur de la salle à manger, je n'y suis pour rien. Peut-être qu'il avait de la peinture sur la main.

— Je n'ai remarqué aucune tache hier soir.

— Je vais vous montrer. »

Il y avait une trace sur le papier peint de la salle à manger près de la fenêtre. Jenny l'examina. « Pour l'amour du Ciel, il faut un microscope pour la voir. »

Elsa partit faire le ménage dans le salon et Jenny alla prendre son petit déjeuner à la cuisine avec ses filles. Elle leur distribua ensuite leurs crayons de couleur et leurs coloriages. « Écoutez, vous deux, suggéra-t-elle, laissez-moi tranquillement boire ma tasse de café et ensuite nous irons faire une promenade. »

Elle désirait réfléchir. Seul Erich avait pu mettre ces savonnettes sous les oreillers des enfants. Il était bien sûr parfaitement naturel qu'il fût entré leur jeter un coup d'œil ce matin et il n'y avait rien de mal dans le fait qu'il aimât manifestement l'odeur du pin. Haussant les épaules, elle finit son café et enfila leurs anoraks aux petites.

C'était une matinée froide mais sans vent. Erich avait

prévenu Jenny que l'hiver dans le Minnesota pouvait être rigoureux et même épouvantable. « Tu vas te roder en douceur cette année, avait-il ajouté. Il fait un temps honnête. »

Elle hésita sur le seuil de la porte d'entrée. Erich désirait peut-être leur faire visiter lui-même les étables et les écuries et présenter Jenny aux employés de la ferme. « Allons par là », décida-t-elle.

Elle entraîna Beth et Tina par-derrière, vers les champs qui s'étendaient à l'est de la propriété. Elles marchèrent dans la neige tôlée et perdirent peu à peu la maison de vue. Comme elles s'acheminaient vers la petite route bordant les limites est de la ferme, Jenny aperçut un terrain clôturé et se rendit compte qu'elles venaient d'arriver au cimetière de la famille. On voyait une demi-douzaine de tombes en granit derrière la palissade blanche.

« Qu'est-ce que c'est, maman ? »

Elles pénétrèrent dans l'enclos. Jenny alla d'une tombe à l'autre, lisant chaque inscription. Erich Fritz Krueger, 1843-1913, et Gretchen Krueger, 1847-1915. Sans doute les arrière-grands-parents d'Erich. Deux petites filles : Marthea, 1875-1877, et Amanda, 1878-1890. Les grands-parents d'Erich, Erich Lars et Olga Krueger, tous deux nés en 1880. Elle était morte en 1941, lui en 1948. Un bébé, Erich Hans, qui avait vécu huit mois en 1911. Tant de peine, songea Jenny, tant de douleur. Deux petites filles décédées en une génération. Un bébé à la génération suivante. Comment pouvait-on supporter une telle souffrance ? La tombe suivante était celle d'Erich John Krueger, 1915-1979. Le père d'Erich.

Il y avait une tombe isolée à l'extrémité sud du cimetière, complètement à l'écart des autres. C'était celle que Jenny recherchait inconsciemment. On y lisait : Caroline Bonardi Krueger, 1924-1956.

Le père et la mère d'Erich n'étaient pas enterrés ensemble. Pourquoi ? Les autres tombes paraissaient à l'abandon. Celle-ci semblait avoir été récemment nettoyée. L'amour d'Erich pour sa mère le portait-il à prendre spécialement soin de la tombe de Caroline? Une angoisse inexplicable étreignit Jenny. Elle s'efforça de sourire. «Allez, les enfants. On fait la course. La première arrivée au bout du champ.»

Les petites filles s'élancèrent en riant derrière elle. Jenny se laissa rattraper puis dépasser, feignant de peiner à leur poursuite. Elles finirent toutes les trois par s'arrêter à bout de souffle. Visiblement la présence de Jenny enchantait Beth et Tina. Les joues vermeilles, les yeux étincelants, elles rayonnaient. Même Beth avait perdu son air grave. Jenny les serra farouchement dans ses bras.

«Allons jusqu'à ce monticule, puis nous rentrerons à la maison», proposa-t-elle. Mais en haut de la butte, elles découvrirent une ferme blanche de bonne taille nichée de l'autre côté; sans doute l'ancienne maison familiale aujourd'hui occupée par l'actuel régisseur de l'exploitation, pensa Jenny.

«Qui habite ici? demanda Beth.

— Des gens qui travaillent pour papa.»

Elles observaient la maison lorsque la porte d'entrée s'ouvrit. Une femme sortit sur le porche et leur fit un signe de la main, les invitant visiblement à s'approcher. «Beth, Tina, venez vite, les pressa Jenny. Je crois que nous allons faire connaissance avec nos premiers voisins.»

Elle eut l'impression que la femme les regardait intensément traverser le champ. Insouciante du froid, elle restait sur le seuil de la maison, la porte grande ouverte derrière elle. À la vue de la silhouette menue et tassée, Jenny la prit d'abord pour une vieille femme. Mais de près elle ne paraissait guère plus de cinquante-cinq ans. Ses cheveux bruns striés de gris étaient ramenés sur le sommet de sa tête en un chignon épinglé à la va-vite. Ses lunettes sans monture agrandissaient des yeux gris au regard mélancolique. Elle était vêtue d'un pantalon trop large en gros tricot et d'un chandail sans forme sous lequel ressortaient ses épaules osseuses et son extrême maigreur.

Son visage portait encore les traces d'une joliesse passée et la bouche tombante avait des lèvres bien dessinées. On distinguait un semblant de fossette au milieu du menton. Jenny l'imagina plus jeune, plus allègre. La femme la dévisagea pendant qu'elle lui présentait Beth et Tina.

« C'est bien ce que m'a dit Erich, dit-elle d'une voix sourde et fébrile. "Rooney, m'a-t-il dit, attendez de faire la connaissance de Jenny, vous aurez l'impression de voir Caroline." Mais il ne voulait pas que j'en parle. » Elle faisait un effort visible pour se calmer.

Jenny tendit impulsivement les deux mains.

« Et Erich m'a parlé de vous, Rooney. Il m'a raconté que vous êtes ici depuis longtemps. Votre mari est le régisseur de la ferme, je crois. Je ne l'ai pas encore rencontré. »

La femme ignora la remarque. « Vous venez de New York ?

— Oui.

— Quel âge avez-vous ?

— Vingt-six ans.

— Notre fille Arden a vingt-sept ans. Clyde dit qu'elle est partie à New York. Peut-être l'avez-vous rencontrée ? » Il y avait une sorte d'extraordinaire avidité dans sa question.

« Je crains que non, répondit Jenny. Mais New York est si grand. Que fait-elle ? Où habite-t-elle ?

— Je ne sais pas. Arden s'est enfuie il y a dix ans. Elle n'avait pas besoin de s'enfuir. Elle aurait facilement pu dire : "Man je voudrais aller à New York." Je ne m'y serais pas opposée. Son père était un peu plus sévère avec elle. Elle savait sans doute qu'il ne la laisserait pas s'en aller à son âge. Mais elle était si gentille. C'était même elle la cheftaine des guides. J'ignorais qu'elle avait tellement envie de partir. Je la croyais heureuse avec nous. »

La femme fixait le mur du regard. Plongée dans ses pensées, elle avait l'air de raconter son histoire pour la énième fois. « C'était notre enfant unique. Nous l'avions eue tard. Un si beau bébé, tellement avide de la vie, si vous voyez ce que je veux dire. Active dès la minute où elle est née. C'est pour ça que que j'ai voulu l'appeler Arden, comme un diminutif d'ardente. C'était vraiment un nom pour elle. »

Beth et Tina se firent toutes petites contre Jenny. Il y avait chez cette femme, dans ses yeux fixes, son léger tremblement, quelque chose qui les effrayait.

Mon Dieu, pensa Jenny. Son unique enfant et elle n'en a plus entendu parler depuis dix ans. Je serais devenue folle.

« Regardez-la. » Rooney désigna une photo encadrée sur le mur. « Je l'ai photographiée juste deux semaines avant son départ. »

Jenny examina le portrait d'une adolescente vigoureuse, souriante, aux cheveux blonds bouclés.

« Elle s'est peut-être mariée. Elle a peut-être des enfants, elle aussi, dit Rooney. Je me dis ça souvent. En vous voyant venir avec les petites tout à l'heure, j'ai pensé que ça pouvait être elle.

— Je suis désolée, dit Jenny.

— Non, ça n'a pas d'importance. Et soyez gentille, ne racontez pas à Erich que j'ai encore parlé d'Arden. Clyde dit qu'Erich en a assez de m'entendre rabâcher mes histoires sur Arden et sur Caroline. C'est pour ça qu'il ne m'a plus laissée m'occuper de la maison après la mort de son père. J'en prenais bien soin, comme si c'était la mienne. Clyde et moi sommes arrivés ici quand John et Caroline se sont mariés. Caroline aimait ma façon de faire les choses et, même après sa mort, j'ai continué exactement comme pour elle, comme si elle allait entrer d'une minute à l'autre. Mais venez à la cuisine. J'ai fait des beignets et du café. »

L'odeur du café en train de passer emplissait la cuisine accueillante. Elles prirent place autour de la table laquée blanche. Tina et Beth dévorèrent à belles dents les beignets encore chauds en buvant du lait.

« Je me souviens d'Erich à leur âge, dit Rooney. Je lui faisais souvent ces beignets. Sa mère me le confiait toujours lorsqu'elle partait faire des courses. C'était comme mon fils. Ça n'a pas changé, d'ailleurs. J'ai mis dix ans à avoir Arden, mais Caroline a eu Erich dès la première année. Je n'ai jamais vu un petit garçon aimer autant sa mère. Toujours dans ses jupes. Mon Dieu, c'est vrai que vous ressemblez tellement à Caroline ! »

Elle souleva la cafetière et remplit à nouveau la tasse de Jenny. « Et Erich s'est montré très généreux avec nous. Il a dépensé une fortune pour faire rechercher Arden par des détectives privés. »

Oui, c'était bien le style d'Erich, pensa Jenny. L'horloge au-dessus de l'évier carillonna. Il était midi. Elle se leva précipitamment. Erich devait être rentré. Elle avait terriblement envie d'être avec lui. « Madame Toomis, il faut que nous partions. J'espère que vous viendrez nous voir.

— Appelez-moi Rooney. Comme tout le monde. Clyde me défend d'aller à la grande maison maintenant. Mais je lui désobéis en douce. Je vais souvent vérifier que tout est bien en ordre. Vous aussi, revenez me voir. J'aime avoir des visites. »

Un sourire transforma soudain sa physionomie. L'espace d'un instant les rides de tristesse disparurent de son visage et Jenny pensa que Rooney avait dû être autrefois une très jolie femme.

Rooney insista pour leur donner une assiette de beignets. « Ils vous feront un bon goûter. » Puis elle leur ouvrit la porte en relevant brusquement le col de son chandail. « Je crois que je vais me mettre à la recherche d'Arden, maintenant », soupira-t-elle. Sa voix avait repris un ton vague.

Éclatant, le soleil de midi brillait haut dans le ciel sur les champs couverts de neige. La maison leur apparut au détour du chemin. La brique pâle luisait. Notre maison, pensa Jenny. Elle prit les fillettes par la main. Rooney allait-elle errer dans cette étendue sans fin à la recherche de son enfant perdue ?

« La dame était très gentille, déclara Beth.

« — Oui, très gentille, approuva Jenny. Allons, au trot maintenant. Je suis sûre que papa nous attend.

— Quel papa ? demanda posément Beth.

— Le seul. »

Juste avant d'ouvrir la porte de la cuisine, Jenny chuchota : « Marchons sur la pointe des pieds pour faire une surprise à papa. »

L'œil brillant, elles hochèrent la tête.

Jenny tourna la poignée sans faire de bruit. La voix d'Erich leur parvint immédiatement. Elle venait de la salle à manger. Le ton montait à chaque mot. « Comment osez-vous m'accuser d'avoir pu faire cette tache ! Vous avez sûrement touché le papier peint avec votre chiffon plein d'encaustique en époussetant le rebord de la fenêtre. Savez-vous qu'il faudra retapisser toute la pièce à présent ? Vous rendez-vous compte de la difficulté de retrouver le même motif ? Combien de fois vous ai-je dit de faire attention avec vos maudits chiffons… ?

— Mais, monsieur Krueger… » La protestation vibrante d'Elsa fut coupée net.

« J'exige des excuses de votre part pour m'avoir accusé d'être l'auteur de cette tache. Sinon vous sortez de cette maison pour n'y plus revenir. »

Il y eut un silence.

« Maman, chuchota Beth apeurée.

— Chut », fit Jenny. Erich ne pouvait tout de même pas se mettre dans un tel état pour cette tache minuscule. C'était impossible ! Mieux vaut ne pas t'en mêler, se dit-elle instinctivement. Tu ne servirais à rien.

En entendant la voix d'Elsa prononcer d'un ton maussade et malheureux, « Je m'excuse, monsieur Krueger », Jenny poussa les enfants dehors et referma la porte.

10

« POURQUOI PAPA est en colère ? demanda Tina.

— Je me le demande, chérie. Mais nous ferons semblant de ne pas l'avoir entendu. D'accord ?

— Mais nous l'avons entendu, dit sérieusement Beth.

— Je sais, convint Jenny, mais cela ne nous regarde pas. Allons-y maintenant. Entrons à nouveau.

— Ohé, Erich ! » appela-t-elle cette fois avant d'avancer à l'intérieur. Sans lui donner le temps de répondre, elle ajouta à voix haute : « Y a-t-il un mari par ici ?

— Ma chérie ! » Erich entra précipitamment dans la cuisine, un sourire chaleureux aux lèvres, l'air parfaitement détendu. « J'étais justement en train de demander à Elsa où vous étiez passées. Je suis déçu que vous soyez déjà sorties. Je voulais tout vous montrer moi-même. »

Il enlaça Jenny, frottant sa joue encore froide de l'air du dehors contre la sienne. Elle bénit l'instinct qui l'avait retenue d'aller visiter les bâtiments de la ferme.

« Je savais que tu voudrais nous faire faire le tour du propriétaire, dit-elle. Aussi sommes-nous seulement allées prendre l'air dans les champs du côté est. Tu n'imagines pas combien il est merveilleux de marcher sans s'arrêter à un feu rouge à chaque pas.

— Il me faudra t'apprendre à éviter les champs où les taureaux restent en liberté, sourit Erich. Crois-moi, mieux vaut rencontrer des feux rouges. » Il remarqua alors l'assiette que Jenny tenait à la main. « Qu'est-ce que c'est ?

— Mme Toom l'a donné à maman, lui dit Beth.

— Mme Toomis, corrigea Jenny.

— Mme Toomis », répéta Erich. Ses bras retombèrent le long de son corps. « Jenny, tu ne vas pas me dire que tu étais chez Rooney, j'espère ?

— Elle nous a fait signe de venir, expliqua-t-elle. Cela aurait été très impoli… »

Erich la coupa. « Elle fait signe à n'importe qui. C'est pourquoi tu aurais dû m'attendre, chérie. Rooney a l'esprit très perturbé et si tu lui en donnes grand comme le doigt, elle ne te lâchera plus. J'ai dû me résoudre à faire comprendre à Clyde qu'il devait l'empêcher de venir ici. Même depuis qu'elle est à la retraite, il m'est arrivé de la trouver en train de rôder dans la maison. Dieu lui vienne en aide, je suis navré pour elle, Jenny, mais c'est plutôt désagréable de se réveiller au milieu de la nuit en l'entendant marcher dans le couloir ou même de la trouver plantée au milieu de ma chambre. » Il se tourna vers Beth. « Allons, ma Puce, si on enlevait ces vêtements. » Et soulevant Beth, il l'assit sur le réfrigérateur pour la plus grande joie de la petite fille.

« Moi aussi, moi aussi, cria Tina.

— Toi aussi, toi aussi, l'imita-t-il. N'est-ce pas un endroit formidable pour ôter ses bottes ? leur demanda-t-il. Juste à la bonne hauteur. N'est-ce pas, maman ? »

Jenny se rapprocha du réfrigérateur, craignant de voir l'une des fillettes se pencher trop en avant et tomber. Mais elle fut vite rassurée. Erich retira prestement les petits caoutchoucs et fit descendre les enfants. Avant de les poser à terre, il demanda, « Alors, vous deux, je m'appelle comment ? »

Tina regarda Jenny. « Papa ? fit-elle d'un ton interrogateur.

— Maman a dit que tu es le seul papa, l'informa Beth.

— Maman a dit ça ? Erich les lâcha et sourit à Jenny. « Merci, maman. »

Elsa entra dans la cuisine. La rancœur creusait son visage rougi et fermé. « Monsieur Krueger, j'ai terminé le haut. Désirez-vous que je fasse autre chose à présent ?

— Le haut ? demanda vivement Jenny. Je voulais justement vous prévenir. J'espère que vous n'avez pas pris la peine de séparer les lits jumeaux dans la chambre des petites. Elles vont monter se coucher.

— J'ai dit à Elsa de ranger la pièce, dit Erich.

— Mais, Erich, elles ne peuvent pas dormir dans ces lits si hauts, placés comme ils le sont, protesta Jenny. Il faudra leur trouver des lits d'enfants, je crains. » Une idée lui traversa l'esprit. C'était risqué, mais cela pouvait paraître une demande naturelle. « Erich, pourquoi ne dormiraient-elles pas dans ton ancienne chambre ? Le lit est assez bas. »

Elle étudia son visage, guettant sa réaction. Le regard sournois d'Elsa ne lui échappa pas pour autant. Elle est aux anges, se dit-elle. Elle sait qu'il a envie de refuser.

La physionomie d'Erich se ferma. « À ce propos, Jenny, dit-il d'un ton soudain cérémonieux, je voulais te dire que les enfants n'ont pas la permission d'utiliser cette chambre. Elle doit rester inoccupée. Je pensais m'être clairement exprimé là-dessus. Elsa m'a dit qu'elle a trouvé le lit défait ce matin. »

Jenny sursauta. Il ne lui était bien entendu pas venu à l'esprit que Tina et Beth pouvaient s'être glissées dans le lit en errant dans la maison ce matin pendant que leur mère dormait encore.

« Je suis désolée. »

Il s'adoucit. « Ce n'est pas bien grave, chérie. Laissons-les dormir comme la nuit dernière. Nous leur commanderons des lits d'enfants, le plus tôt possible. »

Après leur avoir servi un potage, Jenny monta coucher ses

filles. Tout en baissant les stores, elle leur recommanda : «Maintenant, écoutez-moi, toutes les deux. Quand vous vous réveillerez, je vous défends d'aller vous fourrer dans d'autres lits, compris ?

— Mais nous venions toujours dans ton lit à la maison, s'offusqua Beth.

— Ce n'est pas la même chose. Je vous parle des autres lits.» Elle les embrassa tendrement. «C'est promis ? Je ne veux pas que papa soit fâché.

— Papa a crié très fort, murmura Tina, les yeux déjà mi-clos. Où est mon cadeau ?»

Les savonnettes étaient sur la table de nuit. Tina glissa la sienne sous son oreiller. «Merci de m'avoir donné ça, maman. Nous ne sommes pas allées dans ton lit, maman.»

Erich avait commencé à couper des tranches de dinde pour faire des sandwiches. Jenny ferma délibérément la porte, isolant la cuisine du reste de la maison.

«Bonsoir, toi», dit-elle. L'entourant de ses bras, elle murmura : «Écoute, nous avons passé notre repas de noces avec les enfants. Laisse-moi au moins préparer notre premier dîner d'amoureux à la ferme Krueger et verse-nous un peu de ce champagne que nous ne sommes pas arrivés à terminer la nuit dernière.»

Il posa ses lèvres sur ses cheveux. «Ce fut une nuit merveilleuse pour moi, Jenny. Et pour toi ?

— Merveilleuse.

— Je n'ai pas fait grand-chose, ce matin. Je ne pensais qu'à toi en train de dormir.»

Il alluma le poêle en fonte et ils sirotèrent leur champagne en mangeant des sandwiches, blottis l'un contre l'autre sur le divan. «Tu sais, dit Jenny, en me promenant ce matin, j'ai compris que cette ferme symbolisait en quelque sorte la continuité. Je ne connais pas mes racines. J'ignore si mes parents vivaient à la campagne ou en ville. Je ne sais si la femme qui m'a mise au monde aimait coudre ou peindre, ni si elle jouait d'un instrument. C'est extraordinaire de tout connaître de ses parents. Je m'en suis rendu compte en regardant le cimetière.

— Tu es allée au cimetière ? interrogea-t-il doucement.

— Oui. Cela t'ennuie ?

— Tu as donc vu la tombe de Caroline ?

— Oui.

— Et tu t'es probablement demandé pourquoi elle n'était pas enterrée aux côtés de mon père comme les autres ?

— Ça m'a étonnée.

— Il n'y a aucun mystère. Caroline avait fait planter ces pins noirs de Norvège. À cette époque, elle avait dit à mon père qu'elle désirait être enterrée à l'extrémité sud du cimetière, à l'abri des pins. Malgré sa profonde réticence, il respecta son désir. Avant de mourir, il m'a fait savoir qu'il avait toujours voulu reposer auprès de ses parents. Dans un sens, c'était ce qui leur convenait le mieux à tous deux. De toute façon Caroline avait toujours désiré plus de liberté que mon père n'aurait jamais accepté de lui donner. Je suis certain qu'il a regretté par la suite de l'avoir forcée à abandonner le dessin à force de se moquer d'elle et de ses talents artistiques. Qu'elle eût peint au lieu de faire du patchwork n'aurait pas changé grand-chose. Il a eu tort. *Tort* ! »

Il s'arrêta, fixant le feu, inconscient de la présence de Jenny. « Mais elle aussi », murmura-t-il.

Jenny eut un frisson d'angoisse. Pour la première fois, Erich laissait entendre que tout n'avait pas été rose entre son père et sa mère.

Elle s'installa dans une routine quotidienne qui la combla pleinement, prenant chaque jour davantage conscience de tout ce qu'elle avait manqué en ne restant pas auprès de ses enfants. Elle découvrit que Beth, la petite fille posée et douée d'un esprit pratique, possédait un réel talent musical, qu'elle était capable de tapoter sur l'épinette du salon des airs simples après les avoir entendus jouer une ou deux fois seulement. S'épanouissant dans cette nouvelle atmosphère, Tina perdit vite l'habitude de geindre à tout propos. Elle qui pleurait si facilement montra d'étonnantes dispositions à prendre la vie du bon côté et un sens inné de l'humour.

Erich se rendait généralement à son atelier dès l'aube et il n'en revenait jamais avant midi. Jenny et les filles prenaient leur petit déjeuner vers 8 heures et, à 10 heures, lorsque le soleil chauffait un peu plus, elles partaient faire un tour dehors, bien emmitouflées dans leurs anoraks.

Les promenades suivirent rapidement le même circuit. D'abord le poulailler, où Joe apprit aux enfants à ramasser les œufs frais pondus. Le jeune homme restait persuadé qu'il avait gardé sa place après l'accident de Baron uniquement grâce à la présence de Jenny. « Si M. Krueger n'était pas si heureux de vous avoir avec lui, il m'aurait renvoyé. Man dit qu'il n'est pas homme à pardonner, madame Krueger.

— Je n'y suis vraiment pour rien, protesta Jenny.

— Le docteur Garrett dit que je soigne très bien Baron. Sa jambe se remettra tout à fait lorsque avec le retour d'un temps plus chaud, il pourra trotter un peu. Et croyez-moi, madame Krueger, maintenant je vérifie dix fois par jour la porte de l'écurie. »

Jenny le comprenait. Inconsciemment elle aussi s'était mise à vérifier par deux fois un tas de petites choses, des choses auxquelles elle n'aurait jamais prêté attention auparavant. Erich n'était pas seulement ordonné, il était maniaque. Elle avait vite appris à reconnaître une certaine tension sur son visage ou dans son attitude lorsqu'un détail l'avait agacé — une porte de placard mal fermée, un verre oublié dans l'évier.

Les matins où il n'allait pas au chalet, il travaillait dans le bureau de la ferme près de l'écurie avec Clyde Toomis, le régisseur. Trapu, frisant la soixantaine, le visage tanné et ridé couronné d'une épaisse chevelure d'un blanc jaunâtre, Clyde avait des manières sans façon parfois proches de la rudesse.

En lui présentant Jenny, Erich déclara : « En réalité, Clyde dirige entièrement l'exploitation. Il m'arrive même de penser que je suis uniquement là pour le décor.

— En tout cas, tu n'es pas uniquement là pour le décor devant un chevalet, dit-elle en riant, étonnée que Clyde ne fît même pas mine de contredire Erich.

— Croyez-vous que vous vous plairez ici ? lui demanda l'homme.

— Je m'y plais déjà, sourit-elle.

— C'est un grand changement pour quelqu'un de la ville, dit-il abruptement. J'espère que ça ne sera pas trop dur pour vous.

— Pas du tout.

— Bizarre, fit-il. Les filles de la campagne ne rêvent que de la ville. Celles de la ville prétendent adorer la campagne. » Jenny crut percevoir une amertume dans sa voix et se demanda s'il pensait à sa propre fille. Elle en eut la certitude en l'entendant ajouter : « Ma femme est tout excitée par votre présence ici, à vous et aux enfants. Si elle vient vous déranger, dites-le moi. Rooney ne veut ennuyer personne, mais elle perd parfois un peu la tête. »

Jenny eut l'impression qu'il se tenait sur la défensive en parlant de sa femme. « J'ai été très contente de bavarder avec elle », dit-elle sincèrement.

Clyde s'adoucit un peu. « C'est gentil à vous. Elle cherche aussi des modèles de robes-chasubles ou de trucs comme ça à faire pour vos filles. Ça ne vous ennuie pas ?

— Non, au contraire. »

En quittant le bureau, Erich l'avertit : « Jenny, Jenny, n'encourage pas Rooney.

91

— Je te promets de ne pas la laisser aller trop loin. Erich, elle est seulement très seule. »

Chaque après-midi après le déjeuner, pendant la sieste des enfants, Erich emmenait Jenny faire un tour à skis de fond pour explorer la propriété. Elsa gardait volontiers Beth et Tina quand elles dormaient. En fait, c'était elle-même qui s'était proposée. Jenny aurait juré qu'Elsa voulait se faire pardonner d'avoir accusé Erich de la tache sur le mur de la salle à manger.

Et pourtant, était-ce vraiment impossible qu'*il* fût l'auteur de cette tache ? Souvent, il avait encore des traces de peinture ou de fusain sur les mains en rentrant déjeuner. S'il venait à remarquer la moindre chose dérangée, un rideau mal centré sur la tringle, un bibelot déplacé, il allait automatiquement le remettre en place. Plus d'une fois Jenny avait juste eu le temps de l'empêcher de poser ici ou là ses doigts pleins de peinture.

On avait remplacé le papier peint de la salle à manger. Le tapissier et son aide n'en revinrent pas en entrant dans la pièce. « Vous voulez dire qu'il a acheté huit rouleaux de papier en grande largeur à ce prix, et tout ça pour remettre exactement le même ?

— Mon mari sait ce qu'il veut. »

Quand ils eurent terminé, la pièce était en tout point identique, si ce n'est que la tache avait disparu.

Le soir après dîner, ils aimaient s'installer dans la bibliothèque pour lire, écouter de la musique ou bavarder. Erich la questionna un jour sur sa petite cicatrice à la racine des cheveux. « Un accident de voiture, à l'âge de seize ans. Un type a franchi la ligne blanche sur la route et il nous est rentré dedans.

— Tu as dû avoir très peur, chérie.

— Je ne me souviens de rien, dit-elle en riant. Ma tête est partie en arrière et je me suis évanouie. J'ai repris connaissance trois jours plus tard à l'hôpital. Le choc avait été assez sérieux, suffisant pour me faire oublier ces trois jours. Nana était folle d'inquiétude. Elle me voyait déjà avec une lésion du cerveau ou je ne sais quoi. En fait, j'ai souffert de maux de tête pendant un certain temps, et même de crises de somnambulisme au moment des examens. L'angoisse, d'après les médecins. Peu à peu, tout ça s'est dissipé. »

D'abord à mots entrecoupés, puis tout à trac, Erich lui raconta l'accident de sa mère. « Caroline et moi venions d'entrer dans la laiterie de l'étable pour voir un veau nouveau-né. Il venait d'être sevré et Caroline lui a donné le biberon. La cuve à eau (une sorte de bac dans l'enclos de vêlage) était remplie. Le sol était boueux et Caroline a glissé. Elle a voulu se rattraper à quelque chose pour ne pas tomber. Et ce fut au cordon de la lampe. Elle est tombée dans la cuve en tirant l'ampoule avec elle. L'abruti d'ouvrier, l'oncle de Joe entre parenthèses, chargé de refaire l'installation électrique de l'étable avait laissé la lampe pendre à un clou sur le mur. Tout a été terminé en une minute.

— Je n'avais pas réalisé que tu te trouvais avec elle.

— Je n'aime pas en parler. Luke Garrett, le père de Mark, était présent. Il a tout fait pour la réanimer. En vain. Et je suis resté là, avec la crosse de hockey qu'elle venait de me donner pour mon anniversaire... »

Jenny était assise sur le pouf au pied du fauteuil en cuir d'Erich. Se penchant, il l'attira vers lui et la tint serrée contre sa poitrine. « Pendant longtemps j'ai haï la vue de cette crosse. Puis je me suis mis à la considérer comme son dernier cadeau. » Il lui embrassa les paupières. « N'aie pas l'air si triste, Jenny. T'avoir auprès de moi me console de tout. Je t'en prie, chérie, fais-moi une promesse. »

Elle savait ce qu'il désirait entendre. Dans un élan de tendresse, elle murmura : « Je ne te quitterai jamais. »

11

JENNY SE PROMENAIT avec Tina et Beth, lorsqu'elle
aperçut Rooney penchée par-dessus la palissade à
l'extrémité du cimetière. Elle semblait regarder la tombe de
Caroline.

« Je pensais à tous les bons moments que j'ai passés avec
Caroline lorsque nous étions jeunes et qu'Erich était petit,
et ensuite après la naissance d'Arden. Caroline a pris une photo
d'Arden, un jour. Une très jolie photo. Je ne sais pas où elle
est passée. Elle a disparu de ma chambre. Clyde dit que j'ai
dû l'emporter quelque part comme j'en avais parfois l'habitude. Pourquoi n'êtes-vous plus venue me voir ? »

Jenny s'attendait à la question. « Nous avons été très
prises par notre installation. Beth, Tina, venez dire bonjour
à Mme Toomis. »

Beth salua timidement Rooney. Tina courut vers elle et leva
la tête pour l'embrasser. Rooney se pencha et caressa les cheveux de l'enfant. « Elle me rappelle Arden, cette petite.
Toujours à gambader. Erich vous a probablement conseillé de
m'éviter. Je ne peux pas lui en vouloir. Je suppose que je suis
une vraie casse-pieds par moments. Mais j'ai trouvé le modèle

94

que je cherchais. Puis-je faire ces robes-chasubles pour les petites ?

— Cela me ferait très plaisir », dit Jenny, décidant qu'Erich devrait se faire à l'idée qu'elle allait se prendre d'amitié pour Rooney. Il y avait quelque chose d'infiniment émouvant chez cette femme.

Rooney se tourna, contemplant à nouveau le cimetière. « Ne vous sentez-vous pas un peu solitaire ici ? demanda-t-elle.

— Non, répondit sincèrement Jenny. C'est un changement bien sûr. Mon travail m'occupait beaucoup, je rencontrais des tas de gens toute la journée, le téléphone sonnait sans arrêt, des amis passaient souvent me voir. Un peu de tout ça me manque, c'est certain. Mais dans l'ensemble je suis tellement heureuse d'être ici.

— Comme Caroline, dit Rooney. Tellement heureuse au début. Et puis ça a changé. » Elle baissa les yeux vers la simple pierre tombale de l'autre côté de la palissade. Il y avait des nuages de neige et les pins jetaient des ombres mouvantes sur le granit rose pâle. « Oh, oui ! ça a changé pour Caroline, murmura-t-elle, et après sa disparition, ça s'est mis à changer pour nous tous. »

« Tu veux te débarrasser de moi, protesta Erich. Je n'ai pas envie d'y aller.

— Bien sûr que je veux me débarrasser de toi, admit Jenny. Oh ! Erich, ce tableau est une perfection ! » Elle souleva une toile de quatre-vingt-dix sur cent vingt centimètres pour l'examiner de plus près. « Tu as su rendre ce voile impalpable qui enveloppe les arbres juste au moment où sortent les bourgeons. Et cette marque qui ceinture la glace de la rivière. Elle annonce le proche dégel, l'eau qui bouge en dessous, c'est cela ?

— Tu as l'œil exercé, chérie. C'est cela, en effet.

— N'oublie pas que j'ai une licence d'art. *D'une saison à l'autre*. C'est un joli titre. Le changement est si subtil. »

95

Erich posa un bras sur ses épaules et contempla le tableau avec elle. «S'il y a une de ces toiles que tu préfères garder, dis-le moi, je ne l'exposerai pas.

— Non, ce n'est pas raisonnable. C'est le moment d'affirmer ton nom. Et finalement je me verrais assez bien dans le rôle de la femme de l'artiste le plus prestigieux des États-Unis. On me désignerait du doigt en disant : "Regardez, n'a-t-elle pas une chance inouïe ? Et en plus, il est superbe !" »

Erich lui tira les cheveux. «On dirait ça ?

— Oui, oui, et on aurait raison.

— Je peux très bien leur dire que je n'assisterai pas à cette exposition.

— Erich, ne fais pas ça. Ils ont déjà organisé une réception pour toi. J'aurais vraiment aimé t'accompagner si j'avais pu. Mais je ne vois pas comment laisser les enfants et nous ne pouvons pas les traîner avec nous. Ce sera pour la prochaine fois. »

Il commença à empiler les toiles. «Promets-moi que je te manquerai, Jenny.

— Tu me manqueras énormément. Je vais me sentir bien seule pendant ces quatre jours. » Jenny soupira malgré elle. Durant près de trois semaines, elle avait à peine adressé la parole à quelques personnes : Clyde, Joe, Elsa, Rooney et Mark.

Elsa semblait muette à force d'être taciturne. On pouvait difficilement dire que Rooney, Clyde et Joe étaient une compagnie. Jenny avait brièvement bavardé avec Mark une seule fois depuis le premier soir, bien qu'il fût venu examiner Baron au moins à six reprises d'après Joe.

Une semaine après son arrivée, elle s'était rendu compte que le téléphone ne sonnait jamais.

«Personne ici n'a donc entendu parler de la campagne publicitaire : "Un coup de fil fait toujours plaisir ?" avait-elle dit en riant.

— Les appels téléphoniques arrivent au bureau, avait expliqué Erich. Je les prends directement à la maison uniquement dans le cas où j'attends une communication spéciale. Sinon on me les passe du bureau.

— Mais s'il n'y a personne dans le bureau ?

— Alors le répondeur automatique prend le message.

— Mais Erich, *pourquoi* ?

— Chérie, s'il est une chose dont j'ai horreur, c'est l'intrusion constante de la sonnerie du téléphone. Bien sûr, en mon absence, Clyde branchera la ligne sur la maison le soir afin que je puisse t'appeler.

Jenny voulut protester mais elle se ravisa. Plus tard, lorsqu'elle aurait des amis dans la région, il serait bien temps de persuader Erich de revenir à un système téléphonique normal.

Il finit de sélectionner les toiles. « Jenny, j'y pense, il est temps que je te montre un peu. Aimerais-tu aller à l'église dimanche prochain ? »

— Tu lis dans mes pensées, ma parole ! dit-elle en riant. Je pensais justement que j'aimerais beaucoup rencontrer quelques-uns de tes amis.

— Je distribue plus volontiers mon argent que je n'assiste aux services religieux. Et toi ?

— Petite fille, je ne manquais jamais la messe du dimanche. Ensuite, après mon mariage avec Kev, je suis devenue moins assidue. Mais, comme le disait souvent Nana, la pomme ne tombe jamais loin de l'arbre. Je retournerai régulièrement à la messe un de ces jours. »

Ils se rendirent au temple luthérien le dimanche suivant. L'édifice était ancien et pas très grand, plutôt de la taille d'une chapelle. La lumière de l'hiver jouait à travers les vitraux délicats, irisant le sanctuaire de bleu, de vert, d'or et de rouge. Jenny lut les noms inscrits en bas de certains vitraux: DON D'ERICH ET GRETCHEN KRUEGER, 1906... DON D'ERICH ET OLGA KRUEGER, 1930.

Le vitrail au-dessus de l'autel, une scène de l'*Adoration des mages*, était particulièrement beau. Jenny eut un mouvement de surprise en lisant l'inscription : EN SOUVENIR AFFECTUEUX DE CAROLINE BONARDI KRUEGER, DON D'ERICH KRUEGER.

Elle le tira par le bras. « Quand as-tu fait don de ce vitrail ?

— L'année dernière, lors de la réfection du temple. »

Assises entre eux deux, Tina et Beth ne bougeaient pas, un peu guindées dans leurs manteaux et leurs bonnets bleus tout neufs. Les gens les dévisagèrent pendant le service religieux. Jenny savait que ces regards n'échappaient pas à Erich. Son visage était empreint d'un sourire satisfait et pendant le prêche, il glissa sa main dans la sienne en chuchotant : « Tu es belle, Jenny. Tout le monde vous regarde, toi et les enfants. »

À la sortie, il la présenta au pasteur Barstrom, un homme fluet de plus de soixante-cinq ans, au visage plein de douceur. « Nous nous réjouissons de vous avoir parmi nous, Jenny », dit-il avec chaleur. Il baissa les yeux vers les petites filles. « Alors, qui est Beth et qui est Tina ?

— Vous connaissez leurs noms, constata Jenny avec plaisir.

— Bien sûr. Erich m'a tout raconté sur vous en s'arrêtant au presbytère. Vous savez sûrement combien votre mari est généreux. Grâce à lui notre nouveau centre d'accueil pour le troisième âge sera confortable et bien équipé. J'ai connu Erich petit garçon et nous sommes tous très heureux pour lui à présent.

— Je suis aussi extrêmement heureuse, sourit Jenny.

— Nous organisons une réunion pour les dames de la paroisse jeudi soir. Peut-être aimeriez-vous vous joindre à elles ? Elles auraient ainsi l'occasion de faire votre connaissance.

— Je viendrais très volontiers, accepta Jenny.

— Chérie, il faut partir, l'interrompit Erich. D'autres que nous désirent s'entretenir avec le pasteur.

— Bien sûr. » Au moment où elle lui tendait la main, le pasteur dit : « Cela a dû être bien pénible de vous retrouver veuve si jeune avec deux enfants aussi petits, Jenny. Erich et vous méritez tous deux d'avoir beaucoup de chance et de bonheur. »

Elle eut à peine le temps de sursauter qu'Erich la poussa en avant. Une fois dans la voiture, elle s'écria : « Erich, tu n'as pas pu dire au pasteur Barstrom que j'étais veuve, quand même ! »

Erich démarra et éloigna la voiture du trottoir. « Jenny, Granite Place n'est pas New York. C'est une petite ville du Midwest. Les gens d'ici étaient déjà choqués d'apprendre que je m'étais marié un mois à peine après t'avoir rencontrée. Au moins une jeune veuve attire-t-elle la compassion ; une divorcée de New York évoque quelque chose de bien différent dans cette communauté. Et je n'ai jamais précisé que tu étais veuve. J'ai simplement dit au pasteur Barstrom que tu n'avais plus ton mari. Il a supposé le reste.

— Si tu n'as effectivement pas menti, je l'ai fait à ta place en ne rectifiant pas son erreur, dit Jenny. Erich, ne comprends-tu pas le genre de situation dans laquelle cela me met ?

— Non, vraiment pas, chérie. Et je n'ai pas envie de passer pour un paysan qui s'est laissé piéger par une de ces New-Yorkaises raffinées. »

Erich avait une crainte maladive du ridicule, à tel point qu'il avait préféré mentir à son pasteur.

« Erich, je serai forcée de dire la vérité au pasteur Barstrom en me rendant à cette réunion jeudi soir.

— Je serai parti jeudi.

— Je sais. C'est pour cela que j'aimerais bien y aller. Je voudrais faire la connaissance des gens de la région.

— As-tu l'intention de laisser les enfants toutes seules ?

— Bien sûr que non. Il existe sûrement des baby-sitters.

— Tu ne vas tout de même pas laisser les petites à une inconnue ?

— Le pasteur Barstrom pourrait me recommander...

— Jenny, s'il te plaît, attends. Ne te laisse pas embringuer dans toutes ces activités. Et ne dis pas au pasteur que tu es divorcée. Tel que je le connais, il ne remettra jamais le sujet sur le tapis de lui-même.

— Mais pourquoi ne veux-tu pas me laisser y aller ? »

Erich quitta la route des yeux et regarda Jenny. « Parce que je t'aime tant que je ne suis pas encore prêt à te partager avec d'autres gens, Jenny. Je ne *veux* te partager avec personne, Jenny. »

12

E RICH DEVAIT partir pour Atlanta le 23 février. Le 21, il prévint Jenny de ne pas l'attendre pour déjeuner car il avait une course à faire. Il était presque 13 heures 30 lorsqu'il revint. « Viens à l'écurie, l'invita-t-il. J'ai une surprise pour toi. » Saisissant une veste au passage, elle sortit en courant avec lui.

Mark Garrett les attendait, un large sourire aux lèvres. « Laissez-moi vous présenter nos deux nouveaux pensionnaires », dit-il.

Deux poneys shetland se tenaient côte à côte dans les stalles près de l'entrée. Leurs crinières et leurs queues étaient épaisses et lustrées ; leur poil cuivré, chatoyant. « Mon cadeau à mes nouvelles filles, annonça fièrement Erich. Nous pourrions les appeler Puce et Vif-Argent. Les petites Krueger n'oublieraient ainsi jamais leurs surnoms. »

Il entraîna vivement Jenny vers la stalle voisine.

« Et voilà ton cadeau. »

Les yeux écarquillés, Jenny resta sans voix devant une jument Morgan baie qui lui rendit un regard amical.

« C'est une merveille, exulta Erich. Quatre ans, douce, un

élevage irréprochable. Elle a déjà gagné une demi-douzaine de concours. Comment la trouves-tu?

Jenny tendit la main pour caresser la tête de la jument, s'émerveillant que l'animal n'eût pas le moindre mouvement de recul. « Comment s'appelle-t-elle ?

— L'éleveur l'a appelée Fille de Feu. À l'en croire, elle a hérité autant d'ardeur que de courage. Bien entendu, tu peux lui donner un autre nom si tu veux.

— L'ardeur et le courage, murmura Jenny. C'est une belle alliance. Erich, cela me fait tellement plaisir ! »

Il eut l'air content. « Je préfère que tu ne la montes pas encore. Les champs sont trop gelés. Mais si vous venez voir les chevaux tous les jours, toi et les enfants, pour vous habituer peu à peu à eux, vous pourrez prendre vos premières leçons dès le mois prochain. Maintenant, si cela ne t'ennuie pas, j'aimerais bien déjeuner. »

Jenny se tourna impulsivement vers Mark. « Je suis sûre que vous n'avez pas mangé vous non plus. Voulez-vous vous joindre à nous ? J'ai de la viande froide et une salade. »

Le froncement de sourcils d'Erich ne lui échappa pas, mais il fut très fugitif. « Viens donc, Mark », pria-t-il.

Jenny ne cessa de penser à Fille de Feu pendant tout le repas. Erich finit par lui dire : « Chérie, tu as un sourire d'enfant émerveillé. Est-ce pour moi ou pour la jument ?

— Erich, j'avoue que ce cheval me fait un tel plaisir que je n'ai même pas songé à te remercier.

— Avez-vous déjà eu un animal, Jenny ? » questionna Mark.

Il donnait une impression de force et de calme nonchalant qui mit tout de suite Jenny en confiance. « J'ai presque eu un animal à moi, plaisanta-t-elle. Un de nos voisins à New York avait une chienne caniche nain. Quand elle a mis bas, j'ai pris l'habitude de m'occuper des chiots tous les après-midi en sortant de l'école. J'avais onze ans ou douze ans. Mais les animaux étaient interdits dans l'appartement.

— Vous avez sûrement dû vous sentir frustrée, supposa Mark.

— J'ai certainement eu le sentiment qu'il me manquait quelque chose dans mon enfance. »

Ils finirent leur café et Mark repoussa sa chaise. « Merci, Jenny. J'ai passé un moment très agréable.

— J'aimerais vous inviter à dîner au retour d'Erich. Amenez une amie.

— Excellente idée, approuva Erich, et elle eut l'impression qu'il était sincère. Si tu venais avec Emily, Mark ? Elle a toujours eu un béguin pour toi.

— Elle a toujours eu un béguin pour *toi*, corrigea son ami. Entendu, je lui transmettrai l'invitation. »

Avant de s'en aller, Erich serra Jenny dans ses bras. « Tu vas terriblement me manquer, Jenny. Ferme bien toutes les portes le soir.

— Mais oui. Tout ira bien.

— Les routes sont gelées. Si tu as besoin de faire des courses, demande à Joe de te conduire en voiture.

— Erich, je suis une grande fille, se récria-t-elle. Ne t'inquiète pas.

— C'est plus fort que moi. Je t'appellerai ce soir, chérie. »

Ce soir-là, elle éprouva une sensation coupable de liberté en lisant dans son lit, bien calée sur ses oreillers. La maison était calme à part le ronflement intermittent de la chaudière au moment où elle se déclenchait. Jenny entendait Tina parler de temps en temps dans son sommeil de l'autre côté du couloir. Elle sourit à la pensée que la petite fille ne se réveillait plus jamais en pleurant.

Erich devait être arrivé à Atlanta à présent. Il allait bientôt téléphoner. Elle parcourut la chambre du regard. La porte du placard était entrouverte et sa robe de chambre traînait sur la chauffeuse. Erich aurait désapprouvé ce désordre, mais Jenny ne s'en souciait pas ce soir.

Elle se replongea dans son livre. Une heure plus tard, le

téléphone sonna. Elle saisit vivement l'appareil. « Allô, chéri, dit-elle.

— Quelle exquise façon d'être accueilli, Jen. »

C'était Kevin.

« Kevin. » Jenny se redressa si brusquement que son livre glissa sur le plancher. « Où es-tu ?

— À Minneapolis. Au théâtre Gunthrie. Je passe une audition. »

Elle se sentit soudain terriblement mal à son aise. « Kevin, c'est merveilleux. » Elle s'efforça de paraître sincère.

« On verra bien. Et toi, comment vas-tu, Jen ?

— Très, très bien.

— Et les filles ?

— Elles sont en pleine forme.

— Je vais passer les voir. Es-tu chez toi demain ? » Ses mots étaient inarticulés, son ton agressif.

« Kevin, non.

— Je veux voir mes gosses, Jen. Où est Krueger ? »

Inconsciemment, elle se retint d'avouer qu'Erich était parti pour quatre jours.

« Il est absent pour l'instant. J'ai cru que c'était lui qui téléphonait.

— Explique-moi comment me rendre chez toi. J'emprunterai une voiture.

— Kevin, tu ne peux pas faire ça. Erich serait furieux. Tu n'as aucun droit ici.

— J'ai absolument le droit de voir mes enfants. Cette adoption n'est pas encore définitive. Je peux l'arrêter d'un claquement de doigts. Je veux m'assurer que Beth et Tina sont heureuses. Je veux être certain que tu l'es, toi aussi, Jen. Peut-être nous sommes-nous trompés tous les deux. Nous devrions en parler. Alors, comment vient-on chez toi ?

— Tu ne peux pas venir !

— Jen, Granite Place est indiqué sur la carte. Et je suppose que tout le monde dans ce bled sait où habite le Seigneur et Maître de la région. »

Jenny sentit ses paumes devenir moites en serrant violemment l'appareil. Elle imaginait les commérages en ville si Kevin se montrait en demandant aux uns et aux autres la direction à prendre pour se rendre à la ferme Krueger. Elle le savait parfaitement capable de dire qu'il était son premier mari. Elle se souvint de l'expression d'Erich en apercevant Kevin dans l'entrée de l'appartement le jour de leur mariage.

« Kev, supplia-t-elle, ne viens pas. Tu gâcherais tout. Les enfants et moi sommes très heureuses. J'ai toujours été correcte avec toi. Ai-je une seule fois refusé de te donner de l'argent, même lorsque j'avais à peine de quoi payer mon propre loyer ? Cela devrait compter.

— Je sais, Jenny. » Sa voix prit soudain une inflexion intime, enjôleuse, qu'elle lui connaissait bien. « À propos, je suis un peu raide en ce moment et tu es pleine aux as. Ne pourrais-tu me donner le reste de l'argent des meubles ? »

Un immense soulagement envahit Jenny. Il cherchait seulement à obtenir de l'argent. Tout devenait beaucoup plus facile. « Où veux-tu que je te l'envoie ?

— Je viendrai le chercher. »

Il semblait visiblement résolu à la voir. En aucun cas elle ne pouvait le laisser venir dans cette maison, ni même dans cette ville. Elle frissonna en pensant au mal que s'était donné Erich pour apprendre à ses filles à prononcer Beth Krueger, Tina Krueger.

Il y avait un petit restaurant dans le centre commercial à trente kilomètres de là. Elle ne trouvait aucun autre endroit à lui proposer. Elle lui donna rapidement les indications et accepta de le rencontrer le lendemain à 13 heures.

Elle se renversa sur les oreillers après qu'il eut raccroché. L'agréable sensation d'euphorie s'était dissipée. Jenny redoutait l'appel d'Erich à présent. Devrait-elle lui avouer son rendez-vous avec Kevin ?

Elle était toujours hésitante lorsque la sonnerie retentit.

Erich lui sembla tendu. « Tu me manques. Je regrette d'être venu ici, chérie. Les petites m'ont-elles réclamé ce soir ? »

Elle ne se décida pas à lui parler de Kevin. « Bien sûr qu'elles t'ont réclamé. Et Beth se met à appeler ses poupées "créatures"… »

Erich éclata de rire. « Elles finiront par parler comme Joe. Je devrais te laisser dormir, chérie. »

Il fallait qu'elle le lui dise. « Erich…

— Oui, chérie. »

Elle marqua un temps d'arrêt, se rappelant brusquement la stupéfaction d'Erich en apprenant qu'elle avait laissé la moitié de l'argent des meubles à Kevin, la façon dont il avait insinué qu'elle désirait peut-être lui offrir le prix du billet d'avion pour le Minnesota. Elle ne *pouvait* pas lui avouer son rendez-vous. « Je… je t'aime tant, Erich. Je voudrais que tu sois là, tout de suite.

— Oh, chérie, moi aussi. Bonne nuit. »

Elle ne put dormir. Le clair de lune filtrait à travers les volets de la fenêtre, se reflétant dans la coupe de cristal qui prenait soudain la forme d'une urne, ainsi découpée sur la commode. Jenny se demanda si les cendres pouvaient être parfumées au pin ? Quelle pensée horrible, absurde ! se dit-elle nerveusement, furieuse contre elle-même. Caroline était enterrée dans le cimetière de famille. Néanmoins troublée, elle se sentit brusquement l'envie d'aller voir ses filles. Toutes les deux dormaient profondément. Beth une joue blottie contre sa main, Tina recroquevillée sur elle-même, le bord en satin de la couverture pressé contre sa figure.

Jenny les embrassa doucement. Elles avaient l'air si bien. Elle pensa à leur bonheur de pouvoir profiter de leur mère toute la journée, revit leurs transports de joie quand Erich leur avait montré les poneys. Kevin ne viendrait jamais leur gâcher cette nouvelle existence, se jura-t-elle.

13

LES CLÉS de la Cadillac se trouvaient dans le bureau du régisseur, mais Erich gardait un double des clés des bâtiments et des machines dans la bibliothèque. Celles de la voiture avaient toutes les chances de s'y trouver.

Jenny ne s'était pas trompée. Elle glissa le trousseau dans la poche de son pantalon, fit déjeuner les enfants plus tôt qu'à l'ordinaire et les coucha pour la sieste. « Elsa, j'ai une course à faire. Je serai de retour vers 14 heures. »

Elsa hocha la tête. Était-elle vraiment aussi taciturne de nature ? Jenny en doutait. Parfois, en rentrant d'une promenade à skis avec Erich, elle trouvait Tina et Beth déjà réveillées et entendait Elsa leur raconter des histoires avec son accent suédois plus prononcé quand elle s'animait. Mais en présence de Jenny et d'Erich, Elsa restait muette.

Des plaques de glace recouvraient partiellement les routes de campagne ; par contre l'autoroute était complètement dégagée.

Jenny retrouva le plaisir de conduire. Elle sourit en elle-même au souvenir des expéditions en week-end avec Nana dans leur Coccinelle d'occasion. Après son mariage avec Kev elle avait dû vendre la voiture; l'entretien était devenu trop onéreux. Elle demanderait à Erich de lui procurer une petite voiture.

Il était 13 h 20 quand elle arriva au restaurant. Kevin était déjà là, une carafe de vin à moitié vide devant lui. Elle se glissa en face de lui dans le box et le regarda. « Bonjour, Kev. » Il avait tellement vieilli en moins d'un mois ! Les yeux bouffis, il semblait avoir perdu tout ressort. Kevin buvait-il ? se demanda-t-elle.

Il lui prit la main. « Jenny, tu m'as manqué. Les enfants m'ont manqué. »

Elle dégagea ses doigts. « Raconte-moi comment ça se passe au Gunthrie.

— Je suis pratiquement sûr d'être engagé. Il vaudrait mieux pour moi. Broadway est complètement bouché. Et ainsi je serais plus près de toi et des enfants. Jen, tentons le coup encore une fois.

— Kev, tu es fou !

— Non, je ne suis pas fou. Tu es belle, Jenny. J'aime beaucoup ta tenue. Cette veste doit valoir une fortune.

— C'est possible.

— Tu as un chic fou, Jen. Je l'ai toujours su, mais je n'y prêtais pas attention. Je m'imaginais que tu serais toujours là pour moi. »

Il remit sa main sur la sienne. « Es-tu heureuse, Jen ?

— Oui. Écoute, Erich serait dans tous ses états s'il apprenait notre rencontre. Je dois t'avouer que tu lui as fait plutôt mauvaise impression lors de votre dernier rendez-vous.

— Et lui ne m'a pas fait non plus une impression terrible lorsqu'il m'a fourré une feuille de papier sous le nez en me disant que tu me poursuivrais en justice pour défaut de versement de pension alimentaire et que tu me saisirais jusqu'au dernier sou si je ne signais pas.

— Erich a dit ça !

— *Erich a dit ça*. Tu sais, Jen, c'était un sale coup à me faire.

J'espérais obtenir un rôle dans la nouvelle comédie musicale de Hal Prince. Ça m'aurait réellement fichu par terre. Je regrette vraiment de n'avoir pas su qu'on m'avait déjà éliminé. Crois-moi, il n'y aurait pas eu un seul papier d'adoption de signé.

— Ce n'est pas si simple, dit Jenny. Je sais qu'Erich t'a donné deux mille dollars.

— C'était juste un prêt. »

Elle était déchirée entre la pitié et l'agaçante certitude qu'il se servirait toujours de ses filles pour rester dans sa vie. Elle ouvrit son sac à main. « Kev, je dois rentrer. Voici les trois cents dollars. Mais ne m'appelle plus, désormais, je t'en prie, ne cherche pas à voir les enfants. Sinon tu nous attirerais des ennuis à elles, à toi et à moi. »

Il prit l'argent, feuilleta négligemment la liasse de billets et rangea le tout dans son portefeuille. « Jen, il faut que je te dise. J'ai un mauvais pressentiment pour toi et les petites. Je ne peux l'expliquer. Mais je le sens. »

Jenny se leva. En un bond il fut à côté d'elle, l'attirant à lui. « Je t'aime toujours, Jenny. » Son baiser fut brutal et exigeant.

Elle ne pouvait le repousser sans provoquer de scène. Il lui fallut attendre une bonne demi-minute avant de le sentir relâcher son étreinte et de pouvoir s'écarter de lui. « Laisse-nous tranquilles, chuchota-t-elle. Je t'en supplie, je t'*avertis*, laisse-nous tranquilles. »

Elle faillit heurter la serveuse qui attendait derrière elle, son carnet de commande à la main. Les deux clientes à la table près de la fenêtre les dévisageaient.

En s'enfuyant du restaurant, Jenny comprit pourquoi il lui avait semblé reconnaître l'une des femmes. Elle l'avait vue assise dans le même rang qu'eux de l'autre côté de l'allée centrale, au temple dimanche dernier.

14

ERICH ne téléphona plus après le premier soir. Jenny s'efforça de se raisonner. Il avait une sainte horreur du téléphone. Mais il avait promis d'appeler tous les soirs. Devait-elle tenter de le joindre à son hôtel ? Une demi-douzaine de fois elle posa sa main sur l'appareil, puis la retira.

Kevin avait-il été engagé au Gunthrie ? Si oui, il agirait de la même façon ici qu'à New York, passant la voir dès qu'il était fauché ou qu'il se sentait d'humeur sentimentale. Erich ne le supporterait pas. Et c'était mauvais pour les enfants.

Pourquoi Erich ne téléphonait-il pas ?

Il avait prévu de rentrer le 28. Joe devait aller le chercher à l'aéroport. Et si elle se rendait à Minneapolis avec Joe ? Non, elle attendrait à la ferme en préparant un bon dîner. Il lui manquait. C'était la première fois qu'elle se rendait compte combien elle et les enfants s'étaient vite acclimatées à cette nouvelle existence.

Sans ce pénible sentiment de culpabilité depuis son rendez-vous avec Kevin, Jenny savait que l'absence d'appels téléphoniques de la part d'Erich ne l'aurait pas troublée. Kevin était venu tout gâcher. Et s'il revenait une fois les trois cents dollars dépensés ? Erich serait doublement furieux d'apprendre qu'elle l'avait rencontré sans lui en avoir rien dit.

Elle vola dans ses bras quand il ouvrit la porte. Il la tint contre lui. Le froid glacé du soir s'était engouffré dans son manteau pendant le bref trajet entre la voiture et la véranda. Il avait les lèvres froides. Elles se réchauffèrent vite lorsqu'il l'embrassa. Tout en étouffant un sanglot, Jenny pensa *Tout ira bien*.

« Tu m'as tellement manqué », dirent-ils ensemble.

Il étreignit les petites filles, leur demanda si elles avaient été sages et, devant leur réponse enthousiaste, il leur remit à chacune un cadeau empaqueté dans un beau papier coloré. Les cris de joie de Beth et de Tina à la vue de leurs nouvelles poupées amenèrent un sourire indulgent sur ses lèvres.

« Merci beaucoup, beaucoup, dit gravement Beth.

— Merci, papa, corrigea-t-il.

— C'est ce que je voulais dire, répliqua-t-elle d'un ton déconcerté.

— Qu'est-ce que tu as apporté à maman ? » demanda Tina.

Il sourit à Jenny. « Maman a-t-elle été sage ? »

Elles firent signe que oui.

« En es-tu certaine, maman ? »

Pourquoi la plus anodine des taquineries vous semble-t-elle à double tranchant lorsque vous avez quelque chose à cacher ? Jenny se souvint de Nana secouant la tête en parlant d'une de ses connaissances. « C'est une vraie calamité. Elle mentirait même si la vérité lui était plus utile. »

En était-il de même pour elle ? « J'ai été sage. » Elle s'efforça de mettre une inflexion amusée, désinvolte, dans sa voix.

« Tu rougis, Jenny. » Erich secoua la tête.

« Où est mon cadeau ? » dit-elle, se forçant à sourire.

Il chercha dans sa valise. « Puisque tu aimes tant les porcelaines de Royal Doulton, j'ai essayé de t'en trouver une autre à Atlanta. Celle-ci m'a tapé dans l'œil. Elle s'appelle *La Tasse de thé*. »

Jenny ouvrit la boîte. C'était la figurine d'une vieille femme dans un fauteuil à bascule, une tasse de thé à la main, un air de contentement sur le visage.

« On dirait Nana », soupira Jenny.

Il la regarda avec tendresse contempler la statuette. Elle lui sourit, les yeux brillants de larmes. Kevin ne viendrait pas gâter ça, décida-t-elle.

Elle fit du feu dans le poêle ; il y avait une carafe de vin et un morceau de fromage sur la table. Les doigts mêlés aux siens, elle entraîna Erich vers le divan. Souriant, elle remplit un verre de vin et le lui tendit. « Bienvenue chez nous. » Elle s'assit à ses côtés et se tourna vers lui, genou contre genou. Elle portait une blouse en soie verte à col volanté d'Yves Saint-Laurent et un pantalon en tweed dans les tons vert et brun. Elle savait que c'était l'une des tenues préférées d'Erich. Ses cheveux maintenant plus longs flottaient librement sur ses épaules. Sauf par temps trop froid, elle aimait sortir nu-tête et le soleil avait mis des reflets plus clairs dans sa chevelure sombre.

Erich la dévisagea, l'air impénétrable. « Tu es très belle, Jenny. Tu me parais bien élégante.

— Ce n'est pas tous les soirs que mon mari rentre à la maison après quatre jours d'absence.

— Si je n'étais pas revenu aujourd'hui, ces beaux atours n'auraient servi à rien, j'espère ?

— Si tu n'étais pas rentré ce soir, je les aurais remis pour toi demain. » Jenny décida de changer de sujet. « Comment cela s'est-il passé à Atlanta ?

— De façon détestable. Les gens de la galerie ont passé leur temps à essayer de me persuader de vendre *Souvenir de Caroline*. Ils avaient deux offres importantes pour le tableau et flairaient la commission.

— Tu t'es heurté au même problème à New York. Peut-être devrais-tu cesser d'exposer cette toile.

— C'est que j'ai peut-être justement choisi de l'exposer parce qu'elle reste toujours ma meilleure œuvre », déclara-t-il froidement. Critiquait-il implicitement ce qu'elle venait de lui suggérer ?

« Si je terminais de préparer mon dîner ? » Jenny se pencha pour l'embrasser en se levant. « Je t'aime », murmura-t-elle.

Pendant qu'elle remuait la salade et tournait une sauce hollandaise, il appela Beth et Tina. Quelques minutes plus tard, une petite fille sur chaque genou, il leur racontait avec animation l'histoire de l'hôtel Peachtree à Atlanta où les ascenseurs sont en verre et montent à l'extérieur du bâtiment juste comme un tapis magique. Il les y emmènerait un jour.

« Maman aussi ? » demanda Tina.

Jenny se retourna, souriant, mais son sourire s'évanouit en entendant Erich répondre : « Si maman veut venir avec nous. »

Elle avait préparé une côte de bœuf. Il mangea de bon appétit mais ne cessa de tambouriner nerveusement avec ses doigts sur la table, répondant par monosyllabes à tout ce qu'elle disait. Renonçant à lui parler, elle ne s'adressa plus qu'aux enfants. « Avez-vous raconté à papa que vous étiez montées sur les poneys ? »

Beth posa sa fourchette et regarda Erich. « C'était amusant. J'ai dit hue mais Puce n'est pas parti.

— J'ai dit hue aussi, gazouilla Tina.

— Où étaient les poneys ? interrogea Erich.

— Dans les boxes, dit précipitamment Jenny. Et Joe les a hissées sur leur dos juste une petite minute.

— Joe prend trop de responsabilités, coupa Erich. Je veux être présent au moment où l'on monte les petites sur les poneys. Je veux être certain qu'il les surveille attentivement. Qui me dit s'il n'est pas aussi négligent que l'était son imbécile d'oncle ?

— Erich, c'était il y a longtemps.

— Il me semble que c'était hier que je me suis retrouvé

113

nez à nez avec cet ivrogne. Et Joe m'a dit qu'il était de retour en ville. »

Est-ce cela qui contrariait Erich ? « Beth, Tina, si vous avez fini, vous avez la permission d'aller jouer avec vos nouvelles poupées. » Une fois les enfants hors de portée de voix, Jenny dit : « Est-ce l'oncle de Joe qui te tracasse, Erich, ou autre chose ? »

Il lui prit la main avec sa façon familière d'emmêler ses doigts aux siens. « C'est ça. C'est le fait que Joe s'est sûrement encore servi de la voiture. Le compteur marque largement soixante kilomètres de plus. Bien entendu, il nie l'avoir prise, mais il l'a déjà fait une fois en automne sans ma permission. Il ne t'a conduite nulle part, n'est-ce pas ? »

Elle serra son poing. « Non »

Elle devait lui parler de Kevin. Elle ne pouvait pas laisser Erich soupçonner Joe de lui avoir désobéi.

« Erich... je... »

Il l'interrompit. « Et c'est aussi cette maudite galerie. Pendant quatre jours, je n'ai cessé de répéter à ces idiots que *Souvenir de Caroline* n'était pas à vendre. Je reste persuadé que c'est mon meilleur tableau et je désire l'exposer, mais... » Sa voix s'étrangla. Quand il parla à nouveau, ce fut d'un ton plus calme. « Je vais peindre davantage, Jen. Tu n'y vois pas d'inconvénient, n'est-ce pas ? Cela m'obligera à me cloîtrer dans le chalet trois ou quatre jours d'une traite. Mais c'est nécessaire. »

Consternée, Jenny se rappela combien ces derniers jours lui avaient paru désespérément longs. Elle s'efforça de prendre l'air désinvolte. « Bien sûr, si c'est nécessaire. »

En le rejoignant dans la bibliothèque après avoir couché les enfants, elle trouva Erich les yeux emplis de larmes. « Erich, qu'y a-t-il ? »

Il s'essuya prestement les yeux du dos de la main. « Pardonne-moi, Jenny. Mais j'étais tellement déprimé. Tu m'as terriblement manqué. Ce sera l'anniversaire de la mort de

114

maman la semaine prochaine. C'est toujours une période très pénible pour moi ; tu ne peux pas imaginer. J'ai l'impression que c'était hier. Lorsque Joe m'a annoncé le retour de son oncle dans le pays, j'ai cru recevoir un coup dans l'estomac. Je me suis senti vidé. Et puis, la voiture est arrivée en vue de la ferme et j'ai vu les fenêtres éclairées. Je craignais de retrouver la maison sombre et vide ; j'ai ouvert la porte et tu étais là, si belle, si heureuse de me voir. J'ignore pourquoi j'avais peur de t'avoir perdue pendant mon absence. »

Jenny glissa à genoux devant lui. Elle lui caressa tendrement les cheveux.

« Tu ne sauras jamais à quel point je suis heureuse de te revoir. »

Les lèvres d'Erich la réduisirent au silence.

Quand ils montèrent se coucher, Jenny s'apprêta à prendre l'une de ses chemises de nuit neuves, puis se ravisa. Elle ouvrit à regret le tiroir de la commode contenant la chemise de nuit aigue-marine. Le haut la serrait trop. Ouf ! C'est peut-être la solution, pensa-t-elle. Cette chemise de malheur devient trop étroite pour moi.

Plus tard, juste avant de s'endormir, elle comprit ce qui la tourmentait dans son subconscient. Les seules fois où Erich lui faisait l'amour étaient celles où elle portait ce vêtement.

15

ELLE ENTENDIT Erich marcher dans la chambre avant
l'aube. «Tu vas au chalet? murmura-t-elle, émergeant
péniblement du sommeil.

— Oui, chérie.» Son chuchotement était à peine audible.

«Seras-tu de retour pour déjeuner?» Un peu mieux
réveillée, elle se souvint qu'il l'avait prévenue de son intention de rester à l'atelier.

«Je ne sais pas.» La porte se referma sur lui.

Elle partit faire sa promenade quotidienne avec les enfants
après le petit déjeuner. L'attrait des poneys avait remplacé celui
des poules pour Beth et Tina. Elles filèrent en courant devant
Jenny. «Attendez vous deux, leur cria-t-elle. Il me faut vérifier si Baron est bien enfermé.»

Joe se trouvait déjà à l'écurie. «Bonjour, madame Krueger.»
Son visage plein s'éclaira d'un sourire. Des mèches de cheveux blonds s'échappaient de sa casquette. «Bonjour, les
enfants.»

Les poneys étaient superbes, leurs crinières et leurs queues
brossées et brillantes. «Je viens juste de les étriller pour vous,
dit Joe. Avez-vous apporté du sucre?»

Il souleva les fillettes pour leur permettre de donner leur morceau de sucre. «Et maintenant, si on s'asseyait deux minutes à califourchon, hein ?

— Joe, il ne vaut mieux pas, dit Jenny. M. Krueger était fâché d'apprendre que les petites étaient montées sur leurs poneys.

— Je veux monter sur Vif-Argent, dit Tina.

— Papa nous permettrait, *lui* », dit Beth. Elle leva les yeux vers Jenny. «S'il te plaît, maman. »

Joe la regardait aussi.

«Bon… » Jenny faillit céder, puis se souvint de la physionomie d'Erich quand il avait accusé Joe de prendre trop de responsabilités. Elle ne voulait pas être accusée de n'en faire qu'à sa tête.

«Demain, fit-elle fermement. Je parlerai à papa. Maintenant allons voir les poules.

— Je veux monter sur mon poney », cria Tina. Elle frappa la jambe de Jenny de sa petite main. «Tu es une vilaine, maman. »

Jenny se pencha et, d'un geste instinctif, lui donna une tape sur les fesses. «Et tu es une petite impertinente. »

Tina courut hors de l'écurie en larmes, Beth sur ses talons.

Jenny se précipita derrière elles. Se tenant par la main, elles se dirigeaient vers l'étable. Lorsqu'elle les rejoignit, elle entendit Beth dire d'un ton apaisant: «Ne sois pas triste, Tina. On le dira à papa. »

Joe arriva à sa hauteur. «Madame Krueger.

— Oui, Joe. » Jenny détourna la tête. Elle ne voulait pas lui laisser voir les larmes qui embuaient ses yeux. Au fond d'elle-même, elle savait qu'Erich permettrait aux enfants de monter sur leurs poneys dès l'instant où elles le lui demanderaient.

«Madame Krueger, je me disais, nous avons un nouveau chiot chez nous. C'est un peu plus loin sur la route, à huit cents mètres. Les petites aimeraient peut-être voir Randy. Ça leur ferait oublier les poneys.

— Ce serait très gentil, Joe. » Jenny rattrapa ses filles. Elle s'accroupit devant Tina. « Je regrette de t'avoir donné une fessée, mon Vif-Argent. J'ai autant envie de monter Fille de Feu que vous de grimper sur vos poneys, mais nous devons attendre la permission de papa. Joe nous propose de nous emmener voir son petit chien maintenant. C'est une bonne idée, non ? »

Elles se mirent en route en compagnie de Joe, qui attirait leur attention sur les premiers signes de l'approche du printemps en chemin. « Regardez, la neige fond. Dans deux semaines, ce sera le dégel. Le sol deviendra une vraie gadoue. Ensuite, l'herbe commencera à pousser. Votre papa veut que je construise un manège d'équitation pour vous. »

La mère de Joe était à la maison ; son père était mort cinq ans auparavant. Solidement charpentée, c'était une femme approchant la soixantaine, d'un abord familier et sans détour. Elle les invita à entrer. La petite maison était pauvre mais confortable. Les tables étaient couvertes de babioles et de souvenirs. Il y avait des photos de famille accrochées un peu partout sur les murs.

« Ravie de vous connaître, madame Krueger. Mon Joe parle tout le temps de vous. Pas étonnant qu'il vous trouve jolie. Pour sûr que vous l'êtes. Et, Seigneur, qu'est-ce que vous ressemblez à Caroline ! Je suis Maude Ekers. Appelez-moi Maude.

— Où est le chien de Joe ? demanda Tina.

— Venez à la cuisine », leur dit Maude.

Elles la suivirent avec empressement. Le chiot semblait être un croisement de berger allemand et de chien d'arrêt. Il se redressa gauchement sur ses pattes malhabiles. « Nous l'avons trouvé sur la route, expliqua Joe. Quelqu'un a dû le jeter d'une voiture. Il serait probablement mort de froid si je n'étais pas passé par là. »

Maude secoua la tête. « Joe ramène à la maison tous les animaux perdus. C'est le meilleur cœur du monde, mon garçon. Peut-être pas très fort à l'école, mais croyez-moi, il a un don avec les bêtes. Vous auriez vu son dernier chien. Une splendeur. Rudement malin aussi.

— Qu'est-il devenu ? demanda Jenny.

— On sait pas. On essayait bien de le garder enfermé, mais un jour il s'est échappé. Il avait l'habitude de suivre Joe jusqu'à votre ferme. M. Krueger n'aimait pas ça.

— Je comprends M. Krueger, dit vivement Joe. Il avait une chienne de pure race et il ne voulait pas voir Trapy s'en approcher. Mais le chien m'a suivi un jour et il a monté Juna. M. Krueger était fou de rage.

— Où est Juna à présent ? demanda Jenny.

— M. Krueger s'en est débarrassé. Il a dit qu'il n'en voulait plus si elle mettait bas une portée de bâtards.

— Et Trapy ?

— On sait pas, répondit Maude. Il est sorti encore une fois et on l'a plus jamais revu. J'ai mon idée là-dessus, insinua-t-elle.

— Man, fit précipitamment Joe.

— Erich Krueger avait menacé de lui tirer dessus, poursuivit-elle simplement. Si Trapy a abîmé sa chienne de luxe, je lui reproche pas tellement de s'être mis en rogne. Mais il aurait pu le dire, au moins. Joe a remué ciel et terre pour retrouver ce chien. J'ai bien cru qu'il allait en tomber malade. »

Tina et Beth s'accroupirent à côté de Randy. Tina avait un air extasié. « Maman, est-ce qu'on peut avoir un chien nous aussi, s'il te plaît ?

— Nous demanderons à papa », promit Jenny.

Elles jouèrent avec le chiot tandis que Jenny prenait un café avec Maude. Celle-ci se mit sans ambages à la questionner. Comment Jenny trouvait-elle la maison des Krueger ? Plutôt cossue, hein ? Ça devait être dur de passer d'une ville comme New York à une ferme. Jenny répondit qu'elle serait sûrement très heureuse.

« Caroline disait ça, aussi, fit sombrement Maude. Mais les hommes sont pas bien sociables chez les Krueger. Du genre pas faciles avec leurs femmes. Tous les gens par ici ne juraient que par Caroline. Et ils avaient du respect pour John Krueger. Comme pour Erich. Mais, ces Krueger, c'est pas des tendres, même avec leur famille. Et ils pardonnent pas. Quand ils vous en veulent, c'est pour toujours. »

Jenny savait que Maude faisait allusion au rôle de son frère dans l'accident de Caroline. Elle se hâta de finir son café. « Il faut que nous rentrions. »

La porte de la cuisine s'ouvrit juste au moment où elle se levait. « Tiens, qui c'est celle-là ? » La voix était âpre, comme cassée. L'homme avait dans les cinquante-cinq ans. Ses yeux injectés de sang et délavés reflétaient l'expression trouble de l'ivrogne. Il était affreusement maigre, au point que son pantalon lui descendait sur les hanches.

Il fixa Jenny, puis ses yeux se rétrécirent d'une manière songeuse. « Devez être la nouvelle Mme Krueger, si j'en crois ce qu'on m'a dit.

— En effet.

— J'suis Josh Brothers, l'oncle de Joe. »

L'électricien responsable de l'accident. Jenny sentit immédiatement qu'Erich serait furieux s'il apprenait cette rencontre.

« J'comprends pourquoi Erich vous a choisie », prononça Josh, la voix pâteuse. Il se tourna vers sa sœur.

« On jurerait Caroline, hein, Maude ? » Sans attendre de réponse, il demanda à Jenny : « Entendu parler de l'accident, j'suppose ?

— Oui.

— La version Krueger. Pas la mienne. » Josh Brothers était manifestement prêt à répéter une fois de plus son histoire. Il empestait le whisky. Sa voix prit un ton monocorde. « Même s'ils allaient divorcer, John était fou de Caroline…

— Divorcer ! » l'interrompit Jenny. Le père et la mère d'Erich allaient *divorcer* ?

120

Les yeux troubles prirent un regard rusé. « Oh ! Erich vous a pas dit ça ? Il prétend toujours que c'était pas vrai. Ça a drôlement jasé dans le coin, laissez-moi vous dire, quand Caroline n'a même pas *essayé* d'avoir la garde de son unique enfant. En tout cas, le jour de l'accident, je travaillais à la laiterie dans l'étable et Caroline est entrée avec Erich. Elle s'en allait pour de bon l'après-midi même. C'était le jour de l'anniversaire du gosse et il tenait sa crosse de hockey neuve à la main et il pleurait toutes les larmes de son corps. Elle m'a fait signe de m'en aller ; c'est pourquoi j'ai accroché la lampe au clou. J'ai entendu Caroline dire : "Juste comme ce petit veau doit être sevré de sa mère…" Alors j'ai fermé la porte derrière moi pour les laisser se dire adieu et, une minute après, Erich s'est mis à hurler. Luke Garrett a essayé le truc du bouche à bouche pour la ranimer, en lui appuyant sur la poitrine, mais on savait tous que ça servait à rien. Elle s'était agrippée au cordon électrique, en tombant dans la cuve, et elle a entraîné la lampe avec elle. Elle a pris tout le jus… Elle avait pas une chance.

— Tais-toi, Josh », coupa sèchement Maude.

Jenny dévisagea Josh. Pourquoi Erich ne lui avait-il jamais dit que ses parents étaient sur le point de divorcer ? Que Caroline allait les quitter, lui et son père ? Et, quelle horreur d'avoir assisté à cet abominable accident ! Rien d'étonnant après ça qu'il fût tellement peu sûr de lui à présent, qu'il ait si peur de la perdre.

Plongée dans ses pensées, elle alla chercher les enfants et murmura un au revoir.

Sur le chemin du retour, Joe dit timidement :

« M. Krueger n'aimerait pas savoir que maman a raconté tout ça, ni que vous avez rencontré mon oncle.

— Je n'en parlerai pas, Joe, je vous le promets », le rassura-t-elle.

La route jusqu'à la ferme Krueger était paisible en cette fin de matinée. Beth et Tina coururent devant, ramassant joyeusement de la neige poudreuse. Jenny se sentait déprimée, angoissée. Elle songea aux innombrables occasions où Erich lui avait parlé de Caroline. Pas une seule fois il n'avait laissé entendre qu'elle s'était apprêtée à le quitter.

Si seulement j'avais une amie ici, pensa Jenny, quelqu'un à qui parler. Elle se souvint des discussions avec Nana sur tous les problèmes qui survenaient dans leur vie, des confidences qu'elle échangeait avec Fran en prenant un café lorsque les filles étaient couchées.

«Madame Krueger, dit doucement Joe, vous avez l'air toute retournée. J'espère que mon oncle ne vous a pas contrariée. Je sais bien que Man ne porte pas les Krueger dans son cœur, mais je vous en prie, ne soyez pas fâchée.

— Je ne le suis pas, affirma Jenny. Mais voulez-vous faire une chose pour moi, Joe?

— Tout ce que vous voudrez.

— Pour l'amour du Ciel, appelez-moi Jenny en l'absence de M. Krueger. Je vais finir par oublier mon propre prénom dans ce pays.

— Je vous appelle toujours Jenny quand je pense à vous.

— Formidable», s'exclama en riant Jenny, brusquement détendue. Puis elle lui jeta un coup d'œil. L'adoration peinte sur son visage était évidente.

Oh! Seigneur Dieu, pensa-t-elle, si jamais il me regarde comme ça devant Erich, il le paiera très cher.

16

EN APPROCHANT de la maison, Jenny crut voir quelqu'un regarder par la fenêtre du bureau de la ferme. Erich s'y arrêtait souvent lorsqu'il revenait du chalet.

Elle fit rapidement entrer les enfants et prépara des toasts au fromage et du chocolat chaud. Juchées devant la table, Tina et Beth contemplaient le toaster d'un air gourmand tandis que l'odeur du fromage fondant envahissait la cuisine.

Qu'est-ce qui avait pu désespérer Caroline au point de la pousser à abandonner son fils ? Quelle part de ressentiment se mêlait à l'amour qu'Erich portait à sa mère ? Jenny tenta d'imaginer les circonstances qui pourraient lui faire quitter Beth et Tina. Il n'en existait aucune.

Fatiguées par leur longue marche, les petites filles s'endormirent le nez sur l'oreiller. Jenny regarda leurs paupières s'abaisser, leurs yeux se fermer. Elle avait du mal à quitter la pièce. Elle s'assit sur la banquette sous la fenêtre pendant un moment, brusquement prise de vertige. Pourquoi ?

Elle finit par descendre, enfila une veste et se dirigea vers le bureau du régisseur. Clyde était absorbé dans son travail. S'efforçant de prendre un ton désinvolte, Jenny fit remarquer :

123

« Erich n'est pas encore rentré pour déjeuner. Je pensais qu'il s'était peut-être attardé ici. »

Clyde lui lança un regard surpris. « Il s'est arrêté juste deux minutes après avoir fait des courses. Il a l'intention de rester au chalet pour peindre. Il m'a dit que vous étiez au courant. »

Sans un mot, Jenny allait faire demi-tour quand son regard tomba sur la corbeille du courrier. « Oh ! Clyde, si je reçois des lettres pendant l'absence d'Erich, voulez-vous me les faire porter à la maison ?

— Bien entendu. D'habitude, je donne tout votre courrier à Erich. »

Tout votre courrier… En un mois, depuis son arrivée, elle n'avait pas reçu la moindre lettre bien qu'elle eût écrit à Fran et à M. Hartley. « Je crains qu'il n'ait omis de me les donner. » Elle était consciente de la tension que contenait sa voix. « Combien de lettres sont arrivées pour moi ?

— Une la semaine dernière, et deux cartes postales, je ne sais pas au juste.

— Je vois. » Jenny regarda le téléphone. « Y a-t-il eu des appels téléphoniques ?

— Quelqu'un de la paroisse a téléphoné la semaine dernière à propos d'une réunion. Et la semaine précédente, on vous avait appelée de New York. Erich ne vous avait-il pas transmis ces messages ?

— Il était tellement préoccupé par son voyage, murmura Jenny. Merci Clyde. »

Elle revint lentement à la maison. Le ciel était plombé maintenant. La neige se mettait à tomber par rafales cinglantes. Le sol qui dégelait depuis ces derniers jours, se durcissait à nouveau. La température chutait rapidement.

Je ne veux pas te partager… Jenny. Erich avait pris ces mots à la lettre. Qui avait téléphoné de New York ? Kevin, pour dire qu'il venait dans le Minnesota ? Si c'était lui, pourquoi Erich n'avait-il pas prévenu Jenny ?

Qui avait écrit ? M. Hartley ? Fran ?

Je ne peux pas tolérer cela, se dit-elle. Je dois faire quelque chose.

« Jenny ! » Mark Garrett sortait en courant de l'étable. À longues enjambées, il franchit en quelques secondes la distance qui les séparait. Ses cheveux blond roux étaient tout ébouriffés. Il souriait, les yeux cependant graves. « Nous avons rarement eu l'occasion de nous voir, ces temps-ci. Comment va ? »

Pouvait-elle lui parler d'Erich ? Non, ce serait déloyal vis-à-vis de son mari. Mais il y avait une chose qu'elle pouvait faire.

Elle s'efforça de sourire le plus naturellement possible. « Je vais bien, répondit-elle. Et vous êtes justement la personne que je désirais rencontrer. Vous souvenez-vous que nous avions projeté de vous avoir à dîner avec votre amie… Emily… je crois ?

— Oui.

— Prenons date pour le 8 mars. C'est l'anniversaire d'Erich. Je voudrais organiser une petite soirée en son honneur. »

Mark fronça les sourcils. « Jenny, je préfère vous avertir. Erich supporte toujours très mal le jour de son anniversaire.

— Je sais », dit Jenny. Elle leva les yeux vers Mark, consciente de sa haute taille. « Mark, c'était il y a vingt-cinq ans. N'est-il pas temps pour Erich de surmonter la disparition de sa mère ? »

Mark choisit ses mots. « Soyez patiente, Jenny, conseilla-t-il. On ne suprime pas si facilement chez quelqu'un comme Erich des réactions aussi profondément ancrées. » Il sourit. « Mais il me semble qu'il ne devrait pas tarder à apprécier ce qu'il a maintenant.

— Alors, vous viendrez ?

— Sans aucun doute. Et Emily meurt d'envie de vous connaître. »

Jenny rit, songeuse. « Moi aussi, j'ai très envie de connaître des gens. »

Elle le quitta et entra dans la maison. Elsa s'apprêtait à

125

partir. « Les petites dorment encore. Demain, je peux faire les courses avant d'arriver. J'ai la liste.

— La liste ?

— Oui. M. Krueger est venu quand vous étiez sortie avec les enfants ce matin. Il a dit que je devais faire les courses désormais.

— C'est stupide, protesta Jenny. Je peux très bien les faire moi-même ou demander à Joe de me conduire.

— M. Krueger a dit qu'il prenait les clés de la voiture.

— Je vois. Merci, Elsa. » Jenny ne voulait pas montrer son dépit devant cette femme.

Mais quand la porte se referma derrière Elsa, Jenny s'aperçut qu'elle tremblait de tous ses membres. Erich avait-il repris les clés pour s'assurer que Joe n'utiliserait plus la voiture ? Ou supposait-il que c'était elle qui s'en était servie ? Elle parcourut nerveusement la cuisine du regard. À New York, elle parvenait toujours à se calmer en s'attaquant à un gros travail de nettoyage dans l'appartement. Ici, tout était immaculé.

Elle contempla les bocaux sur le comptoir. Ils prenaient trop de place et ne servaient pratiquement à rien. Chaque pièce dans cette maison était solennelle, froide, surchargée. Mais c'était son foyer. Erich serait sûrement satisfait de la voir y ajouter une touche personnelle.

Elle fit de la place pour les bocaux sur une étagère dans l'office. La table ronde en chêne et les chaises étaient exactement disposées au milieu de la cuisine. Sous la fenêtre orientée au sud, elles seraient mieux à portée du comptoir et permettraient de profiter de la vue sur les champs pendant les repas. Jenny tira la table, sans se soucier de rayer le parquet.

On avait relégué au grenier le tapis en coton tressé de la chambre des enfants. Elle le mettrait près du poêle. En rapprochant le divan, le fauteuil assorti et une chauffeuse prise dans la bibliothèque, cela créerait un coin agréable dans la cuisine.

Subitement animée d'une énergie frénétique, Jenny entra dans le salon, s'empara d'une partie des bibelots et les rangea dans une armoire. Elle s'acharna à décrocher les rideaux de dentelle qui masquaient la lumière et la vue dans le salon et la salle à manger. Le canapé du salon était terriblement lourd à pousser. Tant bien que mal, elle parvint à le permuter avec la table à tréteaux en acajou. Lorsqu'elle eut terminé, la pièce paraissait plus aérée, plus attrayante.

Elle fit le tour des autres pièces du rez-de-chaussée, tout en prenant mentalement des notes. Chaque chose en son temps, se promit-elle. Elle plia soigneusement les rideaux et les monta au grenier. Le tapis tressé était dans un coin. Si elle ne parvenait pas à le descendre toute seule, elle ferait appel à Joe.

Elle essaya de le tirer, y renonça très vite, et jeta un vague regard de curiosité sur ce qui se trouvait dans la pièce.

Une petite mallette en cuir bleu aux initiales CBK attira son attention. Elle la dégagea pour l'examiner. Était-elle fermée à clé ? N'hésitant qu'un instant, elle fit jouer les fermetures l'une après l'autre. Le couvercle se souleva de lui-même.

Des articles de toilette étaient disposés dans le compartiment supérieur. Des crèmes, des produits de maquillage, du savon parfumé au pin. Il y avait un agenda relié en cuir en dessous ; la date sur la couverture remontait à vingt-cinq ans. Jenny le feuilleta. 2 janvier, 10 heures, conseil des professeurs, Erich. 8 janvier, dîner Luke Garrett, les Meier, les Behrend. 10 janvier, rendre les livres à la bibliothèque. Elle sauta des pages. 2 février, chambre des référés, 9 heures. S'agissait-il de l'audience du divorce ? 22 février, commander une crosse de hockey pour E. La dernière inscription, 8 mars : anniversaire Érich. Écrite à l'encre bleu clair. Puis, avec un stylo différent, 19 heures. Vol Northwest 241, Minneapolis-San Francisco. Il y avait un billet inutilisé, un aller simple agrafé à la page, et une courte lettre en dessous.

Le nom imprimé en haut de la lettre : EVERETT BONARDI. Le père de Caroline, pensa Jenny. Elle déchiffra rapidement l'écriture inégale : « Caroline chérie. Ta mère et moi ne sommes pas surpris d'apprendre que tu quittes John. Nous sommes profondément inquiets au sujet d'Erich, mais après avoir lu ta lettre, nous convenons qu'il vaut mieux le laisser à son père. Nous n'avions aucune idée de ce qui se passait réellement. Notre santé à tous les deux n'a pas été brillante, mais nous attendons ta venue avec impatience. Nous t'embrassons tendrement. »

Jenny replia la lettre, la remit dans l'agenda et referma le couvercle de la mallette. Qu'avait voulu dire Everett Bonardi en écrivant : « Nous n'avions aucune idée de ce qui se passait réellement ? »

Elle descendit lentement du grenier. Beth et Tina dormaient encore. Elle les regarda avec tendresse et sentit soudain ses lèvres se dessécher. Au-dessus des cheveux auburn épars sur l'oreiller, posée de telle façon que l'on eût dit un accessoire de coiffure, il y avait une petite savonnette ronde. Une légère odeur de pin imprégnait l'atmosphère.

« Ce sont de vraies petites beautés, n'est-ce pas ? » soupira une voix à son oreille. Trop interdite pour crier, Jenny pivota sur elle-même. Un bras maigre et osseux lui entoura la taille. « Oh ! Caroline, soupira Rooney Toomis, les yeux vagues et humides. Nous les aimons tellement nos bébés, n'est-ce pas ? »

Jenny réussit à emmener Rooney hors de la chambre sans réveiller les petites. Rooney ne résista pas, mais garda un bras passé autour de la taille de la jeune femme. Elles descendirent tant bien que mal l'escalier.

« Venez prendre une tasse de thé », proposa Jenny, s'efforçant de garder une voix normale. Comment Rooney était-elle entrée ? Elle devait avoir gardé une clé de la maison.

Rooney but son thé en silence, sans quitter la fenêtre du regard. «Arden aimait ces bois, dit-elle. Bien sûr, elle savait qu'elle ne devait pas dépasser la clôture. Mais elle était toujours en train de grimper aux arbres. Elle aimait bien se percher sur celui-là — elle désigna un grand chêne d'un geste imprécis — pour observer les oiseaux. Vous ai-je dit qu'elle a été cheftaine des guides une année?»

Sa voix s'apaisait. Ses yeux étaient moins vagues quand elle se tourna vers Jenny. «Vous n'êtes pas Caroline, s'étonnat-elle.

— Non. Je suis Jenny.»

Rooney soupira. «Je suis désolée. J'ai dû confondre. Ça m'a pris comme ça; c'est encore une de mes crises. Je croyais que j'étais en retard pour aller travailler, que je ne m'étais pas réveillée à temps. Caroline ne dirait rien, bien sûr, mais M. John Krueger se montrait si pointilleux sur l'heure.

— Et vous aviez une clé? demanda Jenny.

— J'ai oublié ma clé. La porte n'était pas fermée. Mais… je n'ai plus de clé, n'est-ce pas?»

Jenny pouvait jurer que la porte de la cuisine était fermée à clé. D'un autre côté… elle préféra ne pas prendre Rooney en faute.

«Je suis montée faire les lits, poursuivit Rooney. Mais ils étaient tous faits. Et alors, j'ai vu Caroline. Non, je veux dire, je vous ai vue.

— Et vous avez mis les savonnettes au pin sur les oreillers des enfants? questionna Jenny.

— Oh non! C'est Caroline qui a dû faire ça. C'était elle qui aimait cette odeur.»

C'était sans espoir. Rooney avait l'esprit trop troublé pour distinguer l'imaginaire de la réalité. «Rooney, n'allez-vous jamais à l'église ou à des réunions? Avez-vous des amis par ici?»

Rooney secoua la tête. «J'allais à toutes les activités de l'école avec Arden, aux réunions des guides, au théâtre, aux concerts. C'est fini maintenant.»

Son regard redevint limpide tout à coup. « Je ne devrais pas être ici. Erich ne serait pas content. » Elle parut effrayée. « Vous ne le direz pas à Clyde, n'est-ce pas ? Promettez-moi de ne pas le lui dire.

— Je ne le lui dirai pas. Ne craignez rien.

— Vous ressemblez à Caroline, jolie, douce, gentille. J'espère qu'il ne vous arrivera rien. Ce serait trop triste. Vers la fin, Caroline était si impatiente de s'en aller. Elle disait tout le temps : "Rooney, j'ai l'impression qu'il va m'arriver quelque chose de terrible. Et je ne peux rien faire. " » Rooney se leva pour partir.

« Vous n'aviez pas de manteau ? demanda Jenny.

— Je n'ai pas fait attention.

— Attendez une minute. » Jenny sortit son manteau matelassé du placard de l'entrée. « Mettez ça sur vous. Il vous va à la perfection. Boutonnez-le jusqu'au cou, il fait très froid dehors. »

Erich n'avait-il pas prononcé les mêmes mots lors de leur premier déjeuner au Russian Tea Room ? Y avait-il vraiment moins de deux mois ?

Rooney regarda autour d'elle d'un air hésitant. « Si vous voulez que je vous aide à remettre la table en place avant le retour d'Erich.

— Je n'ai pas l'intention de la remettre en place. Elle restera là où elle est.

— Caroline aussi l'avait mise près de la fenêtre, un jour. Mais John a dit qu'elle voulait se faire remarquer par les ouvriers de la ferme.

— Qu'a répondu Caroline ?

— Rien. Elle a mis sa grande cape verte et elle est allée s'asseoir dehors, sur la balancelle de la véranda. Comme sur le tableau. Un jour, elle m'a dit qu'elle aimait bien venir là, face à l'ouest, parce qu'elle regardait dans la direction de ses parents. Ils lui manquaient beaucoup.

— N'étaient-ils jamais venus la voir ?

— Jamais. Mais Caroline aimait la ferme. Elle avait vécu en ville et disait pourtant souvent: "Ce pays est si beau, Rooney, il a une telle emprise sur moi."

— Et elle a voulu partir.

— Il est arrivé quelque chose et elle a pensé qu'il valait mieux partir.

— Qu'est-il arrivé?

— Je ne sais pas.» Rooney baissa les yeux. «Ce manteau est très joli. Il me plaît beaucoup.

— Gardez-le, je vous en prie, lui dit Jenny. Je l'ai à peine porté depuis mon arrivée ici.

— Dans ce cas, puis-je faire les robes pour les enfants comme vous m'y avez autorisée?

— Bien sûr. Et, Rooney, j'aimerais être votre amie.»

Jenny resta un instant sur le seuil de la cuisine, regardant la silhouette légère et chaudement emmitouflée marcher contre le vent en se courbant.

17

L E PLUS PÉNIBLE était l'attente. Erich était-il fâché ? Ou
seulement tellement pris par sa peinture qu'il en oubliait
le reste ? Allait-elle se risquer dans les bois, essayer de trouver le chalet et affronter Erich ?

Non, il ne fallait pas.

Les journées paraissaient interminables. Même les enfants
devenaient nerveuses. Où est papa ? La question revenait sans
cesse. En si peu de temps, Erich leur était devenu indispen-
sable.

Pourvu que Kevin se tienne à l'écart, pria Jenny. Pourvu
qu'il nous laisse tranquilles.

Elle consacra tout son temps à la maison. Pièce après
pièce, elle modifia la disposition des meubles, ne changeant
parfois de place qu'une table ou une chaise, parfois au contraire
effectuant des transformations radicales. Elsa se fit prier pour
l'aider à retirer le reste des lourds rideaux de dentelle.
« Écoutez-moi bien, Elsa, finit par dire Jenny d'un ton ferme.
J'ai l'intention d'ôter ces rideaux et je ne veux plus entendre
parler de permission à demander à M. Krueger. Vous m'aidez,
oui ou non. »

Dehors, la ferme avait un aspect gris et déprimant. Sous la neige, elle avait le charme des lithographies de Currier and Ives. Au printemps, Jenny était convaincue que le vert luxuriant des champs et des arbres devait être de toute beauté. Mais en ce moment, la boue gelée, les champs brunâtres, les troncs sombres des arbres et le ciel couvert la rendaient frileuse et la déprimaient.

Erich reviendrait-il pour son anniversaire ? Il lui avait dit être toujours à la ferme ce jour-là. Fallait-il annuler son dîner d'anniversaire ?

Les soirées solitaires étaient interminables. À New York, quand les enfants étaient couchées, Jenny se mettait souvent au lit avec une tasse de thé et un livre. La bibliothèque des Krueger était remarquable. Mais tous ces livres n'incitaient pas au plaisir tranquille de la lecture. Placés en rangs serrés et classés apparemment plutôt par taille et par couleur que par auteur ou sujet, ils lui faisaient le même effet que des meubles recouverts de housses en plastique ; elle détestait les toucher. Elle résolut la question le jour où elle découvrit au cours d'une de ses explorations dans le grenier, une boîte marquée LIVRES-CBK. Elle choisit avec bonheur deux volumes bien usagés, portant les traces de nombreuses lectures.

Mais bien qu'elle lût tard dans la nuit, Jenny dormait de plus en plus mal. Toute sa vie, elle n'avait eu qu'à fermer les yeux pour sombrer sur-le-champ dans un profond sommeil. À présent, elle se réveillait fréquemment ; elle faisait des rêves confus, effrayants, où des silhouettes indistinctes évoluaient dans son subconscient.

Le 7 mars, à la suite d'une nuit particulièrement agitée, elle prit une décision. Elle avait besoin de faire plus d'exercice. Elle sortit à la recherche de Joe après le déjeuner et le trouva dans le bureau du régisseur. Le plaisir non dissimulé qu'il montra à sa vue était réconfortant. Elle expliqua rapidement : « Joe, je veux commencer mes leçons d'équitation dès aujourd'hui. »

Vingt minutes plus tard, Jenny montait sur la jument, s'efforçant de suivre les instructions du jeune homme.

Elle y prit vite plaisir, oubliant le froid, le vent cinglant, ses cuisses douloureuses, ses mains brûlantes au contact des rênes. « Donne-moi au moins une chance, ma vieille, dit-elle doucement à Fille de Feu. Je vais sûrement faire des fautes, mais je suis débutante dans cette histoire. »

Au bout d'une heure, elle sentait déjà son corps bouger au rythme du cheval. Elle aperçut Mark qui la regardait et lui fit signe. Il vint vers elle.

« Vous vous débrouillez bien. Est-ce la première fois que vous montez ?

— La toute première. » Jenny se prépara à mettre pied à terre. Mark prit hâtivement la bride du cheval. « De l'autre côté, dit-il.

— Comment ? Oh ! pardon. » Elle glissa en douceur sur le sol.

« Vous vous en êtes drôlement bien tirée, Jenny, lui dit Joe.

— Merci, Joe. Lundi prochain vous convient-il ?

— Quand vous voudrez, Jenny. »

Mark l'accompagna jusque chez elle. « Vous avez un fervent admirateur en la personne de Joe. »

Y avait-il une sorte d'avertissement dans sa voix ?

Elle prit un ton désinvolte. « C'est un bon professeur et je crois qu'Erich sera content de me voir apprendre à monter à cheval. Il ne s'attend pas que j'aie commencé mes leçons.

— Ne croyez pas ça, fit remarquer Mark. Il vous observait depuis un bon moment.

— *Il m'observait* !

— Oui, depuis près d'une demi-heure, de la lisière des bois. Il ne voulait sans doute pas vous troubler.

— Où est-il à présent ?

— Il est passé chez vous une minute et il est reparti au chalet.

— *Erich était à la maison ?* » J'ai l'air stupide, pensa Jenny en entendant le son stupéfait de sa propre voix.

134

Mark s'arrêta, lui prit le bras et la fit pivoter vers lui. «Que se passe-t-il, Jenny?» demanda-t-il. D'une certaine manière, elle l'imagina en train d'examiner un animal, cherchant à diagnostiquer la cause de la douleur.

Ils étaient à deux pas de la véranda. Elle expliqua d'un air guindé. «Erich s'est enfermé au chalet depuis son retour d'Atlanta. Je me sens un peu seule, c'est tout. J'étais habituée à faire des tas de choses, à voir beaucoup de gens… C'est comme si j'étais coupée du monde, ici.

— Vous verrez, cela ira sans doute beaucoup mieux après-demain, prédit Mark. À propos, êtes-vous toujours certaine de vouloir de nous pour dîner?

— Non. Je veux dire, je ne suis même pas sûre qu'Erich sera rentré. Pouvons-nous remettre le dîner au 13? Cela séparera cette soirée du jour de l'anniversaire. S'il n'est pas encore rentré à ce moment-là, je vous passerai un coup de fil et vous déciderez avec Emily si vous voulez simplement venir me voir ou si vous avez mieux à faire. »

Elle craignit de lui paraître vindicative. Que m'arrive-t-il? pensa-t-elle, consternée.

Mark lui prit les deux mains. «Nous viendrons, Jenny, qu'Erich soit présent ou non. De toute façon, il s'en prend toujours à moi lorsqu'il traverse ce genre de crise. En revanche, il peut être merveilleux ensuite, — intelligent, généreux, plein de talent, gentil. Patientez jusqu'à demain. Vous verrez que vous retrouverez le véritable Erich. »

Avec un rapide sourire, il lui pressa les mains, les lâcha et la quitta. Elle soupira et entra dans la maison. Elsa s'apprêtait à partir. Tina et Beth attendaient Jenny, assises jambes croisées par terre, des crayons de couleur à la main. «Papa nous a apporté des nouveaux albums à colorier, annonça Beth. Regarde comme ils sont beaux.

— M. Krueger a laissé un mot pour vous. » Elsa désigna une enveloppe cachetée sur la table.

Jenny devina la curiosité dans son regard. Elle glissa la lettre dans sa poche. « Merci. »

Dès la porte refermée sur la femme de ménage, Jenny sortit la lettre et déchira l'enveloppe. Il n'y avait qu'une seule phrase, inscrite en grandes lettres sur toute la page de l'écriture géante d'Erich. *Tu aurais dû m'attendre pour monter à cheval.*

« Maman, maman. » Beth la tirait par sa veste. « Tu as l'air malade, maman. » S'efforçant de sourire, Jenny baissa les yeux vers le petit visage désolé. Tina s'était approchée de Beth, sa frimousse crispée au bord des larmes.

Jenny froissa la lettre et la fourra dans sa poche. « Non, chérie. Ça va. Je ne me suis pas sentie très bien pendant une minute, c'est tout. »

Elle ne disait pas cela pour rassurer Beth. Elle avait été prise d'une nausée soudaine en lisant le mot d'Erich. Seigneur Dieu, pensa-t-elle, il ne peut pas vouloir ça. Il ne veut pas me laisser aller aux réunions de la paroisse. Il ne veut pas que je prenne la voiture. Maintenant, il ne veut même pas me laisser monter à cheval pendant qu'il peint.

Erich, n'abîme pas tout entre nous, protesta-t-elle en silence. Tu ne peux pas tout demander. Tu ne peux pas aller t'enfermer pour peindre et exiger que je reste assise les bras croisés à t'attendre. Tu ne peux pas être si jaloux que tu m'obliges à te cacher la vérité.

Elle regarda fiévreusement autour d'elle. Devait-elle prendre une décision, faire ses valises et retourner à New York ? S'il restait une chance d'empêcher leur couple de se briser, il devait consulter quelqu'un capable de l'aider à surmonter sa nature possessive. Si elle le quittait elle montrerait sa détermination.

Mais où aller ? Et comment ?

Elle n'avait pas un dollar en poche. Elle n'avait pas de quoi payer un billet d'avion, aucun endroit où se rendre, pas de travail. Et elle n'avait pas envie de le quitter.

136

Elle eut soudain peur de vomir. « Je reviens tout de suite », murmura-t-elle en se précipitant au premier étage. Dans la salle de bains, elle tordit une serviette sous l'eau froide et la passa sur son visage. Son reflet dans la glace était d'une pâleur maladive inhabituelle.

« Maman ! Maman ! » crièrent Beth et Tina dans le couloir. Elles l'avaient suivie en haut.

Elle s'agenouilla, les attira sauvagement à elle, les étreignant avec violence.

« Tu me fais mal, maman, se plaignit Tina.

— Pardon, ma poupée. » Les petits corps chauds qui se tortillaient contre elle la remirent d'aplomb. « Voilà, maman est en pleine forme », dit-elle.

L'après-midi s'éternisait. Pour passer le temps, Jenny se mit à l'épinette avec ses filles et commença à leur apprendre les notes. Sans les rideaux, on voyait le coucher du soleil par les fenêtres du salon. Le vent avait chassé les nuages et le ciel dans sa beauté froide se parait de nuances mauves et orange, dorées et roses. Laissant les enfants taper sur le clavier, Jenny se dirigea vers la porte de la cuisine qui ouvrait sur le côté exposé à l'ouest de la véranda. Le vent faisait doucement bouger la balancelle. Sans se soucier du froid, elle resta debout dans la véranda, admirant les derniers reflets du soleil couchant. Quand l'ultime lueur déclina lentement sur l'horizon gris, Jenny s'apprêta à rentrer.

Un mouvement dans les bois attira son attention. Elle regarda attentivement. Quelqu'un la surveillait, une silhouette indistincte, à moitié dissimulée par le chêne à double tronc sur lequel Arden aimait tant grimper.

« Qui est là ? » cria Jenny.

L'ombre recula dans les bois, comme pour se cacher à l'abri des broussailles.

« Qui est là ? » cria-t-elle à nouveau.

Exaspérée par cette intrusion dans son intimité, elle descendit les marches de la véranda, prête à se diriger vers les bois.

Erich sortit de derrière le chêne et courut vers elle, les bras tendus.

«Mais, chérie, c'était une plaisanterie. Comment as-tu pu penser un seul instant que j'étais sérieux?» Il lui prit le billet froissé des mains. «Tiens, jetons-le au feu.» Il fourra le papier dans le poêle. «Voilà, n'en parlons plus.»

Jenny le dévisagea, abasourdie. Il n'y avait pas la moindre trace de nervosité dans son attitude. Il souriait naturellement, secouant la tête, «J'ai du mal à croire que tu as pris cela au sérieux, Jenny», dit-il. Puis il rit. «J'espérais que tu serais flattée de me voir faire semblant d'être jaloux.

— Erich!»

Il l'enlaça, frotta sa joue contre la sienne. «Hmmm… c'est agréable.»

Aucune allusion au fait qu'ils ne s'étaient pas vus depuis une semaine. Et ce billet *n'était pas* une plaisanterie. Il l'embrassait sur la joue. «Je t'aime, Jen.»

Elle resta figée pendant un moment. Elle s'était juré de mettre les choses au point avec lui, les absences, la jalousie, le courrier… Mais elle ne voulait pas entamer une discussion maintenant. Il lui avait manqué. Soudain la maison tout entière revivait.

Les filles entendirent la voix d'Erich et entrèrent en trombe. «Papa, papa.» Il les souleva dans ses bras.

«Hé! vous êtes formidables à l'épinette toutes les deux. Je crois qu'il va bientôt falloir vous faire donner des leçons. Qu'en pensez-vous?»

Mark a raison, pensa Jenny. Je dois être patiente, lui laisser le temps. Elle lui offrit un sourire sans arrière-pensée quand il la regarda par-dessus la tête des enfants.

Le dîner prit un air de fête. Jenny prépara des pâtes à la carbonara et une salade d'endives. Erich sortit une bouteille de chablis. «Cela devient de plus en plus dur de travailler au chalet, Jen, dit-il. Surtout en sachant que je me prive de dîners comme celui-ci. » Il chatouilla Tina. « Et ce n'est pas drôle d'être loin de sa famille.

— Et de chez toi », lui dit-elle. C'était le bon moment pour faire remarquer les transformations qu'elle avait faites dans la maison. « Tu ne m'as pas dit ce que tu pensais de mes talents de décoratrice.

— Je suis lent à la détente, dit-il légèrement. Laisse-moi le temps de m'y habituer. »

C'était plus qu'elle n'en espérait. Elle se leva, fit le tour de la table et lui passa les bras autour du cou. « Je craignais tant que tu sois fâché. »

Il lui caressa les cheveux. Comme toujours, elle s'émut de le sentir contre elle ; doutes et incertitudes s'envolèrent.

Beth avait quitté la table. Elle revint en courant. « Maman, est-ce que tu aimes papa plus que notre autre papa ? »

Au nom du Ciel, que lui prenait-il de poser cette question maintenant ? se demanda Jenny atterrée. Elle s'efforça éperdument de formuler une réponse et ne put trouver mieux que la simple vérité. « J'aimais votre premier papa surtout à cause de toi et de Tina. Pourquoi demandes-tu cela ? » Elle se tourna vers Erich. « Elles n'ont pas fait allusion à Kevin depuis des semaines. »

Beth désigna Erich du doigt. « Parce que ce *papa-là* m'a demandé si je l'aimais mieux que notre premier papa.

— Erich, je pense qu'il serait préférable de ne pas parler de cela avec les petites.

— Je n'aurais pas dû, dit-il d'un air contrit. Je présume que j'étais seulement désireux de savoir si le souvenir de Kevin s'estompait en elles. » Il mit son bras autour d'elle. « Et en toi, chérie ? »

Elle prit tout son temps pour baigner les enfants. D'une certaine façon, les regarder s'éclabousser dans l'eau avec un plaisir sans détour l'apaisait. Elle les enveloppa dans d'épaisses serviettes, heureuse de sentir les petits corps chauds contre elle, repoussant en arrière les boucles de cheveux mouillées après le shampooing. Ses mains tremblèrent en boutonnant leurs pyjamas. Je deviens ridiculement nerveuse, se dit-elle, furieuse contre elle-même. Je prends de travers le moindre mot prononcé par Erich, et cela uniquement parce que je me sens déloyale. *Maudit* soit Kevin.

Elle les écouta faire leur prière. « Dieu protège maman et papa », psalmodia Tina. Elle s'arrêta, leva la tête. « Est-ce qu'il faut demander au bon Dieu de protéger les deux papas ? »

Jenny se mordit la lèvre. C'est Erich qui avait commencé. Elle n'allait pas dire aux enfants de ne pas prier pour Kevin. Pourtant… « Pourquoi ne pas demander à Dieu de bénir tout le monde ce soir ? suggéra-t-elle.

— Et Fille de Feu, et Puce et Vif-Argent et Joe…, ajouta Beth.

— Et Randy, lui rappela Tina. Est-ce qu'on pourrait avoir un petit chien aussi ? »

Jenny les borda dans leurs lits. Elle avait de moins en moins envie de redescendre le soir. La maison lui semblait trop grande, trop silencieuse, lorsqu'elle était seule. Les nuits de vent, les arbres sifflaient une plainte lugubre qui transperçait le silence.

Et maintenant qu'Erich était là, elle ne savait pas à quoi s'attendre. Avait-il l'intention de rester toute la nuit ou de retourner au chalet ?

Elle descendit à la cuisine. Il avait fait du café. « Elles devaient être bien sales pour que tu sois restée si longtemps avec elles, chérie. »

Elle avait l'intention de lui demander les clés de la voiture mais il ne lui en laissa pas le temps. Il souleva le plateau du café. « Allons dans le salon et fais-moi admirer tes transformations. »

140

En le suivant, elle nota que son chandail en laine torsadée blanche mettait en valeur ses cheveux blonds. Mon beau mari, doué et couronné de succès, pensa-t-elle ; et avec une pointe d'ironie elle se souvint de Fran disant : « Il est trop parfait. »

Dans le salon, elle lui fit remarquer que le seul fait d'avoir changé quelques meubles de place et ôté les bibelots en trop permettait d'apprécier l'admirable mobilier de la pièce.

« Où as-tu mis tout le reste ?

— Les rideaux sont au grenier. Les bibelots dans l'armoire de l'office. Ne trouves-tu pas que la table à tréteaux va mieux sous *Souvenir de Caroline* ? J'ai toujours eu l'impression que l'imprimé du canapé jurait si près du tableau.

— Peut-être. »

Elle n'aurait su dire ce qu'il pensait vraiment. Elle s'efforça nerveusement de remplir le silence. « Et n'as-tu pas l'impression que la lampe placée de cette façon permet de te voir un peu mieux, toi le petit garçon ? Avant on ne distinguait pas ton visage.

— C'est plutôt curieux. Le visage de l'enfant a toujours été censé rester dans l'ombre. Tu aurais dû le savoir, Jenny, toi qui as une licence d'art et qui as travaillé dans une grande galerie. »

Il rit.

Plaisantait-il ? Ou tout ce qu'il disait ce soir semblait-il particulièrement caustique ? Jenny souleva sa tasse de café et s'aperçut que sa main tremblait. La tasse lui échappa et le café éclaboussa le canapé et le tapis d'Orient.

« Jenny, chérie. Pourquoi es-tu si nerveuse ? » L'inquiétude creusa le visage d'Erich. Il se mit à essuyer la tache avec sa serviette.

« Ne frotte pas, tu vas la faire pénétrer », l'avertit-elle. Se précipitant dans la cuisine, elle saisit une bouteille d'eau gazeuse dans le réfrigérateur. Avec une éponge, elle tamponna fébrilement les éclaboussures. « Heureusement, je n'avais pas encore versé la crème », murmura-t-elle.

Erich ne dit rien. Allait-il considérer le canapé et le tapis bons à jeter, comme il l'avait fait pour le papier peint de la salle à manger ?

Mais l'eau gazeuse fit merveille. « Je crois qu'il ne reste rien. » Elle se releva. « Je suis navrée, Erich.

— Mon amour, ne t'en fais pas pour ça. Mais peux-tu m'expliquer pourquoi tu es si tendue. Car tu *es* tendue, Jen. Cette lettre, par exemple. Il y a quelques semaines, tu aurais su que je te taquinais. Chérie, ton sens de l'humour est l'un des aspects les plus charmants de ton caractère. Je t'en prie, ne le perds pas. »

Elle savait qu'il avait raison. « Je suis désolée », dit-elle d'un ton malheureux. Elle allait lui parler de son rendez-vous avec Kevin. Quoi qu'il pût arriver, elle devait mettre les choses au clair. « La raison qui me rend si… »

Le téléphone sonna.

« Réponds, s'il te plaît, Jenny.

— Ce n'est sûrement pas pour moi. »

La sonnerie retentit à nouveau.

« N'en sois pas si sûre. Clyde m'a dit que la semaine dernière on avait raccroché une demi-douzaine de fois sans laisser de message sur le répondeur. Aussi lui ai-je demandé de brancher le téléphone ici ce soir. »

Jenny précéda Erich dans la cuisine avec un sentiment de fatalité. Le téléphone sonna une troisième fois. Elle sut avant de décrocher que c'était Kevin.

« Jenny, enfin j'arrive à te joindre ! Ce foutu répondeur automatique ! Comment vas-tu ? » La voix de Kevin était pleine d'entrain.

« Je vais bien, Kevin. » Elle sentit Erich la regarder fixement ; il se pencha vers le récepteur pour entendre la conversation. « Que veux-tu ? » *Kevin allait-il parler de leur rencontre ?* Si seulement elle l'avait dit à Erich avant.

— Te faire partager la bonne nouvelle. Je fais officiellement partie de la troupe du Gunthrie, Jen.

— Je suis heureuse pour toi, dit-elle d'un ton contraint. Mais, Kevin, je ne veux pas que tu me téléphones. Je t'interdis de m'appeler. Erich est à côté de moi et il lui est très pénible que tu cherches à me joindre.

— Écoute, Jen. Je téléphonerai autant que j'en aurai envie. Tu vas dire à Krueger de ma part qu'il peut déchirer les papiers d'adoption. Je vais arrêter la procédure. Tu obtiendras la garde des enfants, Jen, et je verserai la pension, mais ces petites sont et resteront MacPartland. Qui sait ? Un jour nous pourrons faire un numéro à la Tatum et Ryan O'Neal, Tina et moi ? C'est déjà une véritable petite actrice. Jen, je dois te quitter. On m'appelle. Je te rappellerai. Au revoir. »

Jenny raccrocha lentement. « Peut-il stopper l'adoption ? demanda-t-elle.

— Il peut essayer. Il n'y arrivera pas. » Les yeux d'Erich étaient froids, son ton glacial.

« Seigneur ! Un numéro à la Tatum et Ryan O'Neal, s'écriat-elle, incrédule. Je l'admirerais presque si je croyais qu'il désirait garder les enfants, qu'il le désirait réellement.

— Jenny, je t'avais prévenue que tu faisais une erreur en te montrant trop faible avec lui, dit Erich. Si tu l'avais poursuivi en justice pour l'obliger à verser la pension alimentaire, tu en serais débarrassée depuis deux ans. »

Erich avait raison, comme d'habitude. Jenny se sentit soudain extrêmement lasse ; la nausée la reprenait. « Je vais me coucher, dit-elle brusquement. Restes-tu ici cette nuit, Erich ?

— Je ne sais pas.

— Bon. » Elle quitta la cuisine et se dirigea vers l'escalier. Elle avait à peine fait quelques pas quand il la rejoignit.

« Jenny. »

Elle se retourna. « Oui ? »

Il avait les yeux pleins de tendresse à nouveau, un visage bienveillant et soucieux. « Je sais que tu n'y peux rien si MacPartland vient t'importuner. Je t'assure que je le sais. Je ne devrais pas t'en vouloir.

— C'est tellement plus difficile pour moi lorsque tu m'en veux.

— Tout va s'arranger. Laisse-moi surmonter ces prochains jours. J'irai mieux ensuite. Tâche de comprendre. C'est peut-être parce que maman m'a promis juste avant de mourir d'être toujours là le jour de mon anniversaire. C'est peut-être la raison de mon cafard à cette période. Je ressens tellement sa présence — et sa perte. Essaye de comprendre, de me pardonner si je te fais de la peine. Ce n'est pas *volontairement*, Jenny. Je t'aime. »

Ils étaient tendrement enlacés « Erich, *je t'en prie*, supplia Jenny. Tu ne peux plus réagir comme ça. Vingt-cinq ans. *Vingt-cinq années*. Caroline aurait cinquante-sept ans aujourd'hui. Tu la vois encore comme une jeune femme dont la disparition fut une tragédie. Ce fut une tragédie, mais c'est le passé. La vie continue. Elle peut être merveilleuse pour nous. Laisse-moi partager ton existence, la partager vraiment. Invite tes amis ici. Emmène-moi voir ton atelier. Donne-moi une petite voiture pour aller faire des courses, voir une galerie de peinture ou conduire les enfants au cinéma pendant que tu es occupé à peindre.

— Tu veux pouvoir rencontrer Kevin, c'est cela ?

— Oh ! mon Dieu ! » Jenny s'écarta de lui. « Je vais monter me coucher, Erich. Je ne me sens pas bien. »

Il ne la suivit pas. Elle jeta un coup d'œil dans la chambre des filles. Elles s'étaient vite endormies. Tina se retourna lorsque Jenny l'embrassa.

Elle entra dans sa chambre. La légère odeur de pin qui flottait toujours dans la pièce lui parut plus forte ce soir. Est-ce parce qu'elle avait la nausée ? Son regard se posa sur la coupe de cristal. Demain, elle la porterait dans l'une des chambres d'amis. Oh ! Erich, reste ici cette nuit, pria-t-elle en elle-même. Ne t'en va pas sur cette impression. Et si Kevin se mettait à les importuner de coups de téléphone ? S'il s'opposait à l'adoption ? S'il obtenait le droit de venir les voir

144

régulièrement ? Erich ne le supporterait pas. Leur couple n'y survivrait pas.

Elle se mit au lit et ouvrit résolument son livre. Mais il lui fut impossible de se concentrer. Elle avait les paupières lourdes, le corps douloureux à des endroits inaccoutumés. Joe l'avait prévenue que l'équitation lui donnerait des courbatures. « Vous découvrirez des muscles dont vous ignoriez l'existence », avait-il dit en souriant.

Elle finit par éteindre la lumière. Un peu après, elle entendit des pas dans le couloir. Erich ? Elle se souleva sur un coude, mais les pas montèrent jusqu'au grenier. Qu'allait-il faire là-haut ? Elle l'entendit descendre quelques minutes plus tard. Il traînait quelque chose. Cela faisait un bruit sourd à chaque marche. Que fabriquait-il ?

Elle allait se lever pour en avoir le cœur net quand elle entendit des bruits au rez-de-chaussée, des bruits de meubles que l'on déplaçait.

Bien sûr, pensa-t-elle.

Erich était monté chercher le carton des rideaux. À présent, il remettait les meubles à leur place initiale.

Le lendemain matin, lorsque Jenny descendit, les rideaux étaient aux fenêtres ; table, chaises et bibelots avaient retrouvé leur place et ses plantes s'étaient volatilisées. Elle les retrouva plus tard dans la poubelle derrière l'étable.

18

JENNY REFIT lentement le tour des pièces du rez-de-chaussée. Erich avait remis à leur place exacte la moindre lampe, le moindre vase, le moindre tabouret. Il avait même retrouvé l'affreuse chouette tarabiscotée qu'elle avait fourrée dans un petit meuble de rangement inutilisé au-dessus du poêle.

Certes, elle s'était attendue à une réaction de sa part, néanmoins le rejet absolu de ses désirs et de ses goûts la bouleversa. Elle se fit une tasse de café et retourna se coucher. Frissonnante, elle remonta les couvertures et se renversa sur ses oreillers. Une autre journée froide et lugubre s'annonçait. Le ciel était gris et chargé ; un vent brutal ébranlait les volets.

Le 8 mars, jour des trente-cinq ans d'Erich, de l'anniversaire de la mort de Caroline. Au dernier matin de sa vie, Caroline s'était-elle réveillée dans ce lit, le cœur brisé à l'idée de quitter son unique enfant, ou seulement impatiente de quitter cette maison ?

La tête lourde, Jenny se passa la main sur le front. Cette nuit encore elle avait mal dormi. Elle avait rêvé d'Erich. Son visage avait toujours cette même expression, une expression qu'elle n'arrivait pas à définir. À son retour, passé cet

146

anniversaire, elle lui parlerait posément. Elle lui proposerait de l'accompagner chez un psychiatre. S'il refusait, elle serait obligée d'envisager de ramener les enfants à New York.

Où ?

Peut-être pourrait-elle retrouver son travail ? Peut-être Kevin lui prêterait-il quelques centaines de dollars ? *Prêter* ! Il lui en devait des centaines. Fran parviendrait bien à les caser chez elle dans un premier temps. Jenny n'aimait pas solliciter les gens, mais Fran était une chic fille.

Je n'ai pas un sou, pensa Jenny, mais là n'est pas le problème. Je ne veux pas quitter Erich. Je l'aime. Je veux passer le reste de ma vie avec lui.

Elle se sentait toujours aussi glacée. Une douche chaude lui ferait du bien. Et elle allait mettre son gros pull écossais. Il était rangé dans la penderie.

Jenny jeta un coup d'œil dans cette direction et comprit ce qui l'avait tourmentée dans son subconscient.

Quand elle s'était levée, elle avait pris sa robe de chambre dans la penderie. Pourtant, la veille au soir, elle l'avait laissée traîner sur la banquette de la coiffeuse. La banquette était alors légèrement éloignée de la table de toilette. À présent, elle se trouvait à sa place exacte.

Jenny ne s'étonna plus d'avoir vu le visage d'Erich en rêve. Elle avait dû inconsciemment se rendre compte de sa présence. Pourquoi n'était-il pas resté ? Elle frissonna. Elle avait la chair de poule. Mais ce n'était pas à cause du froid. Elle avait peur. Peur d'Erich ? De son propre mari ? Non, bien sûr, se dit-elle. J'ai peur de son comportement de refus. Il vient vers moi et ensuite il me repousse. Erich était-il retourné au chalet pendant la nuit ou avait-il dormi à la maison ?

Elle enfila calmement sa robe de chambre et ses pantoufles et sortit dans le couloir. La chambre d'enfant d'Erich était fermée. Jenny écouta à la porte. Il n'y avait aucun bruit. Lentement, elle tourna la poignée et ouvrit.

147

Erich était recroquevillé en chien de fusil sur le lit, le patchwork aux tons colorés enroulé autour de lui. On ne voyait que son oreille et la racine de ses cheveux. Sa tête était presque enfouie dans les plis du tissu molletonné. Jenny pénétra sans bruit dans la chambre et perçut une odeur familière. Elle se pencha sur Erich. Dans son sommeil, il pressait la chemise de nuit couleur aigue-marine contre son visage.

Elle finissait de prendre son petit déjeuner avec Tina et Beth quand Erich descendit. Il refusa même un café. Il était déjà vêtu d'un de ses gros parkas et portait un fusil de chasse qui paraissait de très grand prix, même aux yeux inexpérimentés de Jenny. Elle l'examina avec inquiétude.

« J'ignore si je rentrerai ce soir, lui dit-il. Je ne sais pas ce que je ferai. En tout cas, je resterai dans les parages de la ferme aujourd'hui.

— Très bien.

— Ne t'amuse plus à changer les meubles de place, Jenny. Je n'ai pas aimé tes transformations.

— Je m'en suis aperçue, dit Jenny d'un ton égal.

— C'est mon anniversaire, Jen. » Il avait une voix haut perchée, *jeune*, une voix de petit garçon. « Tu ne me souhaites pas un bon anniversaire ?

— Je préfère attendre vendredi soir. Mark et Emily viennent dîner. Nous le fêterons avec eux. N'est-ce pas mieux ainsi ?

— Peut-être. » Il s'approcha d'elle. L'acier froid du fusil lui effleura le bras. « Tu m'aimes, Jenny ?

— Oui.

— Et tu ne me quitteras jamais ?

— Je n'aurai jamais envie de te quitter.

— C'est ce que disait Caroline. Exactement les mêmes mots. » Son regard devint rêveur.

Les enfants étaient restées silencieuses. « Papa, est-ce que je peux venir avec toi ? supplia Beth.

— Pas maintenant. Comment t'appelles-tu ?

148

— Beth Crew-grr.

— Tina, comment t'appelles-tu ?

— Tina Crew-grr.

— Très bien. Je vous apporterai un cadeau à chacune. » Il les embrassa et se retourna vers Jenny. Calant son fusil contre le poêle, il lui prit les mains et les passa dans ses cheveux. « Fais comme ça, chuchota-t-il. Je t'en prie, Jen. »

Il posait maintenant sur elle un regard intense. Il avait ces yeux-là dans son rêve. Prise d'un élan de tendresse, elle lui obéit. Il semblait si vulnérable, il n'avait même pas pu venir chercher du réconfort auprès d'elle, hier soir.

« C'est bon, sourit-il. Cela me fait tellement de bien. Merci. »

Il prit le fusil et marcha vers la porte. « Au revoir, les filles. »

Il sourit à Jenny, puis hésita. « Mon amour, j'ai une idée. Si nous dînions dehors ce soir, juste tous les deux. Je demanderai à Rooney et à Clyde de rester avec les enfants.

— Oh, Erich, j'adorerais ça ! » S'il voulait bien partager cet anniversaire avec elle... C'est un pas en avant, se dit-elle, un bon présage.

« Je ferai réserver une table à l'auberge Groveland pour 20 heures. J'avais promis de t'y emmener, chérie. C'est le meilleur restaurant des environs. »

L'auberge Groveland où elle avait rencontré Kevin.

Jenny se sentit blêmir.

Joe les attendait lorsqu'elle arriva à l'écurie avec les enfants. Son habituel sourire chaleureux avait disparu ; son jeune visage reflétait une inquiétude inaccoutumée.

« Oncle Josh est venu ce matin. Il était complètement saoul et Man lui a dit de fiche le camp. Il a laissé la porte ouverte et Randy s'est échappé. J'espère qu'il ne lui est rien arrivé. Il n'a pas l'habitude des voitures.

« — Allez vite à sa recherche, lui dit Jenny.

— M. Krueger n'aimerait pas...

— Ne vous inquiétez pas, Joe. J'en fais mon affaire. Les enfants seraient trop tristes s'il arrivait un malheur à Randy. »

Elle le regarda partir précipitamment sur la route boueuse, puis décida : « Venez, les filles. Allons nous promener. Vous verrez les poneys plus tard. »

Elles filèrent en avant à travers champs. Leurs bottes en caoutchouc faisaient flic-flac. Le sol commençait à dégeler. Ils auraient peut-être un printemps précoce après tout. Jenny essaya d'imaginer ces champs gonflés d'herbe et de luzerne, ces arbres nus chargés de feuilles.

Même le vent semblait moins cinglant. Dans les pâturages exposés en plein sud on apercevait les bêtes, la tête penchée, reniflant la terre comme si elles broutaient d'avance les pousses prêtes à jaillir.

J'aimerais me mettre à jardiner, songea Jenny. Je n'y connais rien, mais je pourrais apprendre. C'était sans doute le manque d'exercice qui la rendait patraque ; ce n'était pas uniquement les nerfs. La sensation de moiteur, de nausée, la reprit soudain. Elle s'arrêta. Était-ce possible ? Seigneur Dieu, était-ce possible ?

Mais bien sûr !

Elle avait ressenti exactement la même chose lorsqu'elle attendait Beth.

Elle était enceinte.

Tout s'expliquait, le corsage de la chemise de nuit trop serré, les vertiges, les maux de cœur, même les moments de dépression.

Quel merveilleux cadeau à offrir à Erich ce soir, lui dire qu'elle croyait attendre un enfant ! Il désirait un fils, un héritier pour la ferme. Le personnel de nuit du restaurant n'était sûrement pas celui qui servait le déjeuner. Tout irait bien. *Le fils d'Erich !*

« Randy, cria Tina. Regarde, maman, c'est Randy.

— Oh ! tant mieux ! fit Jenny. Joe était inquiet. » Elle appela : « Randy, viens ici. »

Le chien devait avoir coupé à travers le verger. Il s'arrêta, se retourna, regarda Jenny. Beth et Tina se mirent à courir vers lui en poussant des cris perçants. Avec un jappement de plaisir, il fila ventre à terre vers les champs au sud. « Randy, arrête », cria Jenny. Aboyant bruyamment à présent, le petit chien bondit droit devant lui. Pourvu qu'Erich ne l'entende pas, pria-t-elle. Pourvu que Randy n'aille pas vers les pâturages. Erich sera furieux s'il va déranger les vaches. Une douzaine d'entre elles vont bientôt vêler.

Mais le chien ne se dirigeait pas vers les pâturages. Il changea brusquement de direction et partit vers l'est de la propriété.

Le cimetière. Il filait tout droit vers le cimetière. Jenny se souvint de Joe riant des trous que creusait Randy autour de leur maison. « Il va se retrouver en Chine, un jour, Jenny. Vous devriez le voir. Dès qu'un endroit dégèle un peu, il fonce dedans. »

Si le chien se mettait à creuser dans les tombes…

Jenny dépassa les filles, courant aussi vite que le lui permettait le sol spongieux. « Randy, cria-t-elle à nouveau. Randy, viens ici. »

Et si Erich l'entendait crier ? Haletante, elle contourna à la hâte l'alignement des pins noirs de Norvège qui masquait le cimetière et entra dans l'enclos. La grille était ouverte et le petit chien sautait d'une tombe à l'autre. Un manteau de roses fraîches recouvrait la tombe de Caroline. Randy courut s'y ébattre, écrasant les fleurs.

Jenny aperçut l'éclat du métal dans les bois. Elle comprit instantanément. « Non, non ! hurla-t-elle. Ne tire pas ! Erich, ne le tue pas ! »

Erich quitta l'abri des arbres. Il épaula avec une lente précision. « Non, pitié », clama-t-elle.

Le bruit sec de la détonation fit jaillir des arbres une volée de moineaux piaillants. Le chiot s'écroula en geignant, son petit corps s'affaissant dans les roses. Sous le regard horrifié de Jenny, Erich manœuvra la culasse bien huilée et tira une seconde fois sur l'animal. Quand l'écho de la déflagration mourut, le gémissement cessa.

152

19

P LUS TARD, Jenny devait se rappeler les heures qui avaient suivi les coups de feu comme d'un affreux cauchemar brouillé et difficile à reconstituer. Elle se souvint de s'être précipitée dans tous ses états au-devant des enfants pour les empêcher de voir ce qui était arrivé à Randy, les tirant violemment par la main. « Il faut rentrer à la maison.

— Mais on veut jouer avec Randy. »

Elle les avait fait rentrer à l'intérieur de la maison. « Attendez ici. Ne sortez plus. »

En manches de chemise, l'air grave, Erich portait la forme inanimée de Randy dans ses bras ; le sang maculait son parka dont il avait enveloppé l'animal. Joe s'efforçait de contenir ses larmes.

« Joe, j'ai cru que c'était l'un de ces maudits chiens errants. Tu sais que la moitié d'entre eux sont enragés. Si j'avais su…

— Vous n'auriez pas dû salir votre belle veste, monsieur Krueger.

— Erich, comment peux-tu être aussi cruel ? Tu as tiré deux fois sur lui. Tu as tiré après que je t'ai appelé.

— Je devais le faire, chérie, protesta-t-il. La première balle

153

lui avait brisé la colonne vertébrale. Me pensais-tu capable de le laisser dans cet état ? Jenny, je me suis affolé en croyant que les petites couraient derrière un chien errant. Un enfant a failli mourir l'an dernier après avoir été mordu par l'un d'entre eux. »

Clyde, l'air embarrassé, se balançait d'un pied sur l'autre. « Faut pas faire de sentiment avec les animaux, ma'me Krueger.

— Je suis désolé de vous avoir causé tant d'ennuis, monsieur Krueger », s'excusa Joe.

La colère de Jenny se changea en désarroi. Erich lui caressa les cheveux. « Joe, je te donnerai un bon chien de chasse à la place.

— Il ne faut pas vous donner cette peine, monsieur Krueger. » Mais il y avait plein d'espoir dans sa voix.

Joe prit Randy pour aller l'enterrer chez lui. Erich raccompagna Jenny à la maison, la força à s'allonger sur le divan et lui apporta une tasse de thé bouillant. « J'oublie que ma chère femme est une citadine. » Et il la quitta.

Elle finit par se lever et fit déjeuner les enfants. Pendant leur sieste, elle se reposa, se força à lire, essayant à tout prix de repousser l'angoisse qui la tenaillait.

« Ce soir, toutes les deux, vous mangerez un morceau sur le pouce, dit-elle à Beth et à Tina. Nous dînons dehors, papa et moi.

— Moi aussi, dit spontanément Tina.

— Non, pas toi aussi, dit Jenny en la serrant dans ses bras. Pour une fois, nous sortons seuls. » Comment leur reprocher de vouloir les accompagner ? Les rares fois où ils étaient sortis durant le mois dernier, Erich avait toujours insisté pour les emmener. Combien de beaux-pères étaient aussi attentionnés ?

Jenny mit un soin particulier à se préparer. Un bain très

chaud soulagea un peu ses courbatures. Après une seconde d'hésitation, elle versa dans l'eau les sels de bain parfumés au pin qu'elle avait relégués dans le placard de la salle de bains.

Elle se lava les cheveux et les releva en chignon. Ils flottaient librement sur ses épaules le jour où elle avait rencontré Kevin au restaurant.

Elle étudia le contenu de sa penderie, choisit une robe à jupe portefeuille et manches longues en soie vert amande qui rehaussait la minceur de sa taille et la teinte de ses yeux.

Erich entra au moment où elle attachait son pendentif. « Jenny, tu t'es habillée en mon honneur. Je t'adore en vert. »

Elle lui prit la tête entre ses deux mains. « Je m'habille toujours pour toi. Je le ferai toujours. »

Il tenait une toile à la main. « Par miracle, j'ai réussi à terminer ça cet après-midi. »

C'était une scène de printemps, un veau nouveau-né à moitié caché dans un creux, la mère attentive à ses côtés, l'œil rivé sur le reste du troupeau, comme si elle prévenait les autres bêtes de rester à distance. La lumière filtrait à travers les pins ; les rais du soleil formaient une étoile à cinq branches. L'atmosphère d'une scène de la Nativité baignait tout le tableau.

Jenny l'étudia, vibrant d'émotion devant une beauté aussi profonde. « C'est une splendeur, dit-elle doucement. Il y a tant de tendresse dans ta peinture.

— Tu m'as dit que j'étais cruel tout à l'heure.

— Tout à l'heure, je me suis montrée parfaitement ridicule et infantile. Comptes-tu exposer ce tableau la prochaine fois ?

— Non, chérie. Il est pour toi. »

Elle releva le col de son manteau sur son visage en entrant dans la salle du restaurant. La dernière fois, elle était tellement pressée de s'enfuir qu'elle avait à peine remarqué le décor. À présent, avec sa moquette d'un rouge éclatant, ses meubles en pin, son éclairage tamisé, ses rideaux à l'anglaise et son feu de cheminée, l'auberge lui parut particulièrement attrayante. Elle glissa un regard vers la table qu'elle avait occupée avec Kevin.

«Par ici.» L'hôtesse les conduisit dans cette direction. Jenny retint sa respiration, mais grâce au ciel la jeune femme dépassa la table avec indifférence et les installa près de la fenêtre. Il y avait déjà une bouteille de champagne dans le seau à glace à côté de la table.

Une fois leurs verres remplis, Jenny leva le sien vers Erich.

«Heureux anniversaire, Erich.

— Merci.»

Ils burent sans se presser.

Erich portait une veste de tweed gris foncé, une mince cravate noire et un pantalon anthracite. Sous ses cils et ses épais sourcils noirs, ses yeux paraissaient encore plus bleus. Ses cheveux cuivrés prenaient un éclat particulier à la lueur dansante de la bougie sur la table. Il lui prit la main.

«J'aime être le premier à t'emmener quelque part, chérie.»

Elle sentit ses lèvres se dessécher. «Je suis heureuse partout... n'importe où. avec toi.

— C'est sans doute pour cela que j'ai écrit ce mot. Tu as raison, mon amour. Ce n'était pas uniquement pour te taquiner. J'étais jaloux de voir Joe t'apprendre à monter à cheval. Je ne pensais qu'à mon désir de partager avec toi la première minute où tu monterais Fille de Feu. C'est comme si je t'avais acheté un bijou et que tu l'eusses porté pour une autre personne.

— Erich, protesta Jenny. Je croyais simplement t'être agréable en t'épargnant l'A B C des premières leçons d'équitation.

— C'est comme pour la maison, n'est-ce pas, Jenny? À peine arrivée ici, tu transformes en quatre semaines un joyau

156

historique en parfait studio new-yorkais avec fenêtres dégarnies et plantes exotiques. Chérie, puis-je te suggérer une chose pour mon cadeau d'anniversaire ? Apprends à découvrir qui je suis… qui nous sommes. Tu m'as accusé de cruauté lorsque j'ai tiré sur un animal que je croyais capable d'attaquer nos enfants. Puis-je insinuer que toi aussi, d'une certaine manière, tu as tiré au jugé sans aucune raison ? Et, Jenny, je dois te dire quelque chose, tu as le privilège d'être la première femme chez les Krueger en quatre générations à avoir fait une scène devant un valet de ferme. Caroline serait morte plutôt que de critiquer mon père en public.

— Je ne suis pas Caroline, rétorqua-t-elle posément.

— Chérie, ne pense pas que je sois cruel envers les animaux. Je ne suis pas exagérément sévère. Le premier soir dans ton appartement, j'ai bien vu que tu ne comprenais pas mon étonnement quand tu as donné de l'argent à MacPartland ; de même le jour de notre mariage. Mais tout ça ne cesse de nous hanter, non ? »

Si tu savais, pensa Jenny.

Le maître d'hôtel leur apportait la carte, un sourire professionnel plaqué sur le visage. « Maintenant que les choses sont plus nettes entre nous, mon ange, dit Erich, profitons de ce délicieux dîner et,.je t'en prie, sache que je préfère me trouver avec toi ici, en ce moment, que n'importe où ailleurs dans le monde avec quelqu'un d'autre. »

De retour à la maison, elle mit délibérément la chemise de nuit aigue-marine. Elle n'avait pas dit à Erich qu'elle croyait être enceinte. La justesse de ses observations l'avait trop bouleversée. Quand ils seraient couchés, dans les bras l'un de l'autre, elle le lui dirait.

Mais il ne resta pas avec elle. « J'ai besoin de solitude. Je serai peut-être de retour jeudi, mais pas avant. »

Elle n'osa protester. « N'oublie quand même pas dans les brumes de ta création que Mark et Emily viennent dîner vendredi soir. »

Il la contempla dans le lit. « Je n'oublie pas. » Il partit sans l'embrasser. Elle se retrouvait une fois de plus seule dans cette chambre sépulcrale, une fois de plus elle allait sombrer dans le sommeil pénible, agité de rêves, qui lui était devenu coutumier.

20

MALGRÉ TOUT, Jenny prit plaisir à préparer le dîner. Elle aurait préféré faire les courses elle-même, mais elle ne voulut pas soulever de problème en demandant la voiture. Elle composa donc une longue liste d'achats pour Elsa. « Des coquilles Saint-Jacques, dit-elle à Erich lorsqu'il revint le vendredi matin. C'est une de mes spécialités. Et tu dis que Mark adore les côtes de bœuf ? » ajouta-t-elle d'un ton enjoué, résolue à dissiper la mésentente qui sourdait entre eux. Ça lui passera, pensa-t-elle, surtout lorsqu'il sera au courant de la venue du bébé.

Kevin n'avait plus téléphoné. Peut-être était-il tombé amoureux d'une fille de la troupe ? Dans ce cas, ils auraient la paix pendant un bon moment. En cas de besoin, une fois l'adoption définitive, ils pourraient prendre des mesures légales pour le tenir à distance. Par contre, s'il tentait de se mettre en travers, Erich pourrait toujours l'acheter en dernière ressource. Jenny pria en silence. Faites que les enfants aient un foyer, une vraie famille. Faites que tout s'arrange entre Erich et moi.

Le soir du dîner, elle sortit le beau service en porcelaine

de Limoges à filet bleu et or. Mark et Emily devaient arriver à 20 heures. Jenny était impatiente de rencontrer Emily. Elle avait toujours eu beaucoup d'amies. Le manque de temps après la naissance de Beth et de Tina lui avait fait perdre de vue la plupart d'entre elles. Qui sait ? Elle pourrait peut-être s'entendre avec Emily.

Elle en parla à Erich. « Cela m'étonnerait, lui dit-il. Il fut un temps où les Hanover se sont naïvement imaginé que je deviendrais leur gendre. Roger Hanover est le président de la banque de Granite Place et il a une idée assez précise de ce que je vaux.

— Tu n'es jamais sorti avec Emily ?

— Pendant un temps, si. Mais elle ne m'intéressait pas et je n'ai pas voulu me mettre dans une situation pouvant devenir délicate. J'attendais la femme parfaite, vois-tu. »

Elle s'efforça de prendre un ton léger.

« Eh bien, tu l'as trouvée, chéri. »

Il l'embrassa. « Je l'espère tout du moins. »

Elle tressaillit. Il plaisante, se dit-elle farouchement.

Après avoir couché Beth et Tina, Jenny se changea, choisissant une blouse en soie blanche aux poignets de dentelle et une jupe longue multicolore. Elle inspecta son reflet dans la glace. Elle était d'une pâleur mortelle. Une touche de rouge à joues arrangea un peu les choses.

Erich avait transformé en bar la table à thé du salon. Il dévisagea Jenny lorsqu'elle entra dans la pièce.

« J'aime beaucoup cette tenue, Jen.

— Tant mieux, sourit-elle. Tu l'as payée assez cher.

— Je croyais qu'elle ne te plaisait pas. Tu ne l'as jamais portée auparavant.

— Elle est un peu habillée pour tous les jours. »

Il s'approcha d'elle. « N'y a-t-il pas une tache sur la manche ?

— Ça ? Oh, c'est juste un peu de poussière provenant sans doute du magasin.

— Tu n'as donc jamais mis cet ensemble avant ce soir ? »

Pourquoi posait-il cette question? Était-il simplement trop intuitif pour ignorer qu'elle lui cachait quelque chose?

«C'est la première fois, parole d'honneur.»

Le carillon de la porte sonna au bon moment. Jenny commençait à avoir la bouche sèche. J'en suis arrivée au point d'avoir peur de me trahir à tout propos, se dit-elle.

Mark portait un veston pied-de-poule gris bien coupé qui faisait ressortir ses tempes argentées, accentuait ses larges épaules et la minceur vigoureuse de sa haute silhouette. Menue, avec de grands yeux curieux et des cheveux blond foncé effleurant le col de son tailleur en velours marron, la jeune femme qui l'accompagnait devait avoir une trentaine d'années. Jenny lui trouva l'air de quelqu'un n'ayant jamais douté de soi. Emily la détailla franchement de la tête aux pieds. «Vous rendez-vous compte que j'aurai à faire un rapport complet à la ville entière sur vous? Ils meurent tous de curiosité. Ma mère m'a dressé une liste de vingt questions à jeter discrètement dans la conversation. On ne peut pas dire que vous vous soyez beaucoup montrée à la communauté.»

Avant de pouvoir répliquer, Jenny sentit le bras d'Erich lui entourer la taille. «Si nous étions partis en croisière pendant deux mois, personne n'aurait trouvé à y redire. Mais, comme le dit Jenny, parce que nous avons choisi de passer notre lune de miel chez nous, Granite Place s'indigne de ne pas camper dans notre salon.»

Je n'ai jamais dit ça! pensa Jenny impuissante en voyant Emily plisser les yeux.

Pendant l'apéritif, Mark attendit qu'Erich et Emily fussent occupés à bavarder de leur côté pour faire remarquer: «Vous êtes très pâle, Jenny. Vous sentez-vous bien?

— Très bien! fit-elle le plus sincèrement possible.

— Joe m'a parlé de son chien. Il paraît que vous étiez bouleversée.

— J'imagine qu'il me faut apprendre à regarder les choses d'un œil différent ici. À New York, dans nos gratte-ciel, nous

nous lamentons volontiers en chœur devant la photo d'un chien errant destiné à l'abattoir. Puis quelqu'un se propose de l'adopter et c'est la joie générale. »

Emily inspectait la pièce. « Vous n'avez rien changé, n'est-ce pas ? questionna-t-elle. Je ne sais si Erich vous l'a dit, mais je suis décoratrice et je me débarrasserais de ces rideaux si j'étais vous. Ils sont certainement très beaux, mais ils encombrent trop les fenêtres et vous privent d'une vue splendide. »

Jenny attendit qu'Erich prît sa défense. « Apparemment, ce n'est pas l'avis de Jen », dit-il doucement. Son ton et son sourire étaient pleins d'indulgence.

Erich, ce n'est pas juste, s'indigna-t-elle en pensée. Pouvait-elle le contredire ? *La première femme chez les Krueger en quatre générations à avoir fait une scène devant un valet de ferme.* Que penserait-il d'une scène devant ses amis ? Que disait Emily ?

« … et je n'aurais de cesse de tout changer de place. Mais peut-être n'y attachez-vous aucun intérêt ? J'ai entendu dire que vous étiez une artiste, vous aussi. »

Le moment était passé. Il était trop tard pour rectifier l'impression laissée par Erich. « Je ne suis pas une artiste, dit Jenny. J'ai simplement une licence d'art. Je travaillais dans une galerie à New York. C'est là que j'ai rencontré Erich.

— C'est ce qu'on m'a dit. Votre idylle foudroyante a fait pas mal de bruit dans les alentours. Comment vous semble votre existence campagnarde à côté de Big Apple [1] ?

Jenny choisit ses mots avec soin. Il lui fallait effacer l'impression de condescendance vis-à-vis des gens du pays qu'Erich semblait avoir voulu donner d'elle. « Mes amis me manquent, bien sûr. Comme me manque la possibilité de rencontrer des gens qui me connaissent et s'étonnent que les enfants aient tellement grandi. J'aime les gens et je me fais

1. Big Apple : surnom de la ville de New York. (*N.d.T.*)

facilement des amis. Mais… », elle jeta un coup d'œil vers Erich, « mais, dès notre lune de miel officiellement terminée, j'espère me mêler activement à la communauté.

— Tu devrais faire part de cela à ta mère, Emily », suggéra Mark.

Emily rit, d'un rire sec et sans chaleur. « En tout cas, vous avez au moins un ami pour vous distraire, à ce qu'il paraît. »

Elle faisait sans nul doute allusion à sa rencontre avec Kevin. La femme avait dû bavarder. Jenny devina l'air interrogateur d'Erich et n'osa rencontrer son regard.

Elle murmura quelque chose à propos du dîner à préparer et alla à la cuisine. Ses mains tremblaient tellement qu'elle eut du mal à sortir le plat du four. Et si Emily poursuivait plus avant ses insinuations ? Emily la croyait veuve ; dire la vérité consisterait à traiter Erich de menteur. Et Mark ? La question ne s'était jamais posée, mais il la croyait sûrement veuve lui aussi.

Elle réussit tant bien que mal à garnir les plats, à allumer les bougies et à appeler tout le monde à table. Au moins suis-je une bonne cuisinière, se dit-elle. Emily pourra toujours dire ça à sa mère.

Erich découpa et servit la côte de bœuf. « C'est un des produits de l'élevage, dit-il fièrement. Es-tu sûre de pouvoir le manger sans répugnance, Jenny ? »

Il la taquinait. Elle ne devait pas réagir. Les autres n'avaient rien remarqué. « Songe, Jenny, poursuivit-il du même ton badin, songe à ce jeune bœuf que tu m'as montré dans un champ le mois dernier, celui dont tu disais qu'il avait l'air si mélancolique, c'est peut-être lui qui est dans ton assiette ce soir. »

Elle sentit sa gorge se nouer ; elle eut peur de vomir. Je vous en supplie, Seigneur, faites que je ne sois pas malade.

Emily éclata de rire. « Erich, vous êtes trop méchant. Souvenez-vous comme vous tourmentiez Arden de la même façon. Vous la faisiez pleurer.

— Arden ? » interrogea Jenny. Elle tendit la main vers son verre d'eau. Sa gorge se desserra.

« Oui, une gosse adorable. La petite Américaine typique. Folle des animaux. À seize ans, elle n'avalait ni viande ni volaille. Elle considérait cela comme de la barbarie. Elle voulait être vétérinaire. Mais je présume qu'elle a changé d'idée. J'étais à l'université lorsqu'elle s'est enfuie.

— Rooney n'a jamais abandonné l'espoir de la voir revenir, fit observer Mark. C'est incroyable, l'instinct maternel. Il se manifeste dès le premier instant de la naissance. Le moindre animal reconnaît son petit et le défend jusqu'à la mort.

— Tu ne manges pas ta viande, chérie ? » fit remarquer Erich.

Un mouvement de colère lui fit redresser les épaules et le regarder droit dans les yeux. « Et toi, tu ne manges pas tes légumes ? », fit-elle.

Il lui lança un clin d'œil. Il plaisantait, bien sûr. « Touché », sourit-il.

Le carillon de la porte les fit sursauter. Erich fronça les sourcils. « Ah ça, qui peut... » Il se tut et fixa Jenny. Elle savait à quoi il pensait. Faites que ce ne soit pas Kevin, pria-t-elle, et elle se rendit compte en repoussant sa chaise qu'elle n'avait cessé de supplier le ciel d'intervenir pendant toute la soirée.

Un homme massif d'une soixantaine d'années avec des épaules imposantes, la poitrine bombée sous la veste en cuir et des yeux étroits aux paupières lourdes se tenait à la porte. Sa voiture était garée devant la maison, une voiture de police munie d'un gyrophare rouge.

« Madame Krueger ?

— Oui. » Le soulagement lui coupa presque les jambes. Peu importait ce que désirait cet homme. Au moins ce n'était pas Kevin.

« Je suis Wendell Gunderson, le shérif du comté de Granite. Puis-je entrer ?

— Bien sûr. Je vais chercher mon mari. »

Sans attendre, Erich traversait rapidement le vestibule et

164

les rejoignait dans l'entrée. Jenny nota la déférence qui se peignit immédiatement sur les traits de l'officier de police. « Désolé de vous importuner, Erich. J'ai juste quelques questions à poser à votre femme.

— *Quelques questions à me poser ?* » Mais au moment même où elle prononçait ces mots, Jenny sut que cette visite concernait Kevin.

« Oui, madame. » La voix de Mark leur parvint de la salle à manger. « Pourrais-je vous parler seul à seule pendant quelques minutes ?

— Venez donc prendre le café avec nous, proposa Erich.

— Votre femme préférerait peut-être répondre en privé à mes questions, Erich. »

Jenny sentit la sueur perler à son front. Elle avait les mains moites. Elle dut serrer les lèvres pour réprimer une violente nausée. « Je ne vois aucune raison de ne pas parler devant nos amis », murmura-t-elle avec désespoir.

Elle les précéda dans la salle à manger, entendit Emily saluer le shérif avec une surprise vite dissimulée, regarda Mark s'appuyer au dossier de sa chaise, comme elle l'avait souvent vu faire lorsqu'il tentait d'analyser une situation. Le shérif refusa le verre d'alcool que lui proposait Erich.

« Jamais pendant le service. » Jenny sortit les tasses à café.

« Madame Krueger, connaissez-vous un certain Kevin MacPartland ?

— Oui. » Sa voix tremblait. Kevin avait-il eu un accident ?

« Où et quand l'avez-vous vu pour la dernière fois ? »

Elle enfonça ses mains dans ses poches, serra les poings. Cela devait arriver ! Mais pourquoi de cette façon ? Oh ! Erich, pardonne-moi. Elle était incapable de le regarder.

« Le 24 février, au centre commercial de Raleigh.

— Kevin MacPartland est-il le père de vos enfants ? »

Elle entendit le cri étouffé d'Emily.

« C'est mon premier mari et le père de mes enfants.

— Quand lui avez-vous parlé pour la dernière fois ?

— Il a téléphoné dans la soirée du 7 mars vers 21 heures. Je vous en prie, dites-moi, lui est-il arrivé un accident ? »

Les yeux du shérif ne furent plus que deux fentes étroites. « Le lundi 9 mars dans l'après-midi, Kevin MacPartland a reçu un coup de téléphone pendant une répétition au théâtre Gunthrie. Il a dit que son ex-femme voulait le voir à propos des enfants. Il a emprunté la voiture d'un des acteurs de la troupe et il est parti une demi-heure plus tard, vers 16 h 30, promettant d'être de retour dans la matinée du lendemain. Il y a quatre jours de cela et il n'a pas donné signe de vie depuis. La voiture qu'il a empruntée n'avait que six semaines et son propriétaire connaissait à peine MacPartland. Vous pouvez imaginer son inquiétude. Et vous dites que vous ne lui avez pas demandé de venir vous voir ?

— Non, je ne le lui ai pas demandé.

— Puis-je savoir pourquoi vous avez repris contact avec votre ex-mari ? Nous pensions dans la région que vous étiez veuve.

— Kevin désirait voir ses filles, dit Jenny. Il menaçait de faire interrompre la procédure d'adoption. » Elle s'étonna du ton détaché de sa propre voix. Elle imaginait Kevin comme s'il était dans la pièce : l'élégant pull-over de ski, la longue écharpe rejetée sur l'épaule gauche, les cheveux auburn bien coiffés, les poses, les attitudes. Avait-il délibérément mis en scène une disparition pour lui compliquer la vie ? Elle l'avait averti qu'Erich était terriblement contrarié. Kevin espérait-il détruire leur mariage dès le commencement ?

« Et que lui avez-vous dit ?

— Le jour où je l'ai vu, et le jour où il a téléphoné, je lui ai demandé de nous laisser tranquilles. » Sa voix s'élevait brusquement.

« Erich, étiez-vous au courant de ce rendez-vous et de l'appel téléphonique du 7 mars ?

— J'étais au courant de l'appel téléphonique du 7 mars. J'étais présent lorsque MacPartland a appelé. J'ignorais

166

l'existence du rendez-vous. Mais c'est explicable. Jenny connaissait mes sentiments envers son ex-mari.

— Vous trouviez-vous à la maison avec votre femme dans la soirée du 9 mars?

— Non. En réalité, j'ai passé toute la nuit au chalet ce jour-là. Je terminais une toile.

— Votre femme savait-elle que vous aviez l'intention de vous absenter?»

Il y eut un long silence. Jenny le rompit. «Bien sûr.

— Qu'avez-vous fait ce soir-là, madame Krueger?

— J'étais très fatiguée et je me suis mise au lit peu de temps après avoir couché mes filles dans leur chambre.

— Avez-vous téléphoné à quelqu'un?

— À personne. Je me suis endormie presque instantanément.

— Je vois. Et vous êtes absolument certaine de ne pas avoir invité votre ex-mari à venir vous voir en l'absence d'Erich?

— Absolument sûre… je ne lui aurais jamais demandé de venir ici.» Elle pouvait lire dans leurs pensées. Ils ne la croyaient pas.

Son assiette intacte était posée sur la desserte. Il y avait un petit rebord de graisse solidifiée autour de la viande. Le centre était rouge saignant. Elle revit le corps de Randy s'écroulant couvert de sang parmi les roses; les cheveux roux de Kevin.

L'assiette se mettait à tourner. Jenny vit tout vaciller. Elle avait besoin d'air. Repoussant sa chaise, elle tenta désespérément de se lever. Son dernier souvenir fut l'expression peinte sur le visage d'Erich — inquiétude ou contrariété? — au moment où la chaise heurtait la desserte derrière elle.

Elle était étendue sur le divan du salon lorsqu'elle revint à elle. Quelqu'un lui appuyait une serviette froide sur le front. Cela lui faisait du bien. Elle avait si mal à la tête. Il y avait quelque chose dont elle ne voulait pas se souvenir.

Kevin.

Elle ouvrit les yeux. «Je vais mieux. Je suis désolée. »

Mark se penchait sur elle. Il avait l'air vraiment inquiet. C'était étrangement réconfortant. «Ne vous fatiguez pas, dit-il.

— Puis-je faire quelque chose pour vous, Jenny ? »

L'excitation perçait dans la voix d'Emily. Elle est enchantée, se dit Jenny. C'est le genre de personne qui adore se trouver aux premières loges.

«Chérie ! » L'intonation d'Erich était pleine de sollicitude. Il s'approcha et lui prit les deux mains.

«Pas si près, le retint Mark. Il lui faut de l'air. »

Elle reprit peu à peu ses esprits, s'assit lentement, faisant crisser en bougeant sa blouse en taffetas, sentit Mark lui glisser des coussins sous la tête et dans le dos.

«Shérif, je peux répondre à toutes vos questions. Je suis navrée. J'ignore ce qui m'a pris. Je ne me sens pas très bien depuis quelque temps. »

Les yeux de l'homme lui parurent plus grands, plus brillants, à présent, comme s'ils s'étaient définitivement arrêtés sur elle. «Madame Krueger, je serai bref. Vous n'avez donc pas téléphoné à votre ex-mari le 9 mars pour lui demander un rendez-vous, pas plus qu'il n'est venu ici ?

— En effet.

— Pourquoi aurait-il dit à ses collègues que vous lui aviez téléphoné alors ? Quel intérêt avait-il à mentir ?

— La seule explication possible c'est que Kevin avait l'habitude de venir nous voir, moi et les enfants, chaque fois qu'il désirait se soustraire à certaines obligations. S'il était en train de laisser tomber une fille pour une autre, par exemple, il se servait souvent de nous comme prétexte.

— Alors, puis-je vous demander pourquoi vous êtes tellement inquiète de sa disparition si vous pensez qu'il peut être parti avec une femme ? »

Elle avait les lèvres si crispées que les mots sortaient

difficilement. Elle articula lentement, comme un professeur de langues de première année. « Comprenez-moi, il y a quelque chose qui cloche terriblement dans toute cette histoire. Kevin a été engagé dans la troupe du théâtre Gunthrie. C'est exact, n'est-ce pas ?

— Oui.

— Vous devez le rechercher, dit-elle. Il n'aurait jamais compromis une telle occasion. Sa carrière d'acteur est ce qui compte le plus dans son existence. »

Ils partirent tous quelques minutes plus tard. Elle insista pour les raccompagner jusqu'à la porte. Elle pouvait imaginer la conversation entre Emily et sa mère lorsque la jeune femme ferait son rapport. « Elle n'est pas veuve... c'était son ex-mari qu'elle embrassait dans le restaurant... et maintenant il a disparu... le shérif est sûr qu'elle ment... pauvre Erich... »

« Je vais le faire porter disparu... faire imprimer des avis de recherche... Nous vous tiendrons au courant, madame Krueger.

— Merci, shérif. »

Il était parti. Mark enfila son manteau. « Jenny, vous devriez aller vite vous coucher. Vous avez encore l'air très secouée.

— Merci d'être venu tous les deux, dit Erich. Désolé que notre soirée se soit si mal terminée. » Il avait passé son bras autour de Jenny. Il lui embrassa la joue. « Voilà ce qui arrive lorsque l'on épouse une femme au lourd passé, n'est-ce pas ? »

Son ton était gentiment moqueur. Emily rit. Mark resta impassible. Quand la porte se referma sur eux, Jenny monta lentement l'escalier sans dire mot. Elle ne désirait qu'une chose : se coucher.

La voix étonnée d'Erich l'arrêta. « Jenny, tu n'as tout de même pas l'intention de laisser la maison dans cet état jusqu'à demain matin ? »

21

ROONEY S'INTRODUISIT dans la cuisine pendant que Jenny buvait tranquillement une seconde tasse de thé après le petit déjeuner. La jeune femme pivota sur elle-même au son du léger déclic de la porte.

« Oh !

— Je vous ai fait peur ? » Rooney semblait ravie. Ses yeux regardaient dans le vide ; ses cheveux clairsemés ébouriffés par le vent voletaient autour de sa figure d'oiseau.

« Rooney, la porte était fermée. Je croyais que vous n'étiez pas censée avoir une clé.

— J'ai dû en trouver une.

— Où ? Il me manque la mienne.

— J'aurais donc trouvé la vôtre ? »

Bien sûr, pensa Jenny. Le manteau que je lui ai donné. La clé était dans la poche. Dieu merci, je n'ai pas avoué à Erich que je l'avais perdue. « Puis-je avoir ma clé, s'il vous plaît ? » Elle tendit la main.

Rooney parut surprise. « Je ne savais pas qu'il y avait une clé dans la poche. On vous a rendu votre manteau.

— Je ne crois pas.

— Si. Clyde m'a forcée à le rendre. Il l'a ramené lui-même. Je vous ai vue le porter.

— Il n'est pas dans le placard », dit Jenny. Qu'importe pensa-t-elle. Elle tenta autre chose. « Faites-moi voir votre clé, Rooney, je vous prie. »

Rooney sortit un lourd trousseau de sa poche. Chaque clé était marquée individuellement : maison, écurie, bureau, grange...

« Rooney, ce sont les clés de Clyde, non ?

— Je crois.

— Il faut les remettre à leur place. Clyde sera fâché si vous prenez ses clés.

— Il dit que je ne devrais pas les prendre. »

Voilà donc comment Rooney s'était introduite dans la maison. Je dirai à Clyde de cacher son trousseau, songea Jenny. Erich piquerait une colère noire s'il apprenait que Rooney l'utilisait.

Elle regarda la femme avec pitié. Depuis la venue du shérif, il y a trois semaines, elle n'était plus jamais allée la voir et elle avait même tout fait pour l'éviter. « Asseyez-vous et laissez-moi vous servir une tasse de thé », lui proposa-t-elle. Elle remarqua alors le paquet que Rooney portait sous le bras. « Qu'avez-vous là ?

— Vous aviez dit que je pouvais faire des robes aux petites. Vous aviez promis.

— Oui, c'est vrai. Montrez-les-moi. »

D'une main hésitante, Rooney défit le papier d'emballage brun et sortit du papier de soie deux robes-chasubles en velours bleu-violet. Elles étaient admirablement cousues. Les poches en forme de framboise étaient brodées en rouge et vert. Jenny vit du premier coup d'œil que les tailles iraient à la perfection.

« Rooney, elles sont ravissantes, dit-elle sincèrement. Vous cousez comme une fée.

— Je suis contente qu'elles vous plaisent. J'avais fait une

jupe à Arden dans ce tissu et il m'en restait. Je voulais aussi lui faire une veste, mais elle est partie avant. N'est-ce pas un joli ton de bleu ?

— Oui. Il ira à merveille avec leurs cheveux.

— Je voulais vous montrer le tissu avant de commencer, mais quand je suis venue ce soir-là, vous alliez partir et je n'ai pas voulu vous déranger. »

J'allais partir ? C'est peu probable, songea Jenny, mais passons. La présence de Rooney lui faisait toujours plaisir. Ces semaines lui avaient paru interminables. Elle n'avait cessé de penser à Kevin. Que lui était-il arrivé ? Il conduisait vite. Il ne connaissait pas cette voiture. Les routes étaient verglacées ce jour-là. Et s'il avait eu un accident ? S'il avait abîmé la voiture empruntée, sans être blessé lui-même ? Se serait-il affolé au point de vouloir quitter le Minnesota ? Elle revenait toujours à un fait irréfutable. Kevin n'aurait jamais abandonné le théâtre Gunthrie.

Elle se sentait si mal fichue. Elle devait dire à Erich qu'elle était enceinte. Il fallait qu'elle voie un médecin.

Mais pas encore. Pas avant que ne soit résolu le problème de Kevin. L'annonce de la future naissance du bébé devait avoir lieu dans la joie. Non dans cette atmosphère d'hostilité et de tension.

Le soir du dîner, Erich avait insisté pour que chaque assiette en porcelaine, chaque verre de cristal fût lavé à la main, chaque casserole nettoyée, avant qu'ils ne montent se coucher.

Au moment de se mettre au lit, il avait dit : « Je dois avouer que tu as l'air vraiment remuée, Jenny. Je ne savais pas que MacPartland comptait tellement pour toi. Ou plutôt si, je le savais depuis le début. C'est sans doute pourquoi je n'ai éprouvé aucune surprise en apprenant que tu l'avais rencontré en cachette. »

Elle avait voulu se justifier, mais ses propres explications lui semblèrent dérisoires et décousues. Elle s'était finalement sentie trop lasse, trop bouleversée pour poursuivre la discussion. Au moment où le sommeil l'emportait, Erich l'avait prise dans ses bras. « Je suis ton mari, Jenny, avait-il dit. Je resterai à tes côtés envers et contre tout, tant que tu me diras la vérité. »

«... comme je le disais, je n'ai pas voulu vous déranger, disait Rooney.

— Quoi...? Oh, pardonnez-moi. » Jenny se rendit compte qu'elle n'avait pas écouté. Elle regarda Rooney assise à la table en face d'elle. La pauvre femme avait l'œil moins vague. Dans quelle mesure son problème était-il seulement lié au souvenir obsédant d'Arden? Dans quelle mesure résultait-il aussi de l'absence de tout contact avec l'extérieur? « Rooney, j'ai toujours eu envie de savoir coudre. Croyez-vous que vous pourriez m'apprendre? »

Rooney s'illumina. « Oh! je serais ravie. Je peux vous apprendre à coudre, à tricoter, à faire du crochet, si vous voulez. »

Elle partit quelques instants plus tard. « Je rassemblerai tout le nécessaire et je reviendrai demain après-midi, promit-elle. Ce sera comme autrefois. Caroline n'entendait rien à ces choses-là non plus. C'est moi qui lui ai appris. Peut-être pourriez-vous confectionner un joli patchwork, vous aussi, avant qu'il ne vous arrive quelque chose. »

« Hel-lo, Jenny », appela joyeusement Joe.

Oh! Seigneur, pensa Jenny. Erich la suivait juste à quelques pas avec les filles mais il n'avait pas encore passé la porte de l'écurie.

— Comment allez-vous, Joe? » demanda-t-elle d'un air tendu. Une inflexion dans sa voix alerta le jeune garçon. Il aperçut Erich et rougit.

«Oh! bonjour, monsieur Krueger. Je ne vous attendais pas.

— Je m'en aperçois. » De rouge, Joe devint cramoisi. «Je désire voir les progrès de mes filles en équitation.

— Oui, monsieur. Je vais seller tout de suite les poneys. »
Il se précipita dans la sellerie.

«Est-ce son habitude de t'appeler par ton prénom? demanda
calmement Erich.

— C'est ma faute », dit Jenny, se demandant combien de
fois elle avait prononcé ces mêmes mots durant ces dernières
semaines.

Joe revint avec le harnachement. Il sella les poneys, accompagné par les cris d'impatience des deux fillettes. «Nous tiendrons chacun un poney en bride, décréta Erich.

— Et vous, madame Krueger? demanda Joe. Avez-vous
l'intention de remonter à cheval aujourd'hui?

— Pas encore, Joe.

— Tu avais cessé de monter? demanda Erich.

— Oui. J'avais trop mal au dos.

— Tu ne me l'avais pas dit.

— Ce n'est rien. Ça passera. »

Elle se sentait encore incapable de lui parler du bébé.
Presque quatre semaines s'étaient écoulées depuis la visite
du shérif Gunderson et on n'en savait pas plus.

Le printemps allait renaître. Un halo rouge se formait
autour des arbres. Il annonçait l'éclosion des bourgeons, lui
avait expliqué Joe. On voyait des pousses vertes poindre dans
les champs boueux. Se hasardant hors du poulailler, les poussins exploraient leur territoire. Les cocoricos triomphants des
coqs éclataient derrière la grange, derrière l'étable, derrière
l'écurie. L'une des poules avait choisi de couver ses œufs dans
un coin de l'écurie.

«Depuis quand as-tu mal au dos, Jenny? Désires-tu consulter un médecin? » Erich avait un ton tendre et soucieux.

«Non, cela va passer tout seul. Ce n'est pas la première fois. »
Elle avait un peu souffert du dos durant ses grossesses précédentes.

Quelqu'un leur emboîta le pas. Mark. Jenny ne l'avait plus
revu depuis le fameux soir.

«Bonjour, vous deux», dit-il. Il avait l'air naturel. Rien dans son attitude n'indiquait qu'il était en train de penser à l'épisode du dîner.

«Reste une minute pour regarder mes filles sur leurs poneys», le pria Erich.

Tina et Beth avaient fait de rapides progrès ces dernières semaines. Jenny sourit involontairement en les voyant bien droites sur leurs montures, la mine réjouie, tenant les rênes avec un sérieux imperturbable.

«Elles sont parfaites, déclara Mark. Deux futures excellentes cavalières.

— Elles adorent ces bêtes.»

Erich partit mener l'un des poneys par la bride.

«Je n'ai jamais vu Erich aussi heureux. Il montrait leurs photos à tout le monde chez les Hanover, hier soir. Emily a beaucoup regretté que vous n'ayez pu venir.

— Que je n'aie pu venir? répéta Jenny. Que je n'aie pu venir où?

— À la soirée des Hanover. Erich a dit que vous ne vous sentiez pas suffisamment en forme pour vous y rendre. Avez-vous vu un médecin? Je vous ai entendu faire allusion à votre dos. Et ce moment de défaillance, l'autre soir, Jenny. Était-il inhabituel ou êtes-vous sujette aux évanouissements?

— Je ne m'évanouis jamais. Et je vais bientôt aller voir un médecin.»

Jenny sentit plutôt qu'elle ne vit Mark la dévisager. Elle n'en fut pas gênée, pourtant. Malgré les conclusions qu'il avait pu tirer de son supposé statut de veuve, et de la prétendue visite de Kevin, il ne l'avait pas condamnée.

Devait-elle lui dire qu'elle n'était pas au courant de la soirée donnée par Emily? À quoi bon? Erich les avait laissés seuls en sachant pertinemment que Mark en parlerait à Jenny. Il veut que je l'apprenne, se dit-elle. Pourquoi? Pour lui faire de la peine, pour la punir, pour les racontars autour du nom des Krueger? Que savaient les gens au juste? Emily n'avait sûrement pas manqué de raconter la visite du shérif à sa famille et à ses amis.

Si Erich avait l'impression que les gens jugeaient qu'il s'était trompé et le prenaient en pitié, il devait être furieux. Elle se souvint de sa colère le jour où Elsa avait insinué qu'il avait taché le mur.

Erich était un maniaque de la perfection.

Au moment où Mark s'apprêtait à partir, Erich lui cria : « À ce soir. » Ce soir ? se demanda Jenny. Une autre soirée ? Un rendez-vous de travail ? De toute façon, elle n'en saurait rien.

Une fois à terre, les enfants coururent vers elle. « Papa va bientôt monter Baron avec nous, dit Beth. Tu ne veux pas faire du cheval avec nous, maman ? »

Joe rentra les poneys à l'écurie. « À bientôt, madame Krueger », dit-il. Elle était bien sûre qu'il ne l'appellerait plus jamais Jenny.

« Viens, chérie. » Erich la prit par le bras. « N'est-ce pas que mes princesses se débrouillent superbement ? »

Mes princesses, *mes* filles, *mes* enfants. Pas *nos*, seulement *mes*. Quand cela avait-il commencé ? Jenny se rendit compte qu'elle était purement et simplement jalouse. Mon Dieu, pensa-t-elle. Je ne dois pas me rendre malade avec ça. Le bonheur des enfants est la seule chose positive dans ma vie en ce moment.

Une voiture s'engagea dans l'allée au moment où ils atteignaient la maison. Une voiture munie d'un gyrophare. Le shérif Gunderson.

Avait-il des nouvelles de Kevin ? Elle se retint de courir, dissimula son anxiété. Erich la prit par le bras quand le shérif descendit de voiture. Il tenait Tina de l'autre main. Beth courait au-devant d'eux. Le mari attentionné aux côtés de son épouse dans les moments difficiles, songea Jenny. Il fallait que le shérif eût cette impression.

Wendell Gunderson avait l'air crispé. Son attitude était plus

176

formelle que d'habitude, même lorsqu'il salua Erich. Il désirait parler à Jenny en particulier.

Ils entrèrent dans la bibliothèque. Jenny se souvint que pendant les premières semaines, elle avait préféré cette pièce entre toutes. Sa rencontre avec Kevin avait tout changé. Le shérif refusa de s'asseoir sur le canapé, préférant la chaise à dos droit.

« Madame Krueger, nous n'avons pas trouvé la moindre trace de votre ex-mari. La police de Minneapolis soupçonne quelque chose de louche dans sa disparition. Il n'existe aucune preuve qu'il ait envisagé de quitter les lieux. Il restait deux cents dollars en liquide dans un tiroir de bureau ; il n'a pris qu'un léger sac de voyage en partant. Tous ses collègues s'accordent à dire qu'il n'aurait pas lâché le théâtre. J'aurais vraiment dû insister pour vous parler en particulier la dernière fois. Les choses auraient été plus faciles. Je vous en prie, ne me dissimulez rien, car une fois l'enquête ouverte, je peux vous assurer que la vérité éclatera. Avez-vous téléphoné à Kevin MacPartland dans l'après-midi du lundi 9 mars ?

— Non.

— L'avez-vous vu dans la soirée du lundi 9 mars ?

— Non.

— Il a quitté Minneapolis vers 17 h 30. Sans arrêt, cela l'aurait amené ici vers 21 heures. Supposons qu'il ait mangé un morceau en route. Où vous trouviez-vous entre 21 h 30 et 22 heures ce lundi soir ?

— J'étais dans mon lit. J'ai éteint la lumière avant 21 heures. J'étais très fatiguée.

— Vous persistez donc à dire que vous ne l'avez pas vu ?

— Oui.

— La téléphoniste du Gunthrie a confirmé que MacPartland a reçu un appel d'une femme. Se pourrait-il qu'une femme lui ait téléphoné en votre nom ? Une amie intime ?

— Je n'ai aucune amie intime ici », dit Jenny. Elle se leva. « Shérif, personne ne désire plus que moi retrouver Kevin

177

MacPartland. C'est le père de mes enfants. Il n'y a jamais eu la moindre animosité entre nous. Aussi voulez-vous avoir l'obligeance de m'expliquer où vous désirez en venir ? Insinuez-vous que j'ai invité ou attiré Kevin à la maison en sachant que mon mari devait s'absenter ? Et dans ce cas, insinuez-vous que je ne suis pas étrangère à sa disparition ?

— Je n'insinue rien du tout, madame Krueger. Je vous demande seulement de nous dire tout ce que vous savez. Si MacPartland avait vraiment l'intention de venir ici et qu'il ne se soit pas manifesté, cela nous donnerait déjà un point de départ. S'il était ici et que nous sachions à quelle heure il en est reparti, nous aurions une information supplémentaire. Comprenez-vous ce que je cherche à savoir ? Je me doute de l'embarras où vous vous trouvez, mais…

— Je crois que nous n'avons plus rien à nous dire », déclara Jenny. Elle fit brusquement demi-tour et quitta la bibliothèque. Erich était à la cuisine avec les enfants. Il avait préparé des sandwiches au jambon et au fromage. Tous les trois mangeaient en bavardant. Il n'y avait pas de couvert mis pour elle.

« Erich, le shérif s'apprête à partir, dit-elle. Tu désires peut-être le raccompagner.

— Maman. » Beth semblait inquiète.

Oh ! Puce, pensa Jenny. Toi et tes antennes ! Elle se força à sourire. « Dites donc, vous étiez formidables sur vos poneys aujourd'hui ! » Elle ouvrit le réfrigérateur et se servit un verre de lait.

« Est-ce que tu ne te rends pas compte, maman ? demanda Beth.

— Je ne me rends pas compte de quoi ? » Jenny souleva Tina, s'assit à table en prenant la petite fille sur ses genoux.

« Pendant qu'on faisait du poney, papa a dit à Joe que même si tu ne te rendais pas compte que Joe devait t'appeler Mme Krueger, Joe, lui, aurait dû le savoir.

— Papa a dit ça ?

— Oui. » Beth était affirmative. « Tu sais ce qu'il a dit d'autre ? »

Jenny but une gorgée de lait. « Qu'a-t-il dit d'autre ?

— Il a dit qu'en revenant déjeuner chez lui aujourd'hui, Joe trouverait le nouveau petit chien que papa lui a acheté parce que Randy s'est échappé. Est-ce qu'on pourra aller voir le petit chien, maman ?

— Bien sûr. Nous irons cet après-midi. »

Ainsi Randy s'était échappé, pensa-t-elle. C'était la version officielle de l'accident survenu à cette pauvre bête.

22

L E NOUVEAU CHIOT était un chien d'arrêt à poil beige. Même pour l'œil inexpérimenté de Jenny, le museau long, la tête fine et le corps gracieux indiquaient un chien de pure race.

Le vieux molleton usé sur le sol de la cuisine était celui sur lequel Randy se couchait en boule. L'écuelle d'eau portait encore son nom peint en rouge vif par Joe.

Le cadeau semblait avoir adouci la mère de Joe.

« Erich est un homme juste, accorda-t-elle à Jenny. Peut-être que j'ai eu tort de l'accuser d'avoir liquidé le chien de Joe l'an dernier. Sans doute qu'il serait venu le dire s'il s'en était débarrassé. »

Oui, mais moi je l'ai vu cette fois-ci, pensa Jenny, se sentant injuste envers Erich.

Beth flatta la tête au poil lustré. « Il faut faire très attention parce qu'il est tout petit, recommanda-t-elle à Tina. Tu pourrais lui faire mal.

— C'est de bien gentilles petites, dit Maude Eckers. Elles vous ressemblent, à part les cheveux. »

En arrivant, Jenny avait trouvé une différence dans le

comportement de Maude. Celle-ci l'avait accueillie plutôt froidement, hésitant à les inviter à entrer. Jenny s'étonna qu'elle ne lui proposât pas une tasse de café même si elle avait l'intention de refuser.

« Comment s'appelle le petit chien ? demanda Beth.

— Randy, dit Maude. Joe a décidé que ce serait un second Randy.

— C'est normal, fit remarquer Jenny. Je savais bien que Joe n'oublierait pas si facilement son autre petit chien. Il a trop bon cœur pour cela. »

Elles étaient assises à la table de la cuisine. Jenny sourit à la femme en face d'elle.

Mais à son grand étonnement, le visage de Maude exprima une impatience hostile. « Laissez mon petit gars tranquille, madame Krueger, éclata-t-elle. C'est un simple garçon de ferme et j'ai déjà assez de soucis comme ça avec mon fichu frère qui l'emmène le soir dans les bars. Vous lui avez tourné la tête à mon Joe. C'est peut-être pas à moi de vous le dire, mais vous êtes mariée à l'homme le plus important de cette région et vous devriez faire attention à votre position ici. »

Jenny repoussa sa chaise et se leva. « Que voulez-vous dire ?

— Vous savez très bien ce que je veux dire. Avec une femme comme vous, on n'a que des ennuis. Mon frère a eu sa vie gâchée à cause de cet accident dans la laiterie. On vous a sûrement raconté que John Krueger avait accusé Josh d'avoir mal fait son travail parce qu'il tournait autour de Caroline. Joe est tout ce que j'ai. Il est toute ma vie. Je ne veux pas d'accident ni d'ennui. »

Maintenant qu'elle était lancée, les mots se bousculaient dans la bouche de Maude. Beth et Tina s'arrêtèrent de jouer avec le chiot, et restèrent les mains croisées, l'air embarrassé. « Et autre chose, ça ne me regarde peut-être pas non plus, mais vous êtes drôlement imprudente de laisser votre ex-mari rôder dans les parages quand tout le monde sait qu'Erich est en train de peindre au chalet.

— Que dites-vous ?

— C'est pas mon genre de bavarder, et ça ne sortira pas de cette pièce, mais un soir, le mois dernier, votre acteur de mari s'est ramené ici pour demander son chemin. Il est plutôt du genre loquace. Il s'est présenté, s'est vanté que vous l'aviez invité à venir vous voir ; il a aussi raconté qu'il venait juste d'être engagé par le Gunthrie. Je lui ai expliqué la route jusqu'à chez vous, mais je ne l'ai pas fait de bon cœur, croyez-moi.

— Il faut téléphoner tout de suite au shérif Gunderson et lui dire ce que vous savez, dit Jenny et s'efforçant de garder son calme. Kevin n'est jamais arrivé à la maison ce soir-là. La police le recherche. Il est officiellement porté disparu.

— Il n'est jamais arrivé chez vous ? » La voix déjà sonore de Maude retentit.

« Non. Je vous en prie, appelez immédiatement le shérif Gunderson. Et merci de nous avoir laissées venir voir le petit chien. » Kevin était allé chez Maude !

Il avait explicitement dit à Maude qu'elle, Jenny, lui avait téléphoné.

Maude lui avait indiqué la direction à prendre pour la ferme Krueger, à trois minutes en voiture.

Et Kevin n'était pas arrivé.

Le shérif Gunderson s'était déjà montré insultant aujourd'hui avec ses insinuations. Qu'allait-il penser à présent ?

« Maman, tu me fais mal à la main, se plaignit Beth.

— Oh ! pardon, ma Puce. Je ne voulais pas la serrer si fort. » Elle devait partir d'ici. Non, c'était impossible. Elle ne pouvait pas s'en aller avant de savoir ce qui était arrivé à Kevin.

Et par-dessus tout, elle portait dans son ventre l'embryon d'un être humain qui était le premier Krueger de la cinquième génération, qui appartenait à cet endroit, dont l'héritage était cette terre.

Par la suite, Jenny devait se souvenir de ce soir du 7 avril comme de ses dernières heures paisibles. Erich n'était pas là lorsqu'elle rentra à la maison avec les enfants.

Tant mieux, pensa-t-elle. Au moins n'aurait-elle pas à jouer la comédie. Elle lui rapporterait les propos de Maude la prochaine fois.

Maude avait sans doute déjà téléphoné au shérif. Reviendrait-il ce soir? Jenny en douta. Mais pourquoi Kevin avait-il été raconter à Maude qu'elle lui avait téléphoné? Que lui était-il arrivé?

«Que désirez-vous pour dîner, jeunes filles? demanda-t-elle.

— Des saucisses de Francfort, déclara Beth sans hésiter.

— De la glace, ajouta Tina avec conviction.

— Formidable», dit Jenny. Elle avait eu l'impression que ses filles lui échappaient ces temps derniers. Il n'en serait pas ainsi, ce soir.

Faisant fi des précautions, elle permit aux enfants d'apporter leurs assiettes sur le divan. On donnait *Le Magicien d'Oz* à la télévision. Grignotant leurs saucisses, sirotant leur Coca, elles se blottirent confortablement toutes les trois devant l'écran.

À la fin du film, Tina s'était endormie sur les genoux de Jenny et Beth dodelinait de la tête contre son épaule. Elle les porta toutes les deux dans leur chambre.

Trois mois seulement s'étaient écoulés depuis ce soir d'hiver où elle les ramenait de la garderie et où Erich les avait rattrapées en chemin. À quoi bon penser à cela? Erich resterait sans doute au chalet ce soir. Elle n'avait cependant pas envie de dormir dans la grande chambre.

Elle déshabilla les enfants, leur enfila leurs pyjamas, les débarbouilla avec un gant de toilette humide et les borda dans leur lit. Elle avait mal au dos. Elle ne devait plus les porter. C'était trop lourd, trop épuisant. Ranger la vaisselle dans la machine à laver ne lui demanda pas longtemps. Elle s'assura qu'il ne restait aucune miette sur le divan.

Elle se rappela les soirs où elle se sentait fatiguée à New York, et où elle laissait la vaisselle rincée empilée dans l'évier et se mettait au lit avec une tasse de thé et un bon livre. Je ne connaissais pas mon bonheur, songea-t-elle. Mais elle se souvint alors des fissures du plafond, des courses effrénées pour conduire les petites chez Mme Curtis, des éternels soucis d'argent, de la solitude.

Il n'était pas tout à fait 21 heures quand elle eut fini de ranger. Elle fit le tour du rez-de-chaussée, vérifiant que toutes les lumières étaient bien éteintes.

Elle s'immobilisa devant le patchwork de Caroline dans la salle à manger. La mère d'Erich avait voulu peindre et on l'avait rabaissée, dérisoirement détournée de son art. Elle devait « faire quelque chose d'utile ».

Caroline avait mis onze ans avant de se décider à s'en aller. Avait-elle également éprouvé le sentiment d'être une intruse, celle qui n'est pas d'ici ?

Montant lentement les escaliers, Jenny se sentit soudain très proche de la jeune femme qui avait autrefois vécu dans cette maison. Elle se demanda si Caroline pénétrait elle aussi dans sa chambre avec cette impression d'être prise au piège.

Le shérif Gunderson ne revint que le lendemain au milieu de la matinée. Jenny avait à nouveau mal dormi, rêvant qu'elle se promenait dans la forêt et respirait l'odeur des pins. Cherchait-elle le chalet ?

Elle vomit en se réveillant. Sa grossesse était-elle seule responsable de ces nausées matinales, ou s'y mêlait-il l'anxiété provoquée par la disparition de Kevin ?

Elsa arriva comme d'habitude à 9 heures. Fermée, silencieuse, disparaissant immédiatement au premier étage avec aspirateur, chiffons à poussière et produits pour faire les carreaux.

Jenny était encore en train de lire une histoire aux enfants quand Wendell Gunderson se présenta. Elle ne s'était pas habillée mais portait une robe de chambre en lainage sur sa chemise de nuit. Erich la désapprouverait-il de s'être présentée au shérif dans cette tenue? Non, sûrement pas. Comment le pourrait-il? La robe de chambre était fermée jusqu'au cou.

Elle n'ignorait pas qu'elle était très pâle. Elle avait attaché ses cheveux sur sa nuque. Le shérif entra par la porte de devant.

«Madame Krueger.» Elle décela une intonation fébrile dans sa voix. «Madame Krueger, répéta-t-il d'un ton plus grave. Hier soir, j'ai reçu un coup de téléphone de Maude Eckers.

— Je lui avais demandé de vous appeler, dit Jenny.

— C'est ce qu'elle m'a dit. Je ne suis pas venu vous parler tout de suite car je voulais essayer de comprendre quelle direction avait pu prendre Kevin MacPartland, s'il n'était pas venu jusqu'ici.»

Se pourrait-il que le shérif la crût? Son visage, sa voix, semblaient si solennels. Non. Il avait l'air d'un joueur de poker sur le point d'abattre sa carte gagnante.

«Je me suis aperçu qu'un étranger pouvait très bien rater la grille de votre maison s'il tournait sur la route qui mène à la rivière.»

La rivière. Oh! mon Dieu, pensa Jenny. Kevin aurait-il pris cette direction et, sans ralentir, serait-il passé par-dessus le remblai? La route était si sombre.

«Nous avons fait des recherches et c'est malheureusement ce qui est arrivé, poursuivit le shérif. Nous avons trouvé une Buick blanche dernier modèle dans l'eau près de la rive. La voiture était recouverte d'une couche de glace et personne ne pouvait la voir de la berge derrière le rideau de broussailles. Nous l'avons sortie de l'eau.

— Kevin?» Elle connaissait la réponse. Le visage de Kevin lui traversa l'esprit comme un éclair.

«Il y a un corps d'homme dans la voiture, madame Krueger. Il est salement décomposé mais répond en gros à la description du disparu Kevin MacPartland, y compris le costume qu'il portait la dernière fois qu'on l'a vu. Le permis de conduire dans sa poche est au nom de MacPartland. »

Oh! Kevin, gémit silencieusement Jenny. Oh, Kevin. Elle essaya en vain de parler.

« Nous aurons besoin de vous pour une identification dès que possible. »

Non, voulut-elle hurler. Non! Kevin était si imbu de son physique. Il faisait tout un drame d'une petite imperfection. Salement décomposé. Oh! Dieu!

« Madame Krueger, vous pouvez prendre un avocat, si vous le désirez.

— Pourquoi?

— Parce qu'il y aura une enquête sur la mort de MacPartland et l'on vous posera certaines questions. Vous n'avez rien d'autre à dire?

— Je répondrai à tout ce que vous me demanderez.

— Très bien. Je vais vous demander encore une fois: Kevin MacPartland est-il venu dans cette maison le lundi soir 9 mars?

— Non, je vous ai déjà répondu *non*.

— Madame Krueger, possédez-vous un manteau long, matelassé et de couleur marron?

— Oui. Non, je veux dire que j'en avais un. Je l'ai donné. Pourquoi?

— Vous souvenez-vous de l'endroit où vous l'avez acheté?

— Oui, chez Macy's, à New York.

— Il faudra vous en expliquer, madame Krueger. Un manteau de femme a été retrouvé sur le siège près du cadavre. Un manteau matelassé de couleur marron avec la marque du magasin Macy's. Nous vous demanderons de venir reconnaître s'il s'agit bien de celui que vous prétendez avoir donné. »

23

L'ENQUÊTE S'OUVRIT huit jours plus tard. Pour Jenny, ce fut une semaine confuse et douloureuse.

Elle regarda fixement le corps à la morgue. Le visage de Kevin était mutilé mais reconnaissable, avec son long nez droit, la courbe du front, l'épaisse chevelure auburn. Des souvenirs de leur mariage à Santa Monica lui traversaient l'esprit. « Moi, Jennifer, je prends Kevin ici présent… jusqu'à ce que la mort nous sépare. » Jamais leurs vies ne s'étaient autant entremêlées que maintenant. Oh ! Kevin, pourquoi m'as-tu suivie ici ?

« Madame Krueger ? » C'était la voix du shérif Gunderson, désirant accélérer l'identification.

Une boule lui serrait la gorge. Elle n'avait pu avaler son thé ce matin.

« Oui, murmura-t-elle, c'est mon mari. »

Un rire bas, rauque, derrière elle. « Erich, oh, Erich, je ne voulais pas dire… »

Il était déjà parti, martelant le sol carrelé de ses pas. Elle le retrouva dans la voiture, le visage fermé, et il ne prononça pas un mot jusqu'à la maison.

Au cours de l'enquête, on lui posa dix fois les mêmes

questions, dix fois d'une façon différente. «Madame Krueger, Kevin MacPartland a déclaré à un certain nombre de personnes que vous l'aviez invité à venir chez vous en l'absence de votre mari.

— C'est faux.

— Madame Krueger, quel est votre numéro de téléphone?» Elle le donna.

«Connaissez-vous le numéro de téléphone du théâtre Gunthrie?

— Non.

— Permettez-moi de vous le donner, ou peut-être de vous rafraîchir la mémoire. C'est le 555-28-24. Cela vous dit-il quelque chose?

— Non.

— Madame Krueger, j'ai en ma possession une copie du relevé de téléphone de la ferme Krueger pour le mois de mars. Un appel pour le théâtre Gunthrie y figure, daté du 9 mars. Persistez-vous toujours à nier être l'auteur de cet appel?

— Oui, ce n'est pas moi.

— Ceci est-il votre manteau, madame Krueger?

— Oui. Je l'avais donné.

— Avez-vous une clé de votre maison?

— Oui, mais je l'ai égarée.» Le manteau, pensa-t-elle. Bien sûr, la clé se trouvait dans la poche du manteau. Elle en fit part au procureur.

Il brandit quelque chose, une clé; l'anneau portait les initiales de Jenny JK; la clé que lui avait donnée Erich.

«Est-ce votre clé?

— Il me semble.

— L'aviez-vous prêtée à quelqu'un, madame Krueger? Je vous en prie, dites la vérité.

— Je ne l'ai prêtée à personne.

—On a retrouvé cette clé dans la main de Kevin Mac-Partland.

— C'est impossible.»

188

L'air malheureux, obstiné, Maude répéta à la barre l'histoire qu'elle avait racontée à Jenny. « Il a dit que son ex-femme voulait le voir et je lui ai indiqué la route à prendre. Je suis bien sûre de la date. Il est venu le jour où le chien de mon fils a été tué. »

Quand ce fut son tour de témoigner, Clyde Toomis se montra embarrassé, hésitant, mais manifestement de bonne foi. « J'ai dit à ma femme qu'elle avait déjà un bon manteau d'hiver. Je l'ai grondée d'avoir accepté l'autre. J'ai rapporté moi-même ce manteau marron à la ferme Krueger. Je l'ai remis dans le placard du couloir de la cuisine ; le jour même où j'ai vu ma femme le porter à la maison.

— Mme Krueger le savait-elle ?

— Je me demande comment elle aurait pu ne pas le remarquer. Le placard n'est pas bien grand et je l'ai accroché près de la veste de ski qu'elle porte tout le temps. »

Je ne l'avais pas vu, pensa Jenny, mais elle se dit qu'elle pouvait simplement ne pas y avoir prêté attention.

Erich témoigna. Les questions furent brèves, respectueuses.

« Monsieur Krueger, étiez-vous chez vous le soir du lundi 9 mars ?

« Aviez-vous fait part à votre femme de votre intention d'aller peindre dans votre chalet ce soir-là ? »

« Saviez-vous que votre femme avait été en contact avec son ex-mari ? »

On aurait dit qu'il parlait d'une inconnue. Il répondit avec détachement, pesant ses mots, sans émotion.

Assise au premier rang, Jenny le regardait intensément. Pas une seconde, il ne tourna les yeux vers elle. Erich, lui qui avait déjà horreur de parler à quelqu'un au téléphone, Erich, l'un des êtres les plus réservés qu'elle eût jamais connus, qui s'était éloigné d'elle à cause de l'appel téléphonique de Kevin et de leur rencontre.

L'enquête prit fin. En récapitulant les faits, le médecin légiste déclara qu'une sévère meurtrissure sur la tempe droite du défunt pouvait être due au choc de l'accident, ou lui avoir été infligée préalablement.

Le verdict officiel fut : mort par noyade.

Mais, en quittant le palais de justice, Jenny n'ignora pas le verdict prononcé par les gens du pays. Pour le moins, elle était une femme qui avait rencontré son ex-mari en cachette.

Au pire, elle l'avait assassiné.

Pendant les trois semaines qui suivirent l'enquête, les dîners avec Erich se passèrent tous de la même façon. Il ne lui parla plus jamais directement, s'adressant uniquement aux enfants. Il disait : « Demande à maman de me passer le pain, ma Puce. » Sa voix était toujours aussi chaude et affectueuse. Seule une oreille attentive aurait pu saisir la tension qui régnait entre eux.

En montant coucher les enfants, elle ignorait toujours s'il serait encore là quand elle redescendrait. Où se rendait-il ? Au chalet ? Chez des amis ? Elle n'osait le questionner. S'il dormait à la maison, c'était dans la chambre du fond que son père avait occupée pendant tant d'années.

Elle n'avait personne à qui parler. Pourtant, elle se disait qu'il finirait par s'adoucir. Elle le surprenait parfois en train de la regarder avec tant de tendresse qu'elle devait se retenir de le prendre dans ses bras, de le supplier de croire en elle.

Elle déplorait en elle-même la vie gâchée de Kevin. Il aurait pu faire tant de choses ; il avait du talent. Si seulement il s'était astreint à une discipline, s'il n'avait pas eu tant d'histoires avec les femmes, s'il avait moins bu.

Mais elle ne s'expliquait pas comment son manteau pouvait s'être trouvé dans cette voiture.

Un soir, elle découvrit Erich attablé dans la cuisine devant une tasse de café.

« Jenny, dit-il, il faut que nous ayons une conversation. »

Elle s'assit, ne sachant exactement si elle éprouvait un

sentiment de soulagement ou d'anxiété. Après avoir mis les filles au lit, elle avait pris une douche et enfilé la chemise de nuit et la robe de chambre que lui avait autrefois données Nana. Elle vit Erich l'examiner.

« Ce rouge est superbe avec tes cheveux. Nuage noir sur fond d'écarlate. Symbolique, ne trouves-tu pas ? Comme les sombres secrets de la femme marquée. Est-ce pour cela que tu l'as mise ? »

Ainsi, voilà ce que signifiait « une conversation ». « Je l'ai mise parce que j'avais froid, dit-elle.

— Elle te va très bien. Peut-être attends-tu quelqu'un ? »

C'est étrange, songea Jenny. J'arrive encore à le plaindre en dépit de tout. De quoi avait-il le plus souffert ? se demanda-t-elle. De la mort de Caroline ou du fait qu'elle avait voulu le quitter ?

« Je n'attends personne, Erich. Si tu ne me crois pas, pourquoi ne restes-tu pas le soir avec moi pour te rassurer ? » Elle aurait dû se sentir indignée, furieuse, mais elle n'éprouvait plus rien en dehors de sa pitié pour lui. Il paraissait si troublé, si vulnérable. Il semblait toujours plus jeune, presque enfantin, lorsqu'il était en proie à une émotion.

« Erich, je suis tellement navrée de toute cette histoire. Je sais que les gens jasent et combien cela t'est pénible. Je n'ai aucune explication logique à offrir pour ce qui est arrivé.

— Ton manteau.

— J'ignore comment il a atterri dans la voiture.

— Tu t'attends à ce que je croie ça ?

— Je te croirais, moi.

— Jenny, je voudrais te croire, et je n'y arrive pas. Mais je crois une chose. Si tu as permis à MacPartland de venir ici, c'était peut-être pour lui recommander de ne plus nous importuner. Je peux comprendre cela. Mais je ne supporte pas le mensonge. Avoue que tu lui as demandé de venir te voir et nous n'en parlerons plus. J'imagine parfaitement comment les choses ont pu se dérouler. Tu ne voulais pas le faire

191

rentrer dans la maison et tu lui as proposé de prendre la voie sans issue qui aboutit à la rivière. Tu l'as menacé; tu tenais la clé dans ta main. A-t-il tenté le coup de la séduction? Te serais-tu débattue? Tu t'es dégagée de ton manteau et tu es sortie de la voiture. Peut-être est-il parti en avant en voulant faire marche arrière. Jenny, tout cela se comprend aisément. Mais dis-le. Ne reste pas à me regarder avec ces grands yeux innocents. Ne prends pas cet air de victime blessée prête à défaillir. Avoue que tu as menti et je te promets de tout oublier. Nous nous aimons tant tous les deux. Tout cet amour n'est pas perdu. »

Au moins se montrait-il loyal. Elle eut l'impression d'être assise au sommet d'une montagne et de regarder ce qui se passait dans la vallée en spectatrice désintéressée.

«Le plus facile serait sans doute de t'obéir, fit-elle remarquer. Mais, c'est étrange, nous finissons tous par devenir la somme de ce que nous avons vécu. Nana avait horreur du mensonge. Elle ne supportait même pas que l'on mentît par politesse. "Jenny, disait-elle, pas de faux-fuyant. Si tu n'as pas envie de sortir avec quelqu'un, dis simplement non merci, et n'invoque pas un mal de tête ou un exercice de math à terminer. Rien n'est plus profitable que la vérité."

— Il ne s'agit pas d'exercice de math, fit-il remarquer.

— Je monte me coucher, Erich, dit-elle. Bonsoir. » À quoi bon continuer?

Il y a encore si peu de temps, ils montaient enlacés jusqu'à leur chambre. Penser qu'il lui déplaisait tant alors de porter la chemise de nuit aigue-marine. Cela paraissait bien dérisoire après coup.

Erich ne répliqua rien bien qu'elle gravît lentement les marches pour lui laisser l'occasion de répondre.

Accablée par la fatigue, elle sombra instantanément dans un sommeil agité de rêves harassants. Elle dormit mal, toujours à la limite du conscient, se tournant et se retournant dans son lit. Elle se remettait à rêver; cette fois, elle était dans la voiture, elle luttait contre Kevin, il voulait la clé...

Puis elle se trouvait dans les bois, elle s'avançait, cherchait. Elle leva un bras pour se protéger des arbres et toucha un visage.

Ses doigts suivirent le contour d'un front, sentirent la douceur d'une paupière. Une longue chevelure lui caressa la joue.

Se mordant les lèvres pour ne pas hurler, elle se redressa en sursaut, tâtonna à la recherche de la lampe sur la table de nuit. Elle alluma brusquement et regarda autour d'elle d'un air égaré. Il n'y avait personne. Elle était seule dans le lit, seule dans la pièce.

Elle retomba sur les oreillers, tremblant de tout son corps. Même son visage se convulsait.

Je deviens folle, pensa-t-elle. Je perds la tête.

Elle garda la lumière allumée pendant le reste de la nuit et les premières lueurs de l'aube filtraient déjà à travers les stores baissés lorsqu'elle finit par se rendormir.

24

UN SOLEIL ÉCLATANT réveilla Jenny et tout lui revint immédiatement à l'esprit. Un mauvais rêve, pensa-t-elle, un cauchemar. Troublée, elle éteignit la lampe de chevet et se leva.

Le temps s'adoucissait enfin. Elle contempla les bois par la fenêtre. Les arbres formaient une masse de bourgeons prêts à éclore. Du poulailler montait le chant strident des plus gros coqs. Ouvrant les fenêtres, elle écouta les bruits de la ferme, sourit en entendant le beuglement des veaux nouveau-nés appelant leur mère.

Bien sûr, c'était un cauchemar. Et pourtant son corps se couvrait d'une sueur froide et moite à ce souvenir. Cette sensation de toucher un visage lui avait paru si réelle. Se pouvait-il qu'elle fût en proie à des hallucinations ?

Et ce rêve où elle s'était retrouvée dans la voiture avec Kevin, se débattant contre lui ? Pouvait-elle avoir téléphoné à Kevin ? Elle s'était sentie si bouleversée ce jour-là en repensant aux réflexions qu'Erich lui avait faites au cours du dîner d'anniversaire, en prenant conscience que Kevin était capable de détruire leur mariage. Aurait-elle pu oublier qu'elle avait incité Kevin à venir la voir ?

Le choc après l'accident. Le médecin l'avait prévenue de ne pas prendre à la légère d'éventuelles migraines.

Elle avait eu mal à la tête.

Elle prit une douche, noua ses cheveux en chignon, enfila une paire de jeans et un chandail en grosse laine. Les filles n'étaient pas encore réveillées. En restant bien calme, elle arriverait peut-être à avaler quelque chose, ce matin. Elle devait avoir perdu au moins cinq kilos durant ces trois derniers mois. Ce n'était pas bon pour le bébé.

Elle mettait la bouilloire sur le feu lorsqu'elle vit la tête de Rooney poindre par la fenêtre. Cette fois-ci Rooney frappa.

Elle avait le regard clair, un visage reposé. « Il fallait que je vous voie.

— Asseyez-vous, Rooney. Thé ou café ?

— Jenny ! » Rooney semblait avoir toute sa tête aujourd'hui. « Je vous ai fait du tort, mais je ferai tout pour réparer.

— Comment pourriez-vous m'avoir fait du tort ? »

Les yeux de Rooney s'emplirent de larmes. « Je me suis sentie tellement mieux depuis votre arrivée ici, tellement heureuse de pouvoir parler à une jolie jeune femme, de lui apprendre à coudre. Et je ne vous ai pas blâmé un instant de le rencontrer. Les hommes Krueger ne sont pas faciles à vivre. Caroline en savait quelque chose. J'ai trouvé ça normal. Et je n'avais pas l'intention d'en parler, Jenny.

— Parler de quoi, Rooney ? Il n'y a aucune raison de vous mettre dans un tel état !

— Oh ! si, Jenny, il y a une raison. Hier soir, j'ai encore eu une de mes crises. Vous savez bien que je dis tout ce qui me passe par la tête dans ces cas-là, et cette fois-ci, j'ai raconté à Clyde que j'étais venue vous montrer le velours bleu le soir du lundi après l'anniversaire de la mort de Caroline. Je voulais vous demander si la couleur vous plaisait. Il était tard. Presque 22 heures. Mais j'étais nerveuse comme toujours aux alentours de cette date. Je voulais juste voir s'il y avait encore de la lumière dans votre cuisine. Vous étiez en train de monter dans la voiture blanche. Je vous ai vue y monter. Je vous ai vue vous éloigner avec lui sur la route qui va à la rivière. Je n'ai jamais eu l'intention d'en souffler mot. Je serais incapable de vous faire du tort. »

Jenny entoura les épaules tremblantes de ses bras.

« Je sais que vous ne me feriez pas de tort. » Je suis donc partie avec Kevin, pensa-t-elle. Je suis réellement partie. Non, c'est impossible. Je ne peux pas croire une chose pareille.

« Et Clyde a dit que c'était son devoir de renseigner Erich et le shérif, sanglota Rooney. Ce matin, j'ai dit à Clyde que j'avais tout inventé, tout confondu, mais il m'a répondu qu'il se souvenait s'être réveillé cette nuit-là, que je venais de rentrer avec le tissu sous le bras et qu'il était furieux que je sois sortie. Il va en informer le shérif et Erich. Jenny, je suis prête à mentir pour vous. Ça m'est égal. Mais je vous attire des ennuis.

— Rooney, dit Jenny en pesant ses mots. Essayez de comprendre. Vous avez dû vous tromper. J'étais dans mon lit ce soir-là. Je n'ai jamais demandé à Kevin de venir me voir. Vous ne mentirez pas en disant que vous vous êtes trompée. Je vous le promets. »

Rooney soupira. « Je prendrais volontiers une tasse de café, maintenant. Je vous aime beaucoup, Jenny. Quand vous êtes là, il m'arrive parfois de croire qu'Arden ne reviendra peut-être jamais et que je m'en remettrai un jour. »

Il était tard dans la matinée lorsqu'ils entrèrent tous les trois dans la maison, le shérif, Erich et Mark. Pourquoi Mark ?

« Vous savez sans doute pourquoi nous sommes ici, madame Krueger. »

Elle écouta avec attention. Ils parlaient de quelqu'un d'autre, d'une personne qu'elle ne connaissait pas, qui avait été vue en train de monter dans une voiture, de s'éloigner sur la route.

196

Erich ne semblait pas fâché, seulement peiné.

« Rooney essaye manifestement de se rétracter, mais nous ne pouvions cacher cette information au shérif Gunderson. » Il s'approcha d'elle, lui entoura le visage de ses mains, lui caressa les cheveux.

Pourquoi avait-elle l'impression d'être déshabillée en public ? « Ma chérie, dit Erich, nous sommes tes amis. Dis la vérité. »

Elle crut suffoquer, agrippa les mains d'Erich, les retira de sa figure.

« J'ai dit la vérité telle que je la connais, répondit-elle.

— Vous n'avez jamais eu de crises d'aucune sorte, madame Krueger ? » La voix du shérif ne contenait aucune malveillance.

« J'ai subi un choc autrefois. » Elle leur raconta brièvement l'accident. Mark Garrett ne la quitta pas des yeux pendant tout son récit. Il doit penser que j'invente, se dit-elle.

« Madame Krueger, étiez-vous encore attachée à Kevin MacPartland ? »

Quelle terrible question à poser en présence d'Erich. C'était tellement humiliant pour lui. Si seulement elle pouvait s'en aller. Emmener les filles. Le laisser à sa propre vie.

Mais elle portait son enfant. Erich aimerait-il son fils ? Ce serait un garçon. Elle en était certaine.

« Pas de la façon dont je suppose que vous l'entendez, répondit-elle.

— Il n'est donc pas exact que vous lui ayez manifesté votre affection en public au point de choquer la serveuse et deux clientes de l'auberge Groveland. »

Jenny crut qu'elle allait éclater de rire. « Elles sont facilement choquées. Kevin m'a embrassée. Je ne lui ai pas rendu son baiser.

— Peut-être devrais-je vous poser cette question autrement, madame Krueger. N'étiez-vous pas bouleversée par l'apparition de votre ex-mari ? Ne représentait-il pas une menace pour votre mariage ?

— Que voulez-vous dire ?

— Au début, vous avez annoncé à M. Krueger que vous étiez veuve. M. Krueger est riche. Il est sur le point d'adopter vos enfants. MacPartland pouvait ruiner tous vos beaux projets. »

Jenny fixa Erich. Elle allait répliquer que l'on pouvait lire la signature de Kevin sur les papiers d'adoption, qu'Erich connaissait Kevin avant leur mariage. Mais à quoi bon ? Tout cela était suffisamment pénible pour Erich et il aurait été parfaitement inutile de chercher à l'accabler encore davantage en révélant devant ses amis et ses voisins qu'il leur avait délibérément menti. Elle éluda la question.

« Mon mari et moi étions parfaitement d'accord. Nous ne voulions pas que Kevin vînt à la maison troubler les enfants.

— Mais la serveuse l'a entendu vous déclarer qu'il ne renonçait pas, qu'il ne laisserait pas la procédure d'adoption aboutir. Elle vous a entendu dire : "je t'avertis, Kevin". Il représentait donc une menace pour votre mariage, vous en convenez, madame Krueger ?

Pourquoi Erich ne l'aidait-il pas ? Elle le regarda et le vit soudain s'assombrir. « Shérif, je crois que c'est assez, dit-il d'un ton froid. Rien ne pourrait troubler notre mariage, et sûrement pas Kevin MacPartland, vivant ou mort. Nous savons tous que Rooney souffre de troubles psychiques. Ma femme nie être montée dans cette voiture. Avez-vous l'intention d'engager des poursuites ? Sinon, je vous prierai de cesser de l'importuner. »

Le shérif hocha la tête. « Très bien, Erich. Mais je dois vous prévenir. Il est possible que l'enquête soit rouverte.

— Dans ce cas, nous y ferons face. »

Il avait pris sa défense. Jenny s'étonna de son attitude désinvolte. Se résignait-il soudain à perdre sa réputation ?

« Je ne dis pas qu'elle le *sera*. Que le témoignage de Rooney puisse changer quelque chose, je n'en sais rien. Tant que Madame Krueger ne se souviendra pas exactement de ce qui est arrivé, nous ne serons pas beaucoup plus avancés. Mais je ne pense pas qu'il puisse subsister le moindre doute dans l'esprit d'un juré quant à la présence de Mme Krueger dans la voiture à un moment donné. »

Erich raccompagna le shérif à sa voiture. Ils s'entretinrent gravement pendant quelques minutes.

Mark s'attarda un peu. « Jenny, j'aimerais prendre un rendez-vous pour vous chez un médecin. »

Une profonde inquiétude creusait ses traits. Inquiétude pour elle ou pour Erich ? « Un psychiatre, je suppose ?

— Non, un bon médecin de famille. J'en connais un à Waverly. Vous n'avez pas l'air bien. Toute cette histoire vous a mise à plat.

— Je préfère attendre encore un peu, je crois, mais merci. »

Elle avait besoin de sortir de la maison. Les enfants jouaient dans leur chambre. Elle monta les chercher. « Allons faire une promenade. »

Dehors, il faisait un temps de printemps. « Est-ce qu'on peut monter à cheval ? demanda Tina.

— Non, pas maintenant, décréta Beth. Papa a dit que c'est lui qui nous emmènerait.

— Je veux donner du sucre à Vif-Argent.

— Bien sûr, allons à l'écurie », accepta Jenny. Elle se permit de rêver un instant. Ne serait-ce pas merveilleux s'ils allaient faire un tour à cheval par une belle journée comme aujourd'hui, Erich sur Baron et elle sur Fille de Feu ? Ils en avaient formé le projet au début, s'en faisant une fête.

Elles découvrirent un Joe à l'air taciturne dans l'écurie. Depuis le jour où elle s'était rendu compte qu'Erich était contrarié et jaloux de son amitié pour Joe, Jenny avait intentionnellement évité le jeune homme. « Comment va Randy Deux ? demanda-t-elle.

— Il va bien. Nous habitons en ville avec mon oncle, lui et moi. Nous logeons derrière la poste. Il faudra que vous veniez le voir là-bas.

— Vous avez quitté votre mère ?

— Vous parlez que je l'ai quittée !

— Joe, dites-moi. Pourquoi êtes-vous parti de chez elle ?

— Parce que c'est une faiseuse d'histoires. J'en ai marre, madame Krueger, *Jenny*, de tout ce qu'elle a raconté sur vous. Je lui ai dit que si vous niiez avoir vu ce dénommé Kevin, ce soir-là, c'est parce que vous deviez le faire. Je lui ai dit que vous aviez toujours été si bonne pour moi, que sans vous j'aurais été renvoyé quand Baron s'est échappé. Si Man s'était occupée de ses oignons, y aurait pas eu tous ces racontars sur vous. C'est pas la première fois qu'une voiture sort de la route et pique du nez dans la rivière. Les gens auraient dit "quel malheur", et quelqu'un aurait ajouté qu'il faudrait une meilleure signalisation. Au lieu de ça, tout le monde ricane sur vous et sur M. Krueger en disant: "Voilà ce qui arrive quand on se laisse tourner la tête par une intrigante de New York. "

— Joe, je vous en prie. » Jenny posa sa main sur le bras du garçon. « J'ai causé assez d'ennuis par ici. Votre mère doit être dans tous ses états. Joe, écoutez-moi, revenez chez vous.

— Pas question. Et, madame Krueger, si vous voulez faire un tour à cheval ou si les filles ont envie de venir voir Randy, je serais heureux de vous emmener pendant mes heures de temps libre. Vous n'avez qu'à le demander.

— Chut, Joe, ce genre de conversation ne mène à rien. » Elle désigna les portes ouvertes. « On pourrait vous entendre.

— Cela m'est bien égal qu'on m'entende. » La colère disparut de son visage. « Jenny, je ferais tout pour vous aider.

— Maman, partons maintenant. » Beth la tira par un bras. Mais Joe avait dit une chose qui tracassait Jenny. Quoi ?

Elle se souvint. « Joe, pourquoi avez-vous dit à votre mère que je devais nier que j'étais dans la voiture ? Pourquoi avez-vous dit cela ? »

Joe devint cramoisi. Il fourra maladroitement ses mains dans ses poches, détournant à moitié les yeux. Sa voix n'était plus qu'un murmure lorsqu'il lui dit: « Jenny, vous n'avez pas besoin de jouer la comédie avec moi. J'étais là. J'avais peur d'avoir mal refermé la porte du box de Baron. J'ai aperçu Rooney au moment où je coupais par le verger. Elle était à deux pas de votre maison. Je me suis arrêté parce que j'avais tellement envie de lui parler. C'est alors que la voiture s'est amenée, cette Buick blanche ; la porte de la maison s'est ouverte et vous êtes sortie en courant. Je vous ai vue monter dans la voiture, Jenny. Mais je jure sur Dieu que je ne le dirai à personne. Je… je vous aime, Jenny. » Il sortit en hésitant sa main de sa poche et la referma sur le bras de Jenny.

25

LE SOLEIL PROJETAIT déjà ses rayons obliques sur les champs quand Erich rentra à la maison. Jenny avait décidé de lui parler du bébé, quoi qu'il advînt.

Il lui rendit les choses étonnamment faciles. Il avait apporté des toiles du chalet, celles qu'il comptait exposer à San Francisco.

« Qu'en penses-tu ? » lui demanda-t-il. Rien ni dans sa voix ni dans son comportement ne laissait deviner l'entretien de ce matin avec le shérif Gunderson.

« Elles sont magnifiques, Erich. » *Dois-je lui rapporter les propos de Joe ? Vaut-il mieux attendre ? Lorsque j'irai consulter un médecin, j'essayerai de savoir si une femme enceinte peut souffrir de crises d'amnésie.*

Erich fixait sur elle un étrange regard.

« Veux-tu m'accompagner à San Francisco ?

— Nous en parlerons plus tard. »

Il la prit dans ses bras. « Ne crains rien, chérie. Je vais m'occuper de toi. Pendant que le shérif Gunderson te harcelait ce matin, j'ai soudain compris que tu m'étais chère, malgré tout ce qui avait pu arriver cette nuit-là. Tu es toute ma vie.

— Erich, je ne sais plus où j'en suis.

— Qu'y a-t-il, chérie ?

— Erich, je ne me souviens pas d'être partie avec Kevin, et pourtant Rooney ne mentirait pas.

— Ne t'inquiète pas. Rooney n'est pas un témoin fiable. Heureusement, autrement Gunderson aurait demandé sans hésiter la réouverture de l'enquête. C'est ce qu'il m'a fait comprendre.

— Tu veux dire que si quelqu'un d'autre vient se présenter et affirmer m'avoir vue monter dans cette voiture, ils rouvriront l'enquête et m'accuseront peut-être d'un crime ?

— Ne te tracasse pas. Il n'y a aucun autre témoin. »

Oh ! si, il y en a un, pensa Jenny. Si quelqu'un avait surpris les paroles de Joe, aujourd'hui ? Sa voix portait loin. Sa mère s'inquiétait de le voir se mettre à boire comme son oncle. Et si dans un bar, un soir, il racontait qu'il avait vu Jenny monter dans la voiture avec Kevin ?

« Pourrais-je avoir oublié que je suis partie ? » demandat-elle à Erich.

Il la serra contre lui, lui caressa les cheveux. « Tu as dû passer par des moments épouvantables. Tu n'avais plus ton manteau. Il tenait la clé dans sa main quand on l'a retrouvé. Comme je te l'ai dit, il aura sans doute tenté de te séduire et pris ta clé. Peut-être lui as-tu résisté ? La voiture s'est mise à rouler. Tu as réussi à en sortir avant qu'elle ne passât par-dessus bord.

— Je ne sais pas, dit Jenny. Je n'arrive pas à y croire. »

Plus tard, au moment de monter, Erich lui dit : « Mets la chemise de nuit aigue-marine, chérie.

— Je ne peux pas.

— Tu ne peux pas ? Pourquoi ?

— Je n'y rentre plus. J'attends un enfant. »

Kevin avait réagi avec consternation la première fois, lorsqu'elle lui avait annoncé qu'elle croyait être enceinte. « Bon Dieu, Jenny, nous n'avons pas les moyens de nous le permettre. Tu ne peux pas le garder. »

Aujourd'hui, Erich laissait éclater sa joie. « Ma chérie ! Oh ! Jen, voilà pourquoi tu semblais si mal en point ! Oh, mon amour, crois-tu que ce sera un garçon ?

— J'en suis certaine. » Jenny rit, savourant ce moment d'apaisement passager. « Il m'a déjà donné plus de mal en trois mois que les deux filles en neuf.

— Nous allons immédiatement t'emmener voir un bon médecin. Mon *fils*. Vois-tu un inconvénient à ce que nous l'appelions Erich ? C'est une tradition dans la famille.

— C'est mon plus cher désir. »

Ils étaient blottis dans les bras l'un de l'autre sur le divan, toute suspicion évanouie. « Jen, nous sommes passés par des moments affreux. Tirons un trait sur tout ça. Nous donnerons une grande soirée à mon retour de San Francisco. Il vaudrait mieux que tu ne voyages pas, ne crois-tu pas ? Surtout si tu ne t'es pas sentie très bien ces temps derniers. Nous ferons taire tous ces gens. Nous allons former une vraie famille. L'acte d'adoption sera définitivement établi au cours de l'été. Je suis désolé pour MacPartland mais au moins il ne représente plus une menace pour nous. Oh ! Jen… »

Plus une menace, songea Jenny. Fallait-il lui parler de Joe ? Non, c'était la nuit du bébé.

Ils finirent par monter dans leur chambre. Erich était déjà au lit lorsqu'elle sortit de la salle de bains. « Dormir avec toi m'a manqué, Jen, dit-il. J'ai été si seul.

— Moi aussi, j'ai été seule. » L'ardeur avec laquelle ils firent l'amour, intensifiée par la séparation, effaça les semaines de souffrance. « Je t'aime, Jenny, je t'aime tant.

— Erich, j'ai cru devenir folle, je me sentais si loin de toi…

— Je sais. Jen ?

— Oui, chéri.

— J'ai hâte de savoir à qui ressemblera le bébé.

— Mmm, à toi, je suppose… à toi tout craché.

— Tu ne peux savoir combien je l'espère aussi. » Sa respiration devint régulière.

Elle était sur le point de s'endormir lorsqu'elle crut recevoir une douche glacée. Oh, Seigneur, Erich ne mettait pas en doute qu'il fût le père du bébé, tout de même ? Non, c'était impossible ! Elle avait simplement les nerfs en pelote. Tout l'inquiétait. Mais c'était la façon dont il avait dit cela...

« Je t'ai entendue crier dans ton sommeil, chérie, lui dit-il le lendemain matin.

— Je ne m'en suis pas rendu compte.

— Je t'aime, Jenny.

— L'amour est synonyme de confiance, Erich. Je t'en prie, n'oublie pas que les deux vont de pair. »

Trois jours plus tard, il la conduisit chez un obstétricien à Granite Place. Le docteur Elmendorf plut à Jenny dès l'instant où elle le vit. Il était petit, chauve, avec un regard perspicace et devait avoir entre cinquante et soixante-cinq ans.

« Avez-vous eu des pertes, madame Krueger ?

— Oui, mais cela m'était arrivé les deux fois précédentes et je me portais très bien.

— Aviez-vous autant maigri au début de vos deux grossesses ?

— Non.

— Souffriez-vous d'anémie ?

— Non.

— Savez-vous s'il y a eu des complications lors de votre propre naissance ?

— Je l'ignore. J'ai été adoptée. Ma grand-mère ne m'a jamais rien dit. Je suis née à New York, c'est tout ce que je connais de mes antécédents.

— Je comprends. Nous allons vous remettre sur pied. Je n'ignore pas que vos nerfs ont été mis à rude épreuve. »

Quelle manière délicate de présenter les choses, pensa-t-elle.

« Vous allez commencer par prendre des vitamines. Évitez de soulever, de pousser ou de tirer quoi que ce soit. Reposez-vous au maximum. »

Erich était assis à côté d'elle. Il lui caressa la main. «Je prendrai bien soin d'elle, docteur.»

Le médecin posa sur lui un regard songeur. «Je crois qu'il serait plus prudent de vous abstenir de tout rapport physique au moins pendant le mois prochain et peut-être durant toute la grossesse si les pertes persistent. Cela vous posera peut-être un problème.

— Rien n'est un problème s'il s'agit de la santé du bébé que porte Jenny.»

Le docteur hocha la tête d'un air approbateur.

Mais c'est un problème, pensa Jenny consternée. Vous savez, docteur, nos rapports physiques sont les uniques moments où nous sommes seulement deux êtres qui s'aiment et se désirent, où nous fermons la porte à la jalousie, à la suspicion et aux pressions du dehors.

26

L E PRINTEMPS TARDIF fut chaud avec des averses l'après-midi. Le sol riche et fertile se couvrit d'un épais manteau vert. Les champs de luzerne drue et entêtante, parsemés de fleurs bleues, étaient prêts pour la première moisson de l'année.

Les troupeaux s'aventuraient loin des nourrisseurs, heureux de paître dans les champs qui descendaient en pente douce vers la rivière. Les arbres bruissaient, dressant leurs branches feuillues en une épaisse muraille verte à l'orée de la forêt. Des daims franchissaient parfois cette barrière, s'arrêtaient, écoutaient, puis faisaient demi-tour, fuyant se réfugier à l'abri des bois.

Même la maison s'animait avec le beau temps. Malgré leur raideur, les lourds rideaux ne parvenaient pas à retenir la brise délicate chargée d'effluves d'iris, de violette, d'hélianthe et de rose.

Ce changement fut le bienvenu pour Jenny. Il lui sembla soudain que la chaleur du soleil printanier pénétrait doucement son corps constamment glacé. Dans la maison l'arôme des fleurs l'emportait presque sur la persistante odeur de pin.

Le matin, Jenny se levait, ouvrait grand les fenêtres et revenait s'allonger, appuyée contre ses oreillers, savourant la fraîcheur de la brise.

Les médicaments contre les nausées matinales furent sans effet. Elle se réveillait tous les jours avec l'envie de vomir. Erich la forçait à rester couchée. Il lui apportait son thé et ses pilules, et le mal au cœur disparaissait au bout d'un moment.

Il resta tous les soirs à la maison. « Je ne veux pas te laisser seule, chérie, et je suis fin prêt pour l'exposition de San Francisco. » Il avait prévu de partir le 23 mai. « D'ici là, le docteur Elmendorf pense que tu te sentiras mieux.

— J'espère bien. Es-tu sûr que tu ne te prives pas de peindre ?

— Certain. Je suis ravi de consacrer plus de temps aux enfants. Et franchement, Jen. Entre Clyde à la ferme, le directeur des cimenteries et le père d'Emily à la banque, je suis libre de mon temps. »

C'était Erich à présent qui emmenait les petites à l'écurie le matin et qui leur donnait leurs leçons d'équitation. Rooney vint régulièrement. Le chandail que tricotait Jenny avançait et elle allait commencer un patchwork.

Jenny ne parvenait toujours pas à s'expliquer comment on avait pu retrouver son manteau dans la voiture de Kevin. Mettons que Kevin soit venu à la ferme, qu'il ait voulu entrer par la porte donnant sur le côté ouest de la véranda. Elle n'était pas toujours fermée. Supposons qu'il soit entré. Le placard se trouvait juste là. Kevin pouvait s'être affolé. Après tout, il ignorait si la femme de ménage ne dormait pas à la maison. Peut-être avait-il pris le manteau de Jenny avec l'intention de prétendre qu'il l'avait vue. Puis il serait reparti en voiture, se serait trompé de direction, aurait fouillé dans la poche du manteau dans l'espoir d'y trouver de l'argent, en aurait sorti la clé, et avec tout ça, la voiture aurait quitté la route.

Cela n'expliquait pas le coup de téléphone.

Après leur sieste, les enfants aimaient courir dans les champs. Jenny les regardait de la véranda, les doigts occupés à tricoter ou à assembler des carrés de patchwork. Rooney avait déniché du tissu dans le grenier, des restes d'un métrage qui avait autrefois servi à faire des robes, un sac de chiffons, une pièce de coton bleu foncé. « John m'avait acheté ce tissu pour confectionner des rideaux dans la chambre du fond lorsqu'il s'y est installé. Je l'avais prévenu qu'ils seraient beaucoup trop sombres. Il s'est entêté, mais il me les a fait enlever deux mois plus tard. J'ai alors fait ceux qui y sont actuellement. »

Sans se l'expliquer, Jenny n'avait jamais pu se décider à s'asseoir sur la balancelle de Caroline. Elle préféra s'installer dans un fauteuil un osier, bien soutenue par de confortables coussins. Pourtant, Caroline s'était aussi assise dans cette véranda, y avait fait de la couture en regardant son enfant jouer dans ces champs.

Elle ne souffrait plus du manque de compagnie. À présent, c'était toujours elle qui refusait d'aller dîner avec Erich dans l'un des restaurants de la région. « Pas encore chéri. Je n'apprécie même pas l'odeur des aliments. »

Il se mit à emmener les enfants avec lui lorsqu'il sortait faire des courses. Elles revenaient en parlant avec animation des gens qu'elles avaient rencontrés, des endroits où elles s'étaient arrêtées pour manger des gâteaux et boire un verre de lait.

Erich s'installa dans la chambre du fond. « Jen, c'est plus facile ainsi. Je peux me tenir tranquille si je ne suis pas trop près de toi, mais je me sens incapable de rester à tes côtés nuit après nuit sans te toucher. D'autre part, tu bouges beaucoup dans ton sommeil. Tu dormiras probablement mieux seule. »

Elle s'efforça en vain de lui être reconnaissante. Les cauchemars revinrent régulièrement, avec toujours cette même sensation qu'elle touchait un visage dans le noir, qu'elle sentait de longs cheveux contre sa joue. Elle n'osa en parler à Erich. Il penserait qu'elle était folle.

La veille de son départ pour San Francisco, il lui demanda de l'accompagner à l'écurie. Elle n'avait pas souffert de nausées depuis deux jours.

« Je serais plus tranquille si tu étais présente lorsque les enfants montent leurs poneys. Je n'ai qu'une confiance limitée en Joe. »

Un frisson d'inquiétude. « Pourquoi ?

— J'ai entendu dire qu'il se saoulait tous les soirs avec son oncle. L'influence de Josh Brothers est néfaste pour Joe. En tout cas, s'il ne te paraît pas dans son état normal, je ne veux pas qu'il emmène les enfants. J'aurais dû le renvoyer. »

Mark était dans l'écurie. Sa voix habituellement calme s'élevait, glaciale. « Tu ne sais donc pas qu'il est dangereux de laisser de la mort-aux-rats à un mètre de la réserve d'avoine ? Suppose qu'il en tombe dans le fourrage, les chevaux deviendraient fous. Que t'arrive-t-il en ce moment, Joe ? Je te préviens, si cela se reproduit, je demanderai à Erich de te flanquer à la porte. Les petites montent leurs poneys tous les jours. Le cheval d'Erich est difficile à tenir, même pour un excellent cavalier comme lui. Donne un peu de la strychnine que contient cette boîte à Baron et il piétinera le premier qui s'approchera de lui. »

Erich lâcha le bras de Jenny. « Que se passe-t-il ? »

Le visage écarlate, Joe paraissait au bord des larmes. « J'allais mettre le poison dans les pièges, avoua-t-il. J'ai rentré la boîte dans l'écurie quand il s'est mis à pleuvoir et je l'ai oubliée.

— Tu es renvoyé », fit Erich sans élever le ton.

Joe regarda Jenny. Décelait-elle quelque chose de significatif dans sa physionomie ou une simple prière ? Elle n'aurait su le dire.

Elle s'avança d'un pas, prit Erich par le bras.

« *Je t'en prie*, Erich, Joe s'est montré merveilleux avec les enfants. Il leur a appris à monter à cheval avec tant de patience. Elles le regretteront énormément. »

210

Erich la scruta. « Si cela t'importe tellement », fit-il brièvement ; puis il se retourna vers Joe : « À la moindre faute, Joe, à la plus petite erreur, une porte d'écurie ouverte, un chien errant sur mes terres, ce genre d'oubli... » Il jeta un regard de dégoût vers la mort-aux-rats : « C'est *terminé*. Compris ?

— Oui, monsieur, murmura Joe. Merci, monsieur. Merci, madame Krueger.

— Et que ce soit *Mme Krueger*, ajouta Erich d'un ton sec. Jenny, je ne veux pas que les petites montent à cheval avant mon retour. Est-ce clair ?

— Oui. » Elle était de son avis. Joe avait l'air malade. Il avait une marque au front.

Mark quitta l'écurie avec eux. « Un veau vient de naître dans la laiterie, Erich. C'est la raison de ma présence. Fais attention à Joe. Il s'est encore battu hier soir.

— Qu'est-ce qui lui prend ? » questionna Erich avec irritation.

Mark se rembrunit. « Donne à un garçon qui n'a pas l'habitude de l'alcool deux verres de gnôle, et tu n'auras pas besoin d'autre explication.

— Viens déjeuner avec nous, proposa Erich. Nous ne t'avons pas beaucoup vu ces derniers temps.

— Je vous en prie, venez », murmura Jenny.

Ils revinrent ensemble à la maison.

« Rentrez, vous deux, leur dit Erich. Mark, verse-nous un verre de sherry, veux-tu ? Je passe prendre le courrier au bureau.

— Entendu. »

Mark attendit qu'Erich fût hors de portée de voix pour dire rapidement : « Deux choses, Jenny. D'abord, j'ai entendu la bonne nouvelle pour le bébé. Mes félicitations. Comment vous sentez-vous ?

— Beaucoup mieux maintenant.

— Jenny, je préfère vous prévenir. C'était très gentil de votre part d'intercéder en faveur de Joe, mais c'était mal venu. Il y a une raison à ces querelles. Il ne sait pas dissimuler ses sentiments. Il vous adore et les types qui traînent dans les bars le soir le charrient à ce sujet. Il vaudrait mieux pour lui qu'il s'éloigne de la ferme.

— Et de moi.

— Pour être franc, oui. »

27

AU MOMENT DE PARTIR pour San Francisco, Erich décida de se rendre à l'aéroport avec la Cadillac et de l'y laisser jusqu'à son retour. « À moins que tu n'en aies un besoin particulier, chérie ? »

Y avait-il une allusion dans sa question ? Lors de sa dernière absence, elle s'était servie de la voiture pour rencontrer Kevin. « Je n'en ai aucun besoin, répondit-elle posément. Elsa peut me rapporter tout le nécessaire.

— Tu as assez de vitamines ?

— Largement.

— Si tu ne te sens pas bien, Clyde te conduira chez le médecin. » Ils étaient sur le seuil de la porte d'entrée. « Les filles, appela Erich, venez embrasser papa. »

Elles accoururent vers lui. « Ramène-moi un cadeau, pria Beth.

— À moi aussi, fit Tina de sa petite voix chantante.

— Oh ! Erich, avant de t'en aller, peux-tu dire aux enfants que tu leur interdis de monter sur leurs poneys avant ton retour.

— Papa ! » Les deux cris de consternation jaillirent en même temps.

« Oh ! je me demande, après tout. Joe est venu me présenter ses excuses. Il reconnaît avoir perdu la tête. Il va même revenir chez sa mère. Je pense pouvoir lui confier les petites sans risque. Tu feras seulement attention de ne jamais le laisser seul avec elles.

— Je n'y tiens pas tellement, dit-elle.

— Pour quelle raison ? » Il haussa les sourcils.

Elle se souvint des paroles de Mark. Mais comment en discuter avec Erich ? « Si tu es certain que les enfants ne courent aucun danger. »

Il l'entoura de ses bras. « Tu vas me manquer.

— Toi aussi. »

Elle l'accompagna jusqu'à la voiture. Clyde avait sorti la Cadillac du garage. Joe l'astiquait avec un chiffon. Rooney se tenait à deux pas, prête à venir faire de la couture avec Jenny. Mark était passé dire au revoir à Erich.

« Je te téléphonerai dès mon arrivée à l'hôtel, dit Erich à Jenny. Il sera 22 heures pour toi. »

Elle resta éveillée dans son lit ce soir-là, attentive à la sonnerie du téléphone. Cette maison est trop grande, pensa-t-elle. N'importe qui peut entrer par la porte de devant, la porte de la véranda ou celle de derrière, et monter par l'escalier du fond sans que j'aie une chance de l'entendre. Les clés étaient accrochées dans le bureau. On les rangeait en lieu sûr le soir, mais le bureau était souvent vide dans la journée. Quelqu'un pouvait parfaitement s'emparer d'une clé de la maison, en faire reproduire un double, et la remettre à sa place. Personne ne s'en apercevrait.

Pourquoi cela m'inquiète-t-il maintenant ? se demanda-t-elle.

C'était ce rêve, ce même cauchemar où elle touchait un corps, où ses doigts effleuraient une joue, une oreille, des cheveux. Il revenait presque chaque nuit à présent. Toujours pareil. L'entêtante odeur de pin, l'impression d'une présence, le frôlement, et ensuite le son d'un faible soupir. Et la pièce était toujours vide lorsqu'elle allumait la lumière.

Si seulement elle pouvait en parler à quelqu'un. Mais à qui ? Le docteur Elmendorf lui conseillerait d'aller consulter un psychiatre. Cela ne faisait aucun doute. Il ne manquerait plus que ça pour les gens de Granite Place, se dit-elle. Voilà la Krueger qui va se faire examiner le cerveau, maintenant !

Il n'était pas tout à fait 22 heures. Le téléphone sonna. Elle souleva vivement le récepteur.

« Allô ? »

Il n'y avait personne à l'autre bout de la ligne. Ou plutôt si, elle entendait quelque chose. Pas une respiration, mais quelque chose.

« Allô ? » Elle se mit à trembler.

« Jenny. » La voix n'était qu'un chuchotement.

« Qui est à l'appareil ?

— Jenny, es-tu seule ?

— Qui est là ?

— As-tu un autre de tes soupirants de New York auprès de toi, Jenny ? Aime-t-il nager ?

— De quoi parlez-vous ? »

La voix s'amplifia, aiguë, perçante, mi-rire, mi-sanglot, méconnaissable. « Putain. Criminelle. Sors du lit de Caroline. Sors *immédiatement*. »

Elle reposa brutalement l'appareil. Oh, mon Dieu, pitié ! Portant les mains à ses joues, elle sentit trembler un tic nerveux sous son œil. Oh ! mon Dieu !

Le téléphone sonna. Je ne répondrai pas. Je ne veux pas répondre.

Quatre, cinq, six fois. La sonnerie s'arrêta, reprit. Erich, pensa-t-elle. Il était 22 heures passées. Elle saisit le récepteur.

« Jenny. » Erich semblait inquiet. « Que se passe-t-il ? J'ai appelé il y a quelques minutes et la ligne était occupée. Ensuite, pas de réponse. Tu vas bien ? Qui téléphonait ? »

215

— Je ne sais pas. C'était seulement une voix. » La sienne frisait l'hystérie.

« Tu as l'air bouleversé. Que t'a dit cette personne au téléphone ?

— Je… je n'ai pas bien compris les paroles. » Elle ne pouvait pas lui raconter.

« Je vois. » Un silence, puis d'un ton résigné, il ajouta: « Nous n'allons pas en discuter maintenant.

— Qu'est-ce que cela veut dire, nous n'allons pas en discuter maintenant ? » Atterrée, elle entendit sa propre voix monter, aiguë, semblable à celle de son interlocuteur anonyme. « Je veux en parler. Écoute, écoute ce qu'on m'a dit. » Elle lui raconta tout en sanglotant. « Qui peut m'accuser comme ça ? Qui peut me haïr à ce point ?

— Chérie, calme-toi.

— Mais, Erich, *qui* ?

— Chérie, *réfléchis*. C'est Rooney, bien sûr.

— Mais, *pourquoi* ? Rooney m'aime beaucoup.

— Elle *t'aime* peut-être beaucoup, mais elle *adorait* Caroline. Elle désire son retour plus que tout, et dans ses moments de crise, elle te considère comme une intruse. Chérie, je t'avais prévenue au sujet de Rooney. Jenny, je t'en supplie, ne pleure pas. Tout ira bien. Je prendrai soin de toi. Je prendrai toujours soin de toi. »

Les crampes commencèrent au cours de cette longue nuit d'insomnie. Jenny ressentit d'abord des élancements dans le ventre, puis des contractions régulières. À 8 heures du matin, elle téléphona au docteur Elmendorf.

« J'aimerais mieux vous voir », dit-il.

Clyde était parti tôt dans la matinée à une vente de bétail et il avait emmené Rooney avec lui. Jenny n'osa pas demander à Joe de l'accompagner chez le médecin. Une demi-douzaine d'hommes travaillaient à la ferme, des journaliers qui

arrivaient le matin et rentraient chez eux le soir. Elle connaissait leurs noms et leurs visages, mais Erich lui avait toujours
recommandé de ne pas se montrer «trop familière».

Elle préféra ne pas faire appel à eux. Elle téléphona à Mark.
«Est-ce que par hasard…?»

Sa réponse fut immédiate. «Sans problème, si vous avez la
patience d'attendre l'heure de fermeture du cabinet pour que
je vous raccompagne. Ou mieux, mon père s'en chargera. Il
vient d'arriver de Floride. Il compte passer une partie de l'été
avec moi.»

Le père de Mark. Luke Garrett. Jenny était impatiente de
le connaître.

Mark vint la chercher à 9 h 15. C'était une matinée chaude
et brumeuse. La journée allait être étouffante. Jenny avait cherché quelque chose de léger dans sa penderie, mais Erich ne
lui avait acheté que des vêtements d'hiver au moment de leur
mariage. Elle avait fini par retrouver un ensemble en coton
qu'elle avait porté l'année dernière à New York. En l'enfilant,
elle eut soudain l'étrange sensation de redevenir elle-même.
C'était un deux-pièces à carreaux roses d'Albert Capraro,
qu'elle avait acheté pendant les soldes de demi-saison. La jupe
souple et large la serrait seulement un peu à la taille; le haut
blousant dissimulait sa maigreur.

Mark possédait un break Chrysler vieux de quatre ans. Il
avait flanqué sa serviette à l'arrière au milieu d'un tas de livres
éparpillés sur le siège. Un désordre confortable régnait à l'intérieur de la voiture.

C'était la première fois que Jenny se trouvait réellement
seule avec lui. Même les animaux doivent se sentir rassurés
d'instinct dès qu'il est là, pensa-t-elle. Elle le lui dit.

Il lui jeta un coup d'œil en biais. «J'aime à le croire. Et
j'espère que le docteur Elmendorf vous produit le même effet.
C'est un bon médecin, Jenny. Ayez confiance en lui.

— Oui.»

Ils prirent la route non macadamisée qui allait de la ferme

217

à Granite Place. Des hectares et des hectares de terres appartenant aux Krueger, songea Jenny. Tous ces animaux paissant dans les prés, le bétail de concours des Krueger. Et moi qui avais imaginé une jolie petite ferme et quelques champs de blé. Je n'avais pas réalisé.

« Je ne sais pas si vous êtes au courant du retour de Joe chez sa mère, dit Mark.

— Erich m'en a parlé.

— C'est le mieux pour lui. Maude est une femme intelligente. Ils ont tendance à boire dans la famille. Elle le tiendra à l'œil.

— Je croyais que le frère de Maude s'était mis à boire à cause de l'accident.

— Je ne sais pas vraiment. J'ai entendu mon père et John Krueger en parler par la suite. John disait toujours que Josh Brothers avait bu ce jour-là. Peut-être l'accident a-t-il servi d'alibi à ses habitudes d'ivrognerie ?

— Erich me pardonnera-t-il un jour toutes ces histoires ? Elles minent notre mariage. » La question lui avait échappé. Elle l'entendit jaillir de ses lèvres d'un ton monocorde et sans vie. Oserait-elle parler à Mark du coup de téléphone, de la réaction d'Erich ?

« Jenny. » Mark laissa s'écouler un long silence avant de parler. Elle avait déjà remarqué que sa voix prenait un accent plus grave lorsqu'il pesait particulièrement ses mots. « Jenny, vous ne pouvez savoir combien Erich a changé depuis le jour où il est revenu ici après vous avoir rencontrée. Il a toujours été solitaire. Il passait des journées entières dans son chalet. Nous savons pourquoi maintenant, bien sûr. Mais quand même… imaginez. Je doute fort que John Krueger ait jamais embrassé Erich quand il était petit. Caroline était le genre de personne qui vous prenait dans ses bras, vous serrait contre elle, lorsque vous rentriez à la maison, vous ébouriffait les cheveux en vous parlant. Les gens d'ici ne sont pas comme ça. Nous ne sommes pas très expansifs. Caroline était à moitié italienne, comme vous le savez. Je me souviens de mon père la taquinant à propos de son tempérament latin. Pouvez-vous imaginer ce qu'a dû ressentir Erich en apprenant son intention de le quitter? Je comprends que la venue de votre ex-mari l'ait rendu malade. Donnez-lui seulement un peu de temps. Les bavardages cesseront d'eux-mêmes. Le mois prochain, les gens auront autre chose à se mettre sous la dent.

— Tout semble si facile avec vous.

— Pas facile, mais peut-être moins dur que vous ne le supposez. »

Il la déposa devant le cabinet du docteur. « Je vous attendrai dehors en lisant. Vous n'en aurez pas pour bien longtemps, je pense. »

L'obstétricien ne mâcha pas ses mots. « Ce sont des contractions prématurées et je n'aime pas beaucoup cela à ce stade de votre grossesse. Vous n'avez pas fait trop d'efforts?

— Non.

— Vous avez encore maigri.

— Je n'arrive pas à manger.

— Forcez-vous à manger pour l'enfant. Du lait malté, des glaces, nourrissez-vous. Et restez debout le moins souvent possible. Quelque chose vous préoccupe-t-il? »

Oui, docteur, aurait-elle aimé lui dire. Je suis préoccupée parce que j'ignore qui peut m'appeler en l'absence de mon mari. Rooney serait-elle plus malade que je ne le crois? Et Maude? Elle en veut aux Krueger, et à moi en particulier. Qui d'autre est si bien au courant des déplacements d'Erich?

« Êtes-vous préoccupée par quelque chose, madame Krueger? répéta le docteur.

— Pas particulièrement. »

Elle rapporta à Mark les propos du médecin. Il avait passé son bras sur le dossier du siège. Il est si grand, pensa-t-elle, si solide, avec son côté viril et rassurant. Elle ne l'imaginait pas en colère. Il lança sur le siège arrière le livre qu'il lisait en l'attendant et démarra. « Jenny, suggéra-t-il, n'avez-vous pas une amie ou une cousine, une personne qui pourrait venir passer deux mois avec vous ? Vous semblez si seule ici. Il me semble que cela vous distrairait. »

Fran, songea Jenny. Elle aurait tout donné pour que Fran vînt la voir. Elle se souvint de leurs rires, certains soirs, lorsque Fran lui décrivait en long et en large son dernier petit ami. Mais Erich détestait Fran. Il avait expressément prié Jenny de ne pas l'inviter chez eux. Elle pensa à quelques-unes de ses autres amies. Aucune d'entre elles n'avait les moyens de mettre quatre cents dollars dans un billet d'avion pour un week-end. Elles avaient toutes une famille et un emploi. « Non, répondit-elle. Je ne connais personne qui puisse venir. »

La ferme des Garrett était située à l'extrémité nord de Granite Place. « Nous sommes peu de chose à côté d'Erich, lui dit Mark. Nous avons une parcelle, deux cents hectares. Ma clinique se trouve sur la propriété. »

La maison correspondait exactement à l'image que Jenny s'était faite de la ferme d'Erich. Spacieuse, blanche avec des volets noirs et une large véranda sur le devant.

Le salon était rempli de livres. Le père de Mark lisait dans un fauteuil. Il leva les yeux à leur entrée. Jenny vit la stupéfaction se peindre sur son visage.

C'était un homme de haute taille, lui aussi, avec de larges épaules. Son épaisse chevelure était totalement blanche mais il portait la raie du même côté que son fils. Ses lunettes faisaient ressortir ses yeux d'un bleu-gris ; il avait des cils presque blancs. Mark avait les yeux noirs. Mais ceux de Luke possédaient le même regard interrogateur.

« Vous êtes sûrement Jenny Krueger.

— En effet. » Il plut tout de suite à Jenny.

« Pas étonnant qu'Erich… » Il s'arrêta. « J'étais impatient de faire votre connaissance. J'avais espéré en avoir l'occasion lors de mon dernier passage fin février.

— Vous étiez ici en février ? Jenny se tourna vers Mark. « Pourquoi n'avez-vous pas amené votre père à la maison ? »

Mark haussa les épaules. « Erich nous a fait sentir que vous étiez en pleine lune de miel, tous les deux. Jenny, j'ai à peine dix minutes avant l'ouverture de la clinique. Que désirez-vous ? Du thé ? Du café ? »

Il disparut dans la cuisine et Jenny resta seule avec Luke Garrett. Elle eut l'impression d'être examinée par le conseiller d'études de son école, comme s'il allait lui demander : « ... Vos études vous intéressent-elles ? Vous entendez-vous bien avec vos professeurs ? »

Elle le lui dit.

Il sourit. « Peut-être suis-je en train de vous analyser. Comment tout se passe-t-il ?

— Que savez-vous au juste ?

— L'accident ? L'enquête ?

— Vous êtes déjà au courant. » Elle leva les mains comme pour repousser un poids qui risquait de l'écraser. « Je ne peux blâmer les gens de penser le pire. On a retrouvé mon manteau dans la voiture. Une femme a téléphoné au théâtre Gunthrie de la maison cet après-midi-là.

— Je persiste à croire qu'il existe une explication logique, et dès que je l'aurai découverte, tout s'éclaircira. »

Elle hésita, puis renonça à lui parler de Rooney. Si c'était elle qui avait téléphoné hier soir, en proie à l'une de ses crises, elle l'aurait probablement oublié à l'heure présente. D'autre part, Jenny n'avait pas envie de répéter les paroles de son interlocuteur.

Mark revint, suivi d'une petite femme courtaude qui portait un plateau. La bonne odeur appétissante du moka rappela à Jenny l'un des grands succès de Nana en pâtisserie, la génoise fourrée au café. Une vague de nostalgie la fit cligner des yeux pour refouler ses larmes.

« Vous n'êtes pas très heureuse ici, n'est-ce pas, Jenny ? demanda Luke.

— J'espérais l'être. J'aurais pu l'être, répondit-elle franchement.

221

— C'est exactement ce que disait Caroline, fit doucement remarquer Luke. Souviens-toi, Mark, de ce dernier après-midi où je mettais ses valises dans la voiture. »

Quelques minutes plus tard, Mark partit pour la clinique et Luke raccompagna Jenny chez elle. Il resta silencieux, l'air préoccupé, et après quelques efforts de conversation, Jenny se tut à son tour.

Luke franchit la grille d'entrée, fit le tour de la maison et stoppa le break devant la porte qui faisait face à l'ouest. Elle le vit poser son regard sur la balancelle de la véranda. « Le problème, dit-il soudain, c'est que cet endroit n'a pas changé. Prenez une photo de cette maison et comparez-la à une photo datant de trente ans, tout est resté identique. On n'a rien ajouté, rien modifié, rien déplacé. Peut-être est-ce pour cette raison que chacun ici ressent encore sa présence, comme si elle allait sortir en courant, toujours si contente de vous voir, vous priant de rester dîner. Après mon divorce d'avec la mère de Mark, Caroline prenait souvent Mark chez elle. Elle s'est montrée une seconde mère pour lui.

— Et pour vous ? interrogea Jenny. Que représentait-elle pour vous ? »

Elle lut une brusque souffrance dans le regard qu'il tourna vers elle. « Tout ce que j'ai jamais désiré chez une femme. » Il s'éclaircit la gorge, comme s'il craignait d'en avoir trop dit sur lui-même. En sortant de la voiture, Jenny lui dit : « Lorsque Erich sera de retour, promettez-moi de venir dîner avec Mark.

— Ce sera avec joie, Jenny. Vous êtes sûre de n'avoir besoin de rien ?

— Oui. » Elle se dirigea vers la maison.

« Jenny ? »

Elle se retourna. Le visage de Luke était empreint de souffrance. « Pardonnez-moi. Mais vous ressemblez tellement à Caroline. C'est un peu effrayant. Jenny, soyez prudente. Prenez garde aux accidents. »

28

E RICH DEVAIT RENTRER le 3 juin. Il téléphona le 2 au soir. « Jen, j'ai été malheureux comme les pierres. Chérie, j'aurais tout donné pour ne pas te savoir aussi tourmentée. »

Elle se détendit. Mark avait raison, les bavardages finiraient par cesser. Si seulement elle pouvait se cramponner à cette idée. « Tout va bien. Nous allons finir par nous en sortir.

— Comment te sens-tu, Jen ?

— Assez bien.

— Manges tu mieux ?

— J'essaye. Comment s'est passée l'exposition ?

— Très, très bien. La fondation Gramercy a acheté trois huiles. Très bien payées. J'ai eu de bonnes critiques.

— Je suis tellement contente. À quelle heure arrive ton avion ?

— Vers 11 heures. Je serai à la maison entre 14 et 15 heures. Je t'aime, Jenny. »

La chambre lui parut moins menaçante ce soir-là. Allons, tout irait bien, se promit-elle. Pour la première fois depuis des semaines, elle dormit sans rêve.

Elle prenait son petit déjeuner avec Beth et Tina lorsque

l'affreux vacarme éclata, une cacophonie de hennissements sauvages mêlés à d'effroyables hurlements de douleur.

« Maman ! » Beth sauta de sa chaise et se rua vers la porte.

« Reste ici », ordonna Jenny. Elle se précipita en direction des cris. Ils venaient de l'écurie. Clyde sortit en courant hors du bureau avec un fusil à la main. « N'approchez pas, madame Krueger, n'approchez pas. »

Elle ne l'écouta pas. Joe. C'était Joe qui hurlait.

Il était dans l'écurie, ramassé contre le mur du fond, cherchant désespérément à esquiver les volées de coups de pied. Dressé sur ses jambes arrière, roulant des yeux exorbités, Baron battait l'air de ses sabots ferrés. Joe saignait de la tête. Un bras pendait mollement à son côté. Jenny le vit s'effondrer sur le sol ; les jambes avant de Baron lui martelèrent la poitrine. « Oh ! mon Dieu, oh ! Dieu ! » C'était elle qui pleurait, priait, implorait. On la poussa de côté. « Sors-toi de sa trajectoire, Joe, je vais tirer. » Clyde visa au moment où les sabots se dressaient à nouveau. On entendit la déflagration du fusil, suivie d'un hennissement strident. Baron resta figé en l'air comme une statue, puis s'écroula sur la paille.

Tant bien que mal, Joe parvint à se coller contre le mur, évitant le poids écrasant de l'animal. Il resta immobile, le souffle rauque, les yeux vitreux sous le choc, le bras tordu de façon grotesque. Clyde jeta son arme et courut vers lui.

« Ne le bougez pas, cria Jenny. Appelez une ambulance. Vite ! »

Contournant le corps de Baron, elle s'agenouilla près de Joe, lui caressant le front, essuyant le sang qui lui coulait dans les yeux, pressant sur la plaie ouverte à la naissance des cheveux. Des hommes accoururent des champs avoisinants. Les sanglots d'une femme. Maude Eckers. « Joey, Joey.

— Man…

— Joey. »

L'ambulance arriva. Les brancardiers, efficaces, vêtus de blanc, firent reculer tout le monde. Puis ils étendirent Joe sur la civière, les yeux clos, le visage cireux. Un ambulancier murmura à voix basse. « Je crois qu'il va passer. »

Maude Eckers poussa un cri.

Joe ouvrit les yeux, les fixa sur Jenny. Sa voix remplie de perplexité était étonnamment claire : « J'aurais jamais dit à personne que j'vous ai vue monter dans la voiture ce soir-là, j'le jure. »

Maude se tourna vers Jenny en montant dans l'ambulance derrière son fils. « Si mon garçon meurt, ce sera votre faute, Jenny Krueger, s'écria-t-elle. Maudit soit le jour où vous êtes arrivée ici ! Dieu vous maudisse toutes, les femmes Krueger, pour le mal que vous avez fait à ma famille ! Dieu maudisse l'enfant que vous portez, de qui qu'il soit ! »

L'ambulance démarra à toute vitesse et le hurlement de la sirène déchira la paix de cette matinée d'été.

Erich arriva quelques heures plus tard. Il affréta un avion privé pour faire venir un chirurgien spécialiste du thorax de l'hôpital Mayo et demanda des infirmières à domicile. Puis il pénétra dans l'écurie, s'accroupit auprès de Baron, tapotant de la main la belle tête soyeuse de l'animal mort.

Mark avait déjà fait analyser la ration de Baron. Le résultat était : strychnine mélangée à l'avoine.

Plus tard dans la journée, le shérif Gunderson se présenta à l'entrée de la ferme avec sa voiture désormais familière. « Madame Krueger, une demi-douzaine de personnes ont entendu Joe jurer qu'il n'aurait jamais dit vous avoir vue monter dans la voiture ce soir-là. Qu'entendait-il par là ?

— J'ignore ce qu'il voulait dire.

— Madame Krueger, vous étiez présente, il y a peu de temps, lorsque le docteur Garrett a réprimandé Joe pour avoir laissé traîner de la mort-aux-rats à proximité de l'avoine. Vous saviez l'effet que pouvait produire ce poison sur Baron.

Vous aviez entendu le docteur Garrett avertir Joe que la strychnine rendrait ce cheval fou furieux.

— Est-ce le docteur Garrett qui vous a dit cela ?

— Il m'a dit que Joe s'était montré négligent avec la mort-aux-rats et qu'il lui avait passé un savon devant Erich et vous.

— Qu'essayez-vous d'insinuer ?

— Je n'insinue rien, madame Krueger. Joe affirme qu'il a mélangé les deux récipients. Je ne le crois pas. Personne ne le croit.

— Joe vivra-t-il ?

— Trop tôt pour le dire. Même s'il vit, il restera très longtemps affaibli. S'il s'en tire d'ici les trois prochains jours, on le transportera à Mayo. » Le shérif se détourna, prêt à s'en aller. « Comme le dit sa mère, au moins, il sera en sécurité, là-bas. »

29

PRISE DANS LE RYTHME de sa grossesse, Jenny se mit à compter les jours et les semaines jusqu'à la date prévue de l'accouchement. Dans douze semaines, onze semaines, dix semaines, Erich aurait un fils. Il réintégrerait leur chambre. Elle se sentirait bien à nouveau. Les commérages n'auraient plus de raison de se répandre en ville. Le bébé serait le portrait d'Erich.

L'opération de Joe avait réussi, mais il ne pouvait pas quitter l'hôpital Mayo avant la fin du mois d'août. Maude logeait dans un appartement meublé près de l'hôpital. Jenny savait qu'Erich payait toutes les notes.

Erich montait Fille de Feu à présent, quand il emmenait les enfants faire une promenade à cheval. Il ne prononça plus jamais le nom de Baron devant Jenny. Elle avait su par Mark que Joe continuait à s'accuser d'avoir mélangé le poison avec l'avoine et à prétendre qu'il ignorait totalement ce qu'il avait voulu dire en déclarant avoir vu Jenny ce soir-là.

Mark n'eut pas besoin d'ajouter que personne ne le croyait.

Erich travaillait moins dans le chalet et plus à la ferme avec Clyde et les ouvriers. Lorsque Jenny lui en demanda la raison, il répondit : « Je ne me sens pas l'envie de peindre. »

Il se montra attentionné envers elle, mais distant. Elle avait toujours l'impression qu'il la surveillait. Ils passaient leurs soirées à lire dans le salon. Il lui parlait rarement, mais quand elle le regardait, elle le voyait baisser les paupières comme s'il ne voulait pas être surpris en train de la dévisager.

Le shérif Gunderson prit l'habitude de passer les voir une fois par semaine, soi-disant pour bavarder. « Si nous reparlions de cette soirée où Kevin MacPartland est venu chez vous, madame Krueger. » Ou alors, il se livrait à des suppositions. « Joe a un gros faible pour vous, n'est-ce pas ? Suffisamment pour vouloir vous protéger. N'avez-vous vraiment rien à dire, madame Krueger ? »

L'impression de sentir quelqu'un près d'elle la nuit dans la chambre ne la quittait pas. Le scénario était toujours le même. Elle commençait par rêver qu'elle se trouvait dans les bois ; quelque chose venait vers elle, rôdait autour d'elle ; elle tendait la main en avant et sentait une longue chevelure, une chevelure de femme. Le bruit d'une respiration se rapprochait. Elle cherchait à tâtons la lumière et, quand elle allumait, elle se retrouvait immanquablement seule dans la chambre.

Elle se résolut à en parler au docteur Elmendorf.

« Comment l'expliquez-vous ? demanda-t-il.

— Je ne sais pas. » Elle hésita. « Non, ce n'est pas tout à fait exact. Il me semble que mon rêve a un rapport avec Caroline. » Elle lui parla de la mère d'Erich, lui raconta que tout le monde autour d'elle semblait ressentir sa présence dans la maison.

« Je crains que votre imagination ne vous joue des tours. Voulez-vous que je vous arrange un rendez-vous chez un psychiatre ?

— Non. Vous avez sûrement raison, c'est mon imagination. »

Elle commença à dormir la lumière allumée, puis l'éteignit résolument. Le lit se trouvait placé à droite de la porte, le long du mur orienté à l'est, la tête de lit contre le côté nord. Jenny se demanda si Erich accepterait de le déplacer entre les fenêtres exposées au sud. Le clair de lune éclairait mieux la chambre à cet endroit. Jenny pourrait regarder dehors lorsqu'elle avait des insomnies. Le lit était dans un coin terriblement sombre.

Elle préféra ne rien demander.

Un matin, Beth questionna: «Maman, pourquoi ne m'as-tu pas parlé en rentrant dans ma chambre hier soir?

— Je ne suis pas venue dans ta chambre, ma Puce.

— Si, tu es venue!»

Serait-elle somnambule?

Les imperceptibles manifestations de vie en elle ne ressemblaient en rien aux vigoureux coups de pied que lui avaient donnés Beth et Tina. Faites que le bébé soit en bonne santé, suppliait-elle. Faites que je donne un fils à Erich.

La fraîcheur du soir succédait aux après-midi torrides d'août. Les bois prenaient déjà des nuances dorées. «L'automne sera précoce, prédit Rooney. Et quand les feuilles auront toutes jauni, votre patchwork sera terminé. Et vous pourrez vous aussi l'accrocher dans la salle à manger.»

Jenny évitait Mark le plus possible, se gardant de sortir de la maison si elle apercevait son break garé près du bureau. La croyait-il lui aussi capable d'avoir volontairement mis du poison dans l'avoine de Baron? Elle ne pourrait pas supporter ses soupçons.

Dès les premiers jours de septembre, Erich invita Mark et Luke Garrett à dîner. Il lui en parla incidemment. «Luke retourne en Floride jusqu'aux vacances. Je ne l'ai presque pas vu. Emily viendra avec eux. Je peux demander à Elsa de faire la cuisine.

— Non, c'est la seule chose que je puisse encore faire dans la maison. »

Le premier dîner qu'ils donnaient depuis le soir où le shérif Gunderson était venu lui annoncer la disparition de Kevin. Elle se sentit impatiente de revoir Luke Garrett. Elle savait qu'Erich allait régulièrement chez Mark. Il y avait amené Tina et Beth. Il ne lui faisait jamais part des endroits où il se rendait avec elles, déclarant seulement : « Je te débarrasse des enfants pour l'après-midi. Repose-toi bien, Jen. »

Ce n'était pas qu'elle eût envie de sortir. Elle ne voulait pas courir le risque de rencontrer des gens en ville. Comment la traiteraient-ils ? Tout sourire par-devant, pour jaser ensuite dans son dos ?

Erich parti avec les filles, Jenny faisait de longues marches dans la propriété. Elle se promenait le long de la rivière, s'efforçant de ne pas penser que la voiture de Kevin avait basculé dans l'eau au détour du chemin. Elle passait devant le cimetière. Des fleurs d'été poussaient sur la tombe de Caroline.

L'envie la prit de pénétrer dans les bois, de découvrir le chalet d'Erich. Elle s'aventura une fois à cinquante mètres à l'intérieur. L'épaisseur des branches masquait le soleil. Un renard passa en trombe devant elle, lui frôlant les jambes, à la poursuite d'un lièvre. Apeurée, elle fit demi-tour. Les oiseaux nichés dans les arbres battirent des ailes en signe de protestation sur son passage.

Elle avait commandé des vêtements de grossesse sur le catalogue de Dayton. Je suis enceinte de près de sept mois, songea-t-elle, et je rentre encore dans presque toutes mes affaires. Mais les chemisiers, pantalons et jupes neuves lui changèrent les idées. Elle se souvint de la modestie de ses achats lorsqu'elle était enceinte de Beth. Elle avait remis les mêmes vêtements pour Tina. Cette fois-ci, Erich lui avait dit : « Commande tout ce que tu désires. »

Le soir du dîner, elle portait une robe simple et bien coupée, en soie vert émeraude, et ornée d'un col de dentelle. Jenny savait qu'Erich l'aimait dans cette couleur. Elle allait bien avec ses yeux. Comme la chemise de nuit aiguemarine.

Les Garrett et Emily arrivèrent ensemble. Jenny eut l'impression de déceler une intimité nouvelle entre Mark et Emily. Ils s'assirent l'un près de l'autre sur le canapé. À un moment donné, la main d'Emily resta posée sur le bras de Mark. Peut-être sont-ils fiancés ? Cette éventualité lui porta un coup. Pourquoi ?

Emily faisait un effort visible pour paraître aimable. Mais il était difficile de trouver un sujet de conversation. Elle parla de la fête du comté. « Si banales qu'elles puissent paraître, je m'y amuse toujours. Et tout le monde s'est extasié sur vos filles.

— Nos filles, sourit Erich. Oh, à propos, vous serez sans doute tous très heureux d'apprendre que l'adoption est définitive. Beth et Tina sont légalement et irrévocablement des petites Krueger. »

Jenny s'y attendait, bien entendu. Mais depuis quand Erich le savait-il ? Il avait depuis peu cessé de lui demander si elle voyait un inconvénient à ce qu'il emmenât les enfants avec lui. Parce qu'elles étaient « légalement et irrévocablement » des petites Krueger ?

Luke Garrett resta très silencieux. Il s'était installé dans le fauteuil à oreillettes. Jenny comprit vite pourquoi. De là, il voyait mieux le portrait de Caroline. Ses yeux avaient du mal à s'en détacher. Qu'avait-il voulu dire en la mettant en garde contre d'éventuels accidents ?

Le dîner se déroula pour le mieux. Jenny avait préparé une bisque d'écrevisses à la tomate d'après la recette d'un vieux livre de cuisine. Luke haussa les sourcils. « Erich, si je me souviens bien, c'était l'une des spécialités de ta grand-mère lorsque tu étais petit. C'est délicieux, Jenny. »

Comme pour compenser son silence du début, il se mit à

raconter ses souvenirs d'enfance. «Ton père, dit-il à Erich, fut aussi proche de moi que vous l'avez toujours été, toi et Mark.»

Ils rentrèrent chez eux à 22 heures. Erich aida Jenny à débarrasser la table. Il paraissait satisfait de la soirée. «Il semble que Mark et Emily aient l'intention de se fiancer, dit-il. Luke serait ravi. Il lui tarde de voir Mark s'installer.

— J'ai eu cette impression moi aussi», déclara Jenny. Elle eut beau faire, elle ne parvint pas à prendre un ton enjoué.

Le froid se fit plus intense quand arriva octobre. Les rafales cinglantes de vent dépouillèrent les arbres de leur parure d'automne; l'herbe ternit sous le gel; la pluie devint glaciale. La chaudière ronflait constamment à présent. Tous les matins, Erich allumait du feu dans le poêle de la cuisine. Beth et Tina descendaient prendre leur petit déjeuner chaudement emmitouflées dans leur robe de chambre, impatientes d'assister à la première chute de neige.

Jenny ne quitta pratiquement plus la maison. Les longues marches la fatiguaient trop et le docteur Elmendorf les lui avait déconseillées. Elle souffrait souvent de crampes dans les jambes et redoutait de tomber. Rooney passa la voir tous les après-midi. À elles deux, elles avaient cousu la layette du bébé. «Je ne saurai jamais coudre correctement», soupirait Jenny. Mais elle éprouvait malgré tout un plaisir réel à confectionner de simples brassières dans le tissu à fleurs que Rooney avait commandé en ville.

C'est Rooney qui lui montra le moïse des Krueger recouvert de draps dans un coin du grenier. «Je vais lui faire une nouvelle garniture», dit-elle. L'activité semblait la stimuler et pendant plusieurs jours de suite elle ne montra plus aucun signe de trouble.

«Je mettrai le moïse dans l'ancienne chambre d'Erich, lui dit Jenny. Je ne veux pas déménager les filles et les autres chambres sont trop éloignées. J'aurais peur de ne pas entendre le bébé la nuit.

— C'est ce que disait Caroline, répliqua spontanément Rooney. Vous savez, la chambre d'Erich faisait autrefois partie de la chambre principale, un genre d'alcôve en quelque sorte. Caroline y avait installé le moïse et une table à langer. John ne supporta pas d'avoir le bébé dans sa chambre. Il ne voyait pas l'intérêt d'habiter une grande maison si c'était pour marcher sur la pointe des pieds à cause d'un nouveau-né. C'est à ce moment-là qu'on a installé la cloison.

— Quelle cloison?

— Erich ne vous l'a pas dit? Votre lit était alors situé contre le mur orienté au sud. La porte coulissante se trouve derrière l'endroit où s'appuie actuellement la tête du lit.

— Montrez-moi, Rooney. »

Elles montèrent dans l'ancienne chambre d'Erich. « Bien sûr, vous ne pouvez pas l'ouvrir de votre côté, à cause du lit, dit Rooney. Mais voyez. » Elle poussa le fauteuil à bascule et désigna une poignée encastrée dans le papier mural. « Regardez comme elle coulisse bien. »

La cloison glissa sans bruit. « Caroline l'avait fait installer ainsi de façon à pouvoir diviser les deux pièces lorsque Erich serait plus grand. C'est mon Clyde qui a monté la cloison. Avec l'aide de Josh Brothers. Ils ont fait du bon travail, hein? Vous n'auriez jamais deviné sa présence. »

Jenny resta un moment debout dans l'ouverture. Elle se trouvait juste derrière la tête du lit. Elle se pencha. Voilà pourquoi elle avait senti une présence, touché un visage. Les cheveux de Rooney étaient sûrement très longs quand elle dénouait son chignon. « Rooney, demanda-t-elle en s'efforçant de prendre un ton désinvolte, n'avez-vous jamais ouvert cette cloison la nuit? Peut-être pour jeter un coup d'œil sur moi?

— Je ne crois pas. Mais, Jenny... » Rooney approcha ses lèvres de l'oreille de Jenny. « Je ne veux pas en parler à Clyde parce qu'il me prendrait pour une folle. Il me fait peur, parfois. Il parle de m'éloigner d'ici pour mon bien. Mais, Jenny, j'ai vu Caroline rôder autour de la maison au cours de ces derniers mois. Je l'ai suivie, et je l'ai vue monter par l'escalier du fond. Alors, vous comprenez, si Caroline peut revenir, Arden reviendra peut-être, elle aussi. »

30

CETTE FOIS-CI, le vrai travail commençait. Jenny resta calmement allongée, calculant le temps entre les contractions. Espacées toutes les dix minutes pendant deux heures, elles se rapprochèrent soudain à intervalles de cinq minutes. Elle caressa doucement la petite bosse dans son ventre. Nous y voilà, monsieur Krueger junior. Pendant un moment, j'ai cru que nous n'y arriverions pas.

Le docteur Elmendorf s'était montré satisfait non sans réserve, lors de la dernière consultation. « Le bébé pèse environ cinq livres, avait-il dit. J'aurais préféré un peu plus, mais c'est un poids acceptable. Franchement, j'ai bien cru que vous alliez accoucher prématurément. » Il lui avait fait un scanner. « Vous avez raison, madame Krueger, vous attendez un fils. »

Elle sortit dans le couloir pour prévenir Erich. La porte de sa chambre était fermée. Elle n'y était jamais entrée. Elle frappa avec hésitation. « Erich », appela-t-elle doucement.

Il n'y eut aucune réponse. Se serait-il rendu au chalet pendant la nuit ? Il s'était remis à peindre, mais revenait toujours à la maison pour le dîner. Même s'il repartait au chalet pendant la soirée, il n'y restait jamais toute la nuit.

Elle lui avait parlé de la cloison entre son ancienne chambre d'enfant et la chambre principale. «Mon Dieu, Jen, j'avais complètement oublié tout ça. Pourquoi t'es-tu mis dans la tête que quelqu'un l'a ouverte ? Je parie que dans cette maison Rooney entre et sort comme elle veut. Je t'avais prévenue de ne pas trop te lier avec elle. »

Elle n'avait pas osé lui raconter que Rooney croyait avoir aperçu Caroline.

Elle ouvrit la porte de la pièce qu'occupait Erich, alluma. Le lit n'était pas défait. Erich n'était pas là.

Elle devait partir pour l'hôpital. Il était 4 heures du matin. Avant 7 heures, personne ne serait debout. À moins…

Pieds nus, Jenny traversa le couloir à pas feutrés, passa devant les portes fermées des autres chambres. Erich n'utilisait jamais aucune d'entre elles. Sauf…

Elle ouvrit tout doucement la porte de sa chambre d'enfant. Sur la commode, la coupe de l'équipe junior de base-ball brillait dans le clair de lune. Le moïse était près du lit, tout vaporeux avec sa nouvelle garniture en soie jaune et son voile blanc.

Le couvre-lit était froissé. Erich dormait, le corps recroquevillé dans sa position fœtale préférée. Sa main reposait sur le moïse comme s'il s'était endormi en le tenant. Une réflexion de Rooney lui revint en mémoire. «Je vois encore Caroline berçant son petit garçon dans ce moïse pour le calmer. J'ai souvent dit à Erich qu'il avait beaucoup de chance d'avoir eu une mère aussi patiente.

— Erich », chuchota Jenny en lui touchant l'épaule.

Il ouvrit brusquement les yeux, se dressa d'un coup. «Jenny, que se passe-t-il ?

— Je crois qu'il est temps de partir pour l'hôpital. »

Il sortit promptement du lit, la prit dans ses bras. «Quelque chose m'a poussé à venir ici cette nuit, pour être près de toi. Je me suis endormi en pensant combien il serait merveilleux de voir notre petit garçon dans ce moïse. »

Il ne l'avait pas touchée depuis des semaines. Elle se rendit compte à quel point lui avait manqué l'étreinte de ses bras autour d'elle. Elle leva les mains vers son visage.

Ses doigts sentirent la courbe des joues dans le noir, la douceur des paupières.

Elle eut un frisson.

« Qu'y a-t-il, chérie ? Tu ne te sens pas bien ? »

Elle soupira. « Je ne sais pas, j'ai eu très peur tout d'un coup. On dirait vraiment que c'est mon premier bébé, tu ne trouves pas ? »

La lumière du plafond dans la salle d'accouchement était trop forte. Elle lui faisait mal aux yeux. Jenny perdait conscience par intermittence. Erich, masqué et vêtu d'une blouse blanche comme les médecins et les infirmières, ne la quittait pas du regard. Pourquoi Erich passait-il son temps à la surveiller ?

Une dernière poussée douloureuse. Maintenant, pensat-elle. Maintenant ! Le docteur Elmendorf leva en l'air un petit corps tout mou. Ils se penchèrent tous sur lui. « Oxygène. »

Il fallait que le bébé vive. « Donnez-le-moi. » Mais elle ne put articuler un seul mot. Ses lèvres étaient figées.

« Montrez-le-moi », dit Erich. Il avait un ton inquiet, nerveux. Puis elle entendit un murmure déçu. « Il a les mêmes cheveux que les filles, des *cheveux auburn !* »

La pièce était dans l'obscurité lorsqu'elle ouvrit à nouveau les yeux. Une infirmière se tenait assise auprès du lit.

« Le bébé ?

— Tout ira bien, dit l'infirmière d'un ton rassurant. Il nous a seulement fait un peu peur. Essayez de dormir.

— Mon mari ?

— Il est rentré chez lui. »

Qu'avait dit Erich dans la salle d'accouchement ? Elle ne parvenait pas à s'en souvenir.

Elle flotta dans un demi-sommeil. Dans la matinée, un pédiatre entra dans sa chambre. « Je suis le docteur Bovitch. Les poumons du bébé ne sont pas parfaitement développés. Il a quelques difficultés, mais nous le tirerons de là, jeune maman. Je vous le promets. Cependant, étant donné que vous avez déclaré être de religion catholique, nous avons cru bon de le faire baptiser la nuit dernière.

— Va-t-il si mal ? Je veux le voir.

— Vous pourrez vous rendre au bloc stérile dans un petit moment. Il doit encore rester sous oxygène. Kevin est un beau petit bébé, madame Krueger.

— *Kevin* !

— Oui. Avant de le baptiser, le prêtre a demandé à votre mari quel nom vous comptiez lui donner. C'est bien ça, n'est-ce pas ? Kevin MacPartland Krueger ? »

Erich arriva avec une pleine brassée de longues roses rouges. « Jenny, Jenny, ils disent qu'il s'en sortira. Le bébé s'en sortira. J'ai pleuré toute la nuit en rentrant à la maison. Je croyais que c'était sans espoir.

— Pourquoi leur as-tu dit qu'il s'appelait Kevin Mac-Partland ?

— Chérie, ils ne lui donnaient pas plus de quelques heures à vivre. J'ai voulu réserver le nom d'Erich pour un fils qui serait bien vivant. C'est le seul autre prénom qui me soit venu à l'esprit. Je pensais te faire plaisir.

— Change-le.

— Bien sûr, chérie. Il s'appellera Erich Krueger sur son certificat de naissance. »

Pendant la semaine qu'elle passa à l'hôpital, Jenny s'obligea à manger, à ménager ses forces, à combattre la dépression qui la minait. Au bout du quatrième jour on sortit le bébé de la tente à oxygène et elle put le prendre dans ses bras. Il était si frêle. Elle crut mourir de tendresse quand la petite bouche lui prit le sein. Elle n'avait nourri ni Beth ni Tina, forcée de reprendre au plus tôt son travail. Mais elle donnerait tout son temps, toute son énergie à cet enfant-là.

Le bébé avait cinq jours quand elle quitta l'hôpital. Pendant les trois semaines suivantes, elle revint chaque jour toutes les quatre heures pour le nourrir. Tantôt Erich la conduisait, tantôt il lui prêtait la voiture. « Je ferai n'importe quoi pour le bébé, chérie. »

Les filles s'habituèrent à ce qu'elle les laissât. Elles s'y résignèrent après quelques protestations. « Ça ne fait rien, dit Beth à Tina. Papa s'occupera de nous et on s'amusera bien avec lui. »

Il l'entendit. « Qui préférez-vous, maman ou moi ? dit-il en les soulevant de terre.

— Toi, papa », répondit Tina en gloussant. La petite fille avait déjà appris les réponses qu'Erich désirait entendre, pensa Jenny.

Beth hésita, jeta un coup d'œil vers sa mère. « Je vous aime tous les deux pareil. »

Le lendemain de Thanksgiving, on permit enfin à Jenny de ramener le bébé à la maison. Elle habilla tendrement le petit corps, heureuse de remplacer la grossière chemise d'hôpital par une brassière toute neuve, déjà lavée pour adoucir les fibres du coton. Une longue chemise à fleurs, la combinaison et le bonnet en laine bleue, une petite couverture, le nid d'ange en flanelle bordée de satin.

Il faisait un froid cinglant dehors. Novembre avait apporté une neige glacée, incessante. Le vent sifflait dans les arbres, agitant sans répit les branches dénudées. Des volutes de fumée s'échappaient en permanence des cheminées de la maison et du bureau, montaient du faîte de la ferme de Clyde et de Rooney près du cimetière.

Mark et Emily vinrent voir le bébé. « Il est ravissant,

déclara Emily. Erich passe son temps à montrer sa photo à tout le monde.

— Merci pour les fleurs, murmura Jenny, et vos parents m'ont envoyé un bouquet superbe. J'ai téléphoné à votre mère pour la remercier, mais elle n'était apparemment pas chez elle. »

Le « apparemment » était délibéré. Jenny aurait pu jurer que Mme Hanover était chez elle lorsqu'elle avait appelé.

« Ils sont très heureux pour vous… et pour Erich, naturellement, dit vivement Emily. J'espère seulement que cela donnera des idées à quelqu'un. » Elle rit en regardant Mark.

Il lui sourit en retour.

On ne fait pas de telles allusions sans être sûr de soi, pensa Jenny.

Elle s'efforça de prendre l'air désinvolte. « Eh bien, docteur Garrett, que pensez-vous de mon fils ? Gagnera-t-il un prix à la fête du comté ?

— Un vrai pur-sang », répliqua Mark. Sa voix trahissait quelque chose. Une inquiétude ? De la pitié ? Était-il comme elle sensible à l'aspect si chétif du bébé ?

Elle en était sûre.

Rooney se montra une nurse accomplie. Elle aimait par-dessus tout donner son biberon complémentaire au bébé après que Jenny l'eut nourri au sein. Ou bien elle lisait une histoire aux fillettes une fois le nouveau-né endormi.

Jenny apprécia cette aide. Le bébé l'inquiétait. Il dormait trop, il était trop pâle. Ses yeux commençaient à fixer les mouvements. Ils seraient grands et légèrement en amande, comme ceux d'Erich. Ils avaient une couleur bleu de Chine pour l'instant. « Mais je suis certaine d'y voir des points verts. Je parie qu'il aura les yeux de ta mère, Erich. Tu serais content ?

— Très content. »

Il déménagea le lit à baldaquin vers le mur orienté au sud. Elle laissa la cloison ouverte entre la chambre principale et la petite pièce. Jenny pouvait ainsi entendre chaque bruit que faisait le bébé dans son moïse.

Erich n'avait pas réintégré leur chambre.

« Tu as encore besoin de te reposer, Jenny.

— Tu peux venir dormir avec moi. Cela me ferait plaisir.

— Pas encore. »

Elle préférait cela, au fond. Le bébé occupait toutes ses pensées. Il avait perdu cent quatre-vingts grammes à la fin du premier mois. Le pédiatre prit l'air grave. « Nous allons augmenter la dose dans le biberon. Je crains que votre lait ne soit pas assez nourrissant pour lui. Mangez-vous correctement ? Quelque chose vous tourmente-t-il ? Souvenez-vous qu'une mère détendue rend un bébé plus heureux. »

Elle se força à manger, à grignoter, à boire des verres de milk-shakes. Le bébé commençait toujours par téter avec avidité, puis il se fatiguait et s'endormait. Elle en parla au médecin.

« Il serait préférable de faire des analyses. »

Le bébé resta trois jours à l'hôpital. Elle dormit dans une pièce près de la nurserie. « Ne te fais pas de souci pour mes filles, Jenny, je m'occuperai d'elles.

— Je sais, Erich. »

Elle vécut pour les instants où elle tenait l'enfant dans ses bras.

L'une des valves cardiaques était déficiente. « Il faudra sans doute l'opérer plus tard, mais on ne peut pas en prendre le risque tout de suite. »

Elle se souvint de la malédiction de Maude Eckers. « Dieu maudisse l'enfant que vous portez. » Ses bras se refermèrent autour du nouveau-né endormi.

« L'opération comporte-t-elle un danger ?

— Toute opération comporte un risque. Mais la plupart des bébés s'en tirent très bien. »

À nouveau, elle ramena le bébé à la maison. Le duvet de la naissance commençait à tomber. Des petites mèches aux reflets dorés le remplaçaient peu à peu. « Il aura tes cheveux, Erich.

— Je crois qu'il restera roux comme les filles. »

Décembre arriva. Beth et Tina firent de longues listes pour le Père Noël. Erich installa un sapin immense dans le coin près du poêle. Les petites l'aidèrent. Jenny les regarda faire, le bébé dans les bras. Elle ne supportait pas de le poser. « Il dort mieux comme ça, disait-elle. Il a toujours l'air d'avoir si froid. C'est à cause de sa mauvaise circulation.

— Il me semble parfois que personne d'autre que lui ne t'intéresse, fit remarquer Erich. Je dois t'avouer que nous nous sentons complètement délaissés, Tina, Beth et moi. »

Il emmena les deux petites filles voir le Père Noël dans une galerie commerçante des environs. « Quelle liste ! racontat-il avec indulgence. J'ai dû recopier tout ce qu'elles commandaient. Pour le plus important, il semble qu'elles voudraient surtout des berceaux et des poupées. »

Luke était revenu passer les vacances dans le Minnesota. Il vint leur rendre visite avec Mark et Emily l'après-midi de Noël. Emily se montra charmante. Elle fit admirer un ravissant sac à main en cuir. « Le cadeau de Mark. Il est très joli, n'est-ce pas ? »

Jenny se demanda si elle s'était attendue à une bague de fiançailles.

Luke voulut prendre le bébé dans ses bras. « C'est une petite merveille.

— Et il a pris deux cent quarante grammes, annonça fièrement Jenny. N'est-ce pas, mon Pitou ?

— L'appelez-vous toujours Pitou ? interrogea Emily.

— Cela doit paraître un peu ridicule. Mais Erich me semble un prénom un peu trop solennel pour un si petit bout. Il faudra qu'il grandisse pour le porter. »

Elle les regarda en souriant. Erich resta impassible. Mark, Luke et Emily échangèrent un regard étonné. Bien sûr, ils avaient sans doute lu l'annonce de la naissance du bébé dans

242

le journal, l'annonce dans laquelle il figurait sous le nom de Kevin. Mais Erich ne leur avait-il pas expliqué?

Emily s'empressa de rompre le silence embarrassé. Se penchant sur le nouveau-né, elle fit remarquer: «Je crois qu'il aura la même couleur de cheveux que vos filles.

— Oh! je suis certaine qu'il sera blond comme Erich.» Jenny retrouva son sourire. «Donnez-lui six mois et nous aurons un vrai Krueger aux cheveux filasse.» Elle prit l'enfant des bras de Luke. «Tu seras tout le portrait de ton papa, hein, mon Pitou?

— C'est ce que je passe mon temps à dire», fit remarquer Erich.

Elle sentit son sourire se figer sur ses lèvres. Non! Il n'insinuait pas ça! Elle les scruta l'un après l'autre. Emily semblait terriblement gênée. Luke regardait droit devant lui. Mark avait un visage glacial. Elle eut l'impression qu'il était en colère. Erich souriait tendrement au bébé.

Elle eut la certitude absolue qu'Erich n'avait pas changé le nom sur le certificat de naissance.

Le bébé se mit à geindre. «Mon pauvre petit chéri», dit-elle. Elle se leva. «Si vous voulez bien m'excuser, je dois…» Elle s'arrêta, puis termina posément: «Je dois m'occuper de Kevin.»

Longtemps après que le bébé se fut endormi, Jenny resta près du moïse. Elle entendit Erich monter avec les enfants, leur parler à voix basse. «Il ne faut pas réveiller le bébé. Je dirai bonsoir à maman pour vous. C'était un beau Noël, n'est-ce pas?»

Je ne peux pas continuer à vivre comme ça, pensa Jenny.

Elle finit par redescendre. Erich avait refermé toutes les boîtes des cadeaux et les avait rangées autour de l'arbre. Il portait la veste en velours qu'elle avait commandée pour lui chez Dayton. Le bleu profond lui allait bien. Toutes les couleurs fortes lui allaient, constata-t-elle.

«Jen, je suis très heureux de mon cadeau. J'espère que le tien t'a fait plaisir à toi aussi.» Il lui avait offert une veste en vison blanc.

Sans attendre sa réponse, il continua à mettre de l'ordre, puis il dit: «Les filles se sont ruées sur ces berceaux, tu as vu? On aurait dit que c'était leur seul cadeau. Quant au bébé... eh bien, il est un petit peu trop jeune pour les apprécier, mais sous peu il s'amusera avec tous ses animaux en peluche.

— Erich, où se trouve son certificat de naissance?

— Dans un dossier au bureau, chérie. Pourquoi?

— Quel est le nom qui y figure?

— Son nom, Kevin.

— Tu m'avais dit que tu l'avais changé.

— J'aurais commis une terrible erreur en le faisant.

— Pourquoi?

— Jenny, n'avons-nous pas suffisamment défrayé la chronique? Que diraient les gens d'ici si nous rectifiions le nom du bébé? Mon Dieu, ils en auraient pour dix ans à jaser! N'oublie pas que nous n'étions pas tout à fait mariés depuis neuf mois quand il est né.

— Mais *Kevin*. Tu l'as appelé *Kevin*.

— Je t'ai expliqué pourquoi. Jenny, les bavardages ont pratiquement cessé. Lorsque les gens parlent de l'accident, ils ne mentionnent pas le nom de Kevin. Ils parlent du premier mari de Jenny Krueger, le type qui l'a suivie dans le Minnesota et qui s'est fichu dans la rivière. Mais je peux te certifier une chose. Si nous changions maintenant le nom du bébé, tout le monde dans le pays chercherait à savoir pourquoi pendant les cinquante prochaines années. Alors, oui, on se souviendrait de Kevin MacPartland.

— Erich, demanda-t-elle craintivement. As-tu une autre raison pour ne pas avoir rectifié le certificat de naissance? Le bébé est-il plus malade que je ne le crois? Voulais-tu garder ton prénom pour un enfant qui vivrait? Dis-le-moi, Erich. Je t'en prie. Me cachez-vous quelque chose, le médecin et toi?

244

— Non, non ! » Il s'approcha d'elle, les yeux remplis de tendresse. « Jenny, ne le vois-tu pas ? Tout va bien. Il faut cesser de t'inquiéter. Le bébé forcit de jour en jour. »

Elle avait une autre question à lui poser. « Erich, tu as dit quelque chose dans la salle d'accouchement, tu as dit que le bébé avait les cheveux auburn comme les filles. Kevin avait les cheveux auburn. Erich, dis-moi, promets-moi, tu n'insinues tout de même pas que Kevin était le père du bébé ? Tu ne peux pas croire ça !

— Pourquoi le croirais-je ?

— À cause de cette réflexion sur ses cheveux. » Elle sentit sa voix trembler. « Cet enfant sera ton portrait. Tu vas voir. Ses nouveaux cheveux sont tout blonds. Mais quand les autres étaient ici… cet après-midi… ta façon de me reprendre lorsque j'ai dit qu'il ressemblerait à son papa… la façon dont tu as répliqué : "C'est ce que je passe mon temps à dire." Erich, tu ne peux tout de même pas penser que Kevin est le père du bébé ? »

Elle le fixa. Le velours bleu donnait des reflets ambrés à ses cheveux blonds. Elle remarqua pour la première fois combien ses cils et ses sourcils étaient foncés. Elle se souvint des tableaux dans ce palais à Venise où des générations de doges au visage mince, à l'air arrogant, jetaient un regard de dédain sur la foule des touristes. Il y avait un peu de ce mépris dans les yeux d'Erich en cet instant.

Elle vit ses mâchoires se contracter. « Jenny, quand mettras-tu fin à ta manie d'interpréter de travers tout ce que je fais ou dis ? Je me suis montré bon pour toi. Je vous ai sorties de ce misérable studio, toi et les filles, pour vous amener dans cette belle maison. Je t'ai offert des bijoux, des vêtements, des fourrures. Tu pouvais obtenir tout ce que tu désirais et tu as néanmoins permis à Kevin MacPartland de te rejoindre et de provoquer un scandale. Je suis sûr qu'il n'est pas un foyer dans toute la région où l'on ne parle pas de nous le soir au dîner. Je te pardonne, mais tu n'as pas le droit de t'en prendre à moi, de douter de chaque mot qui sort de ma bouche. Allons, montons maintenant. Il est temps que je revienne dormir auprès de toi. »

Ses mains étaient crispées sur les bras de Jenny. Tout son corps était si tendu. Il y avait quelque chose d'effrayant en lui. Troublée, elle détourna la tête.

« Erich, dit-elle doucement, nous sommes tous les deux très fatigués. Nos nerfs ont été mis à rude épreuve pendant longtemps. Il me semble que tu devrais te remettre à peindre. Tu as pratiquement cessé de te rendre au chalet depuis la naissance du bébé. Reste dans ta chambre actuelle cette nuit, et pars tôt demain matin. Mais couvre-toi bien ; il doit faire froid là-bas, à présent.

— Comment sais-tu qu'il y fait froid ? Quand y es-tu allée ?

— Erich, tu sais bien que je n'y suis jamais allée.

— Alors, comment savais-tu… ?

— Chut, écoute. » Ils entendirent un gémissement au premier étage.

« C'est le bébé. » Jenny pivota et grimpa quatre à quatre les escaliers, Erich sur ses talons. Le bébé battait des bras et des jambes. Il avait les joues trempées. Ils le virent se mettre à sucer son poing serré.

« Oh ! Erich, regarde. Il pleure de vraies larmes. » Elle se pencha tendrement et le souleva dans ses bras. « Là, là, mon petit Pitou. Je sais que tu as faim, mon bel agneau. Erich, il prend des forces. »

Elle entendit la porte se refermer. Erich avait quitté la pièce.

31

ELLE RÊVA d'un pigeon. Il avait un aspect terriblement menaçant. Il volait dans la maison, elle devait l'attraper. Il n'aurait pas dû se trouver dans la maison. Il entrait dans la chambre des enfants et elle le suivait. Affolé, il volait dans tous les sens autour de la pièce. Soudain, il lui échappait et se dirigeait dans un battement d'ailes vers la chambre du bébé. Il se posait sur le moïse. Elle se mit à crier, non, non, non.

Elle se réveilla en larmes et se précipita vers le bébé. Il dormait à poings fermés.

Erich avait laissé un mot sur la table de la cuisine. « Ai suivi ton conseil. Resterai peindre au chalet pendant quelques jours. »

Au petit déjeuner, Tina leva la tête de son bol de céréales et demanda : « Maman, pourquoi tu ne m'as rien dit quand tu es venue dans ma chambre hier soir ? »

Rooney passa la voir dans l'après-midi et s'aperçut la première que le bébé avait de la fièvre.

Clyde et elle avaient passé la soirée de Noël avec Maude

et Joe. « Joe va beaucoup mieux, raconta Rooney à Jenny. Ça leur a fait du bien d'aller en Floride après l'hôpital à lui et à Maude. Ils sont revenus drôlement en forme et tout bronzés. On va lui enlever son corset le mois prochain.

— Je suis si heureuse.

— Bien sûr, Maude est bien contente de se retrouver chez elle. Elle m'a raconté qu'Erich a été très généreux avec eux. Mais vous le savez sans doute. Il a payé toutes les notes de l'hôpital et leur a donné un chèque de cinq cents dollars en plus. Il a écrit à Maude qu'il se sentait responsable. »

Jenny était en train de coudre le dernier carré de son patchwork. Elle leva les yeux.

« *Responsable* ?

— Je ne sais pas ce qu'il entend par là. Mais Maude a des remords parce que le bébé ne se porte pas bien. Elle se souvient de vous avoir dit des choses horribles. »

Jenny se rappela les choses horribles.

« M'est avis que Joe a reconnu qu'il avait une sacrée gueule de bois ce matin-là ; il continue à dire qu'il a dû mélanger le poison et l'avoine.

— Joe a dit cela ?

— Oui. En tout cas, Maude voulait que je vous fasse ses excuses. Quand ils sont rentrés la semaine dernière, Joe est allé de lui-même parler au shérif. Il est malade de tous les bruits qui courent autour de son accident. Vous savez, à cause de cette drôle de phrase, quand il a dit qu'il vous avait vue. Il ne comprend pas pourquoi il a été dire ça. »

Pauvre Joe, pensa Jenny, qui s'évertue à réparer l'irréparable et ne fait qu'empirer les choses en les ramenant à la surface.

« Dites donc, Jenny, vous rendez-vous compte que votre patchwork est pratiquement terminé. Il est rudement joli. Ça vous en a demandé de la patience !

— J'étais bien contente de l'avoir à faire, dit Jenny.

— L'accrocherez-vous dans la salle à manger à côté de celui de Caroline ?

— Je n'y ai pas réfléchi. »

Elle n'avait pas pensé à grand-chose aujourd'hui, obsédée par l'idée qu'elle était peut-être somnambule. Dans son rêve, elle avait essayé de chasser un pigeon de la chambre des filles. Mais s'était-elle rendue effectivement dans la pièce ?

Il y avait trop d'incidents de ce genre depuis ces derniers mois. Elle en parlerait au docteur Elmendorf la prochaine fois. Peut-être avait-elle besoin de consulter un psychiatre ?

J'ai si peur, se dit-elle.

Elle s'était mise à douter qu'Erich puisse lui pardonner un jour d'avoir compromis sa réputation. Malgré leurs efforts communs, rien ne serait plus jamais comme avant. Et bien qu'il le niât, elle était sûre qu'Erich se demandait inconsciemment s'il était vraiment le père du bébé. Elle ne supporterait pas de vivre avec ce poids entre eux deux.

Mais le bébé était un Krueger et il avait besoin de la plus grande surveillance médicale que seule la fortune d'Erich pouvait lui offrir. Une fois le bébé opéré et bien portant, si les choses ne s'amélioraient pas, Jenny s'en irait. Elle se représenta sa vie à New York, le travail à la galerie, la garderie, les enfants à ramener le soir, les retours au pas de course pour préparer le dîner. Ce ne serait pas facile. Mais rien n'était facile et bien des femmes s'en tiraient. Et tout serait préférable à cet affreux sentiment d'isolement, cette impression de perdre contact avec la réalité.

Les cauchemars. Les crises de somnambulisme. L'amnésie. Fallait-il aussi envisager l'amnésie ? Elle n'avait souffert d'aucun déséquilibre nerveux à New York. Même éreintée en fin de journée, elle dormait toujours comme un loir. Peut-être n'avait-elle pas eu beaucoup de temps à consacrer aux filles alors, mais aujourd'hui il lui semblait qu'elle n'en avait pas du tout. Le bébé lui prenait toutes ses pensées et Erich entraînait régulièrement Beth et Tina dans des sorties auxquelles elle ne pouvait ou ne voulait pas participer.

Je veux me retrouver chez moi, pensa-t-elle. Chez elle n'était pas un endroit, ni même une maison ou un appartement. Chez elle, c'était là où l'on peut fermer la porte et être en paix.

Ce pays. Même à cette saison. La neige tombait, le vent soufflait. Elle aimait la rudesse de l'hiver. Elle se représentait la maison telle qu'elle avait commencé à l'arranger. Les lourds rideaux enlevés, la table près de la fenêtre, les amis qu'elle avait espéré trouver, les réceptions qu'elle aurait données pendant les vacances.

« Jenny, vous avez l'air si triste », dit soudain Rooney.

Elle s'efforça de sourire. « C'est seulement… » Sa voix se brisa.

« C'est mon plus beau Noël depuis le départ d'Arden. Voir les enfants si heureuses et pouvoir vous aider à soigner le bébé. »

Jenny se rendit compte que Rooney n'avait jamais appelé le bébé par son prénom.

Elle souleva le patchwork. « Voilà Rooney. Il est terminé. »

Beth et Tina jouaient avec leurs nouveaux livres de jeux. Beth leva les yeux. « Il est très joli, maman. Tu sais très bien coudre. »

Tina ajouta spontanément : « Je l'aime mieux que celui sur le mur. Papa a dit que le tien ne serait jamais aussi joli que celui sur le mur, mais je trouve que c'était pas gentil. »

Elle baissa la tête sur son livre. L'attitude de tout son corps offrait l'image même de la désolation.

Jenny ne put s'empêcher de sourire. « Oh ! mon Vif-Argent, quelle comédienne tu fais ! » Elle s'approcha d'elle, s'agenouilla et l'étreignit contre sa poitrine.

Tina la serra de toutes ses forces. « Oh ! maman. »

Je leur ai donné trop peu de temps depuis la venue du bébé, pensa Jenny. « Écoutez, dit-elle, nous allons descendre Pitou ici dans quelques minutes. Si vous vous lavez bien les mains, vous pourrez le tenir dans vos bras. »

Rooney interrompit leurs cris d'enthousiasme. « Jenny, est-ce que je peux aller le chercher ?

— Bien sûr, je prépare sa bouillie. »

Rooney ne fut pas longue à revenir. Elle avait l'air inquiet. « Je crois qu'il a de la fièvre. »

Le docteur Bovitch arriva à 17 heures. « Il vaudrait mieux l'amener à l'hôpital.

— Non, je vous en prie. » Jenny s'efforça de maîtriser le tremblement de sa voix.

Le pédiatre hésita. « Nous pourrions peut-être attendre jusqu'à demain matin. Le problème avec les nouveau-nés, c'est que la fièvre peut monter extrêmement vite. D'un autre côté, je ne suis pas très chaud pour le faire sortir par un temps pareil. Bon. Nous verrons comment il ira demain matin. »

Rooney resta pour préparer le dîner. Jenny donna de l'aspirine au bébé. Elle-même était glacée jusqu'aux os. Avait-elle attrapé froid ou était-elle simplement transie d'inquiétude ? « Rooney, voulez-vous me passer mon châle, je vous prie ? »

Elle l'enroula autour de ses épaules, y nicha le bébé blotti dans ses bras.

« Oh ! mon Dieu ! » Rooney était devenue blême.

« Qu'y a-t-il, Rooney ?

— C'est ce châle. Je ne m'étais pas aperçue en le faisant que la couleur... avec vos cheveux foncés... pendant une minute, j'ai cru voir le tableau de Caroline. Cela m'a fait un drôle d'effet. »

Clyde devait venir rechercher Rooney à 19 h 30. « Il ne veut pas que je me promène seule dehors le soir, confia Rooney. Il dit qu'il en a assez de mes divagations après.

— Quelles divagations ? » questionna distraitement Jenny.

Le bébé dormait. Il semblait avoir du mal à respirer. « Vous savez bien, répondit Rooney baissant la voix dans un chuchotement. Un jour, dans une de mes crises, quand je dis tout ce qui me passe par la tête, j'ai raconté à Clyde que je voyais

251

tout le temps Caroline errer dans les parages. Cela l'a rendu fou furieux. »

Jenny frissonna. Rooney semblait pourtant aller si bien ces derniers temps. Elle n'avait plus jamais fait allusion aux apparitions de Caroline depuis la naissance du bébé.

On frappa un coup sec à la porte et Clyde s'avança sur le seuil de la cuisine. «Allons, Rooney, dit-il. Il faut rentrer. J'ai envie de dîner. »

Rooney murmura à l'oreille de Jenny: «Oh! Jenny, il faut me croire. Elle est ici. Caroline est revenue. Je sais bien pourquoi. Pas vous? Elle veut juste voir son petit-fils. »

Jenny garda le moïse auprès de son lit pendant les quatre nuits suivantes. Une veilleuse lui permettait de vérifier si le bébé était bien couvert et s'il respirait normalement. On avait installé un humidificateur dans la pièce.

Le médecin passait tous les matins. « Il faut surveiller les symptômes de pneumonie, dit-il. Chez un nouveau-né, un rhume peut atteindre les poumons en quelques heures. »

Erich ne revint pas du chalet. Pendant la journée, Jenny installa le bébé en bas dans le berceau près du poêle. Elle pouvait ainsi rester auprès de Tina et de Beth sans le quitter des yeux.

Elle était hantée par l'idée d'être somnambule. Seigneur, était-il possible qu'elle sortît la nuit? De loin, elle pouvait passer pour Caroline, surtout drapée dans ce châle.

Si elle était somnambule, cela expliquerait les «visions» de Rooney, les «pourquoi tu ne m'as rien dit quand tu es rentrée dans ma chambre?» de Tina. La conviction de Joe de l'avoir vue monter dans la voiture de Kevin.

Le jour de l'an, le médecin eut un grand sourire. «Je crois qu'il est sorti d'affaire. Vous êtes une bonne infirmière, Jenny. Maintenant, c'est à votre tour de vous reposer. Remettez-le dans sa chambre. S'il ne réclame rien pendant la nuit, ne le réveillez pas. »

Après la tétée de 20 heures, Jenny remit le moïse à sa place. « Tu vas me manquer comme petit compagnon de chambre, mon Pitou. Mais quel bonheur de te savoir guéri. »

Le bébé fixa sur elle le regard grave de ses yeux bleu nuit sous les longs cils noirs. Aux fins cheveux foncés de la naissance se mêlaient les reflets d'or soyeux du duvet naissant. « Sais-tu que tu as déjà huit semaines ? fit-elle. Quel grand petit bonhomme ! »

Elle noua le cordon qui fermait le bas de sa longue chemise de nuit. « Tu peux donner autant de coups de pied que tu veux, sourit-elle, pas moyen de te découvrir ! »

Elle le tint contre elle pendant une longue minute, humant la légère odeur de talc. « Tu sens si bon, chuchota-t-elle. Bonne nuit, mon Pitou. »

Elle laissa la cloison entrebâillée et se coucha. Dans quelques heures commençait la nouvelle année. Il y a un an, Fran et quelques voisins étaient passés lui rendre visite, se doutant qu'elle devait se sentir cafardeuse.

C'était son premier nouvel an sans Nana.

Fran avait plaisanté au sujet de Nana. « Tu paries qu'elle est en train d'agiter une crécelle là-haut dans le ciel ? »

Ils avaient tous ri. « Ce sera une bonne année pour toi, Jen, avait prédit Fran. J'en ai le pressentiment. »

Une bonne année. Lorsqu'elle serait enfin de retour à New York, elle dirait à Fran de garder ses pressentiments pour elle. Ils ne s'étaient pas vérifiés.

Mais le bébé, pourtant ! Tout ce qui s'était passé au cours de cette année ne comptait pas à côté de lui. Je l'emmènerai, décida-t-elle promptement. Cela *avait été* une bonne année.

Lorsqu'elle s'éveilla, le soleil diffusait dans la chambre une lumière limpide et froide, signe qu'il faisait un temps glacial dehors. Le petit réveil en faïence sur la table de chevet marquait huit heures moins cinq.

Le bébé avait dormi toute la nuit, sans se réveiller pour la tétée de 6 heures. Elle sauta hors de son lit, repoussa la cloison et se précipita vers le moïse.

Les longs cils marquaient d'une ombre sereine les joues pâles. Une veine bleue au bord du petit nez faisait une tache sombre sur la peau translucide. Les bras du bébé étaient rejetés en arrière, ses petites mains ouvertes, les doigts écartés comme une étoile.

Il ne respirait pas.

Elle se souvint après coup d'avoir hurlé, couru avec le bébé dans les bras, de s'être ruée dehors en chemise de nuit, pieds nus dans la neige, vers le bureau. Erich, Clyde, Luke et Mark s'y trouvaient. Mark lui saisit le bébé des bras, posa sa bouche sur les petites lèvres. «C'est un cas de *mort prématurée du nourrisson*, madame Krueger, dit le docteur Bovitch. C'était un nouveau-né très fragile. Je ne pense pas qu'il aurait survécu à l'opération. C'est mieux pour lui.»

Rooney se lamenta: «Oh non! oh non!»

«Notre petit garçon», gémit Erich. *Mon* petit garçon, pensa Jenny sauvagement. Tu lui as refusé ton nom.

«Pourquoi le bon Dieu a emmené notre bébé au ciel?» demandèrent Tina et Beth.

Oui, pourquoi?

«J'aimerais l'enterrer auprès de ta mère, Erich, pria Jenny. Il me semble qu'il y serait moins seul.» Ses bras étaient douloureux; ils lui semblaient vides.

«Je regrette, Jenny, dit Erich d'un ton sans réplique. Il m'est impossible de déranger la tombe de Caroline.»

Après la messe des Anges, Kevin MacPartland Krueger fut placé à côté des trois bébés disparus au cours des générations précédentes. Les yeux secs, Jenny regarda le petit cercueil descendre dans la fosse. Le matin de son arrivée à la ferme, elle avait regardé ces tombes, se demandant comment on pouvait endurer la douleur de perdre un enfant.

Aujourd'hui, cette douleur était la sienne.

Elle se mit à pleurer. Erich l'entoura de son bras. Elle eut un mouvement de recul.

Ils rentrèrent un à un à la maison, Mark, Luke, Clyde, Emily, Rooney, Erich et elle-même. Il faisait si froid. Elsa les attendait. Elle avait préparé des sandwiches. Ses yeux étaient rouges et gonflés. Elle éprouve donc des sentiments, pensa amèrement Jenny, tout en se reprochant aussitôt pareille pensée.

Erich les fit entrer dans le salon. Mark s'approcha de Jenny. « Jenny, buvez ceci, vous vous sentirez mieux. » Le cognac lui brûla la gorge. Elle n'avait plus bu une goutte d'alcool depuis le moment où elle avait su qu'elle était enceinte. Peu importait, à présent.

Elle s'assit, figée, buvant le cognac à petites gorgées. Elle avait du mal à avaler.

« Vous tremblez », dit Mark.

Rooney l'entendit. « Je vais chercher votre châle. »

Pas le vert, pensa Jenny. Pas celui dans lequel j'ai enveloppé le bébé. Mais Rooney le lui posait déjà sur les épaules, l'arrangeait autour d'elle.

Luke ne la quittait pas des yeux. Elle savait pourquoi. Elle fit un mouvement pour se débarrasser du châle.

Erich avait permis à Tina et à Beth d'apporter leurs berceaux dans le salon. Elles semblaient apeurées.

« Regarde, maman, dit Beth. C'est comme ça que le bon Dieu couvrira notre bébé au ciel. » Elle borda sa poupée jusqu'au menton.

Le silence régna dans la pièce.

Puis la petite voix claire de Tina résonna : « Et c'est comme ça que la dame — elle désigna le tableau du doigt — a couvert le bébé la nuit où le bon Dieu l'a emmené au ciel. »

Lentement, résolument, elle ouvrit les mains et les pressa sur la figure de la poupée.

Jenny entendit un gémissement rauque et prolongé. Était-il sorti de ses propres lèvres? Ils contemplaient le tableau. D'un seul mouvement toutes les têtes se retournèrent et six paires d'yeux fixèrent sur elle un regard brûlant et inquisiteur.

32

« OH NON, NON ! fit Rooney d'un ton monocorde. Caroline n'aurait jamais fait du mal au bébé, mon ange. » Elle s'élança vers Tina. « Vois-tu, Caroline prenait toujours la figure d'Erich dans ses mains quand il était petit. Comme ça. » Elle posa doucement ses paumes sur les joues de la poupée. « Et elle disait en riant *Caro, caro*. Ça veut dire chéri. »

Rooney se redressa et regarda autour d'elle. Ses pupilles étaient dilatées. « Jenny, c'est bien ce que je vous ai dit. Elle est revenue. Elle savait peut-être que le bébé était malade et elle a voulu lui venir en aide. »

Erich dit d'une voix sourde : « Faites-la sortir d'ici, Clyde. »

Clyde prit fermement Rooney par le bras. « Viens, calme-toi. »

Rooney s'écarta de lui. « Jenny, dites-leur que j'ai vu Caroline. Dites-leur ce que je vous ai raconté. Dites-leur que je ne suis pas folle. »

Jenny voulut se lever de son fauteuil. Clyde faisait mal à Rooney. Il enfonçait ses doigts dans son bras maigre. Mais elle n'arriverait pas à tenir sur ses jambes. Elle voulut parler, mais aucun son ne sortit. Les petites mains de Tina sur la bouche et les narines de la poupée…

Ce fut Luke qui pria Clyde de lâcher Rooney. « Laissez-la, mon vieux. Bon Dieu, ne voyez-vous pas que c'est trop pour elle ? » Il s'adoucit. « Rooney, vous devriez rentrer vous reposer chez vous. Cette journée a été très dure pour vous aussi. »

Rooney ne parut pas entendre. « Je l'ai vue et revue. Parfois la nuit, je me glisse dehors en douce quand Clyde est endormi parce que je veux lui parler. Je parie qu'elle sait où est partie Arden. Je la vois entrer dans la maison. Un soir, je l'ai vue à la fenêtre de la chambre du bébé. Le clair de lune l'éclairait comme en plein jour. Je voudrais qu'elle me parle. Mais peut-être croit-elle que j'ai peur d'elle ? Pourquoi aurais-je peur ? Si Caroline est ici, cela veut dire qu'Arden peut revenir, même si elle est morte. »

Elle échappa à Clyde et courut vers Jenny. Tombant à genoux, elle l'entoura de ses bras. « Ça veut dire que le bébé reviendra peut-être lui aussi. Ce serait bien, hein Jenny ? Vous me laisserez le prendre dans mes bras quand il reviendra ? »

Il était près de 14 heures. Jenny sentit ses seins gonfler. Le docteur Elmendorf les avait bandés pour stopper la lactation, mais le lait montait aux heures des tétées. C'était douloureux, pourtant elle bénissait cette souffrance physique. Elle contrebalançait l'atroce chagrin. Jenny sentit le corps de Rooney trembler contre elle, entoura les frêles épaules de son bras. « Il ne reviendra pas, Rooney, dit-elle. Ni lui, ni Caroline, ni Arden. Tina rêvait.

— Évidemment qu'elle rêvait », dit brusquement Mark.

Luke et Clyde relevèrent Rooney. « Elle a besoin d'un sédatif, dit Luke. Je vous accompagne à l'hôpital. » Luke n'avait pas l'air bien, lui non plus.

Emily et Mark s'attardèrent un peu plus longtemps. Emily fit de timides efforts pour parler à Erich de sa peinture.

« Je fais une exposition à Houston en février, lui dit-il. J'y emmènerai Jenny et les enfants. Le changement nous fera du bien à tous les quatre. »

Mark s'assit auprès de Jenny. Il y avait quelque chose de si réconfortant en lui.

Après leur départ, Jenny parvint tant bien que mal à préparer le dîner pour les enfants et Erich. Elle trouva la force de s'occuper des petites à l'heure du coucher. Tina barbotait dans la baignoire. Jenny se souvint de la façon dont elle tenait le bébé au creux de son bras pour le baigner. Elle brossa les longues boucles serrées de Beth. Le bébé perdait ses cheveux bruns. Il aurait été blond doré. Elle les entendit prier : « Dieu bénisse Nana et notre bébé au ciel. » Une vague de douleur la submergea et elle ferma les yeux.

En bas, Erich avait servi deux cognacs. « Bois, Jenny. Cela t'aidera à te détendre. » Il la fit asseoir à côté de lui. Elle n'opposa aucune résistance. Il lui passa la main dans les cheveux. Ce simple geste l'émouvait tant autrefois. « Jen, tu as entendu le docteur. Le bébé n'aurait pas survécu à l'opération. Il était bien plus malade que tu ne le supposais. »

Elle écouta, attendant que se dissipât l'engourdissement. N'essaye pas de faciliter les choses, Erich. Tout ce que tu peux dire importe si peu.

« Jenny, je suis ennuyé. Je prendrai soin de toi. Mais Emily est une vraie cancanière. Les paroles de Tina vont faire le tour de la ville. » Il la prit dans ses bras. « Dieu merci, Rooney ne compte pas en tant que témoin et Tina est trop petite. Sinon... »

Elle voulut s'écarter de lui. Il la retint. Sa voix était si tendre, si douce, presque envoûtante. « Jenny, j'ai peur pour toi. Tout le monde a remarqué à quel point tu ressemblais à Caroline. Ils vont tous apprendre ce qu'a dit Tina. Oh ! ma chérie, ne comprends-tu pas ce qu'ils vont dire ? »

Elle allait se réveiller, se retrouver dans l'appartement. Nana serait là. « Tu recommences à parler en dormant, Jen. Tu as dû faire un cauchemar. Tu te tracasses trop, chérie. »

Mais elle n'était pas dans l'appartement. Elle était dans ce salon glacial, encombré de meubles, en train d'écouter Erich insinuer cette chose insensée, que les gens allaient la prendre pour la meurtrière de son propre enfant.

« L'ennui, Jen, c'est que tu as vraiment eu des crises de somnambulisme. Combien de fois les filles ont-elles demandé pourquoi tu ne leur parlais pas lorsque tu entrais dans leur chambre la nuit ? Il est parfaitement possible que tu sois entrée dans la chambre du bébé ; peut-être lui as-tu caressé la figure. Tina n'aura pas compris ce qu'elle a vu. Tu as dit toi-même au docteur Elmendorf que tu avais des hallucinations. Il m'en a parlé au téléphone.

— Il t'a téléphoné ?

— Oui. Il est très inquiet. Il paraît que tu as refusé de consulter un psychiatre. »

Jenny fixa les rideaux derrière lui. La dentelle ressemblait à une toile d'araignée. Elle avait voulu enlever ces rideaux, cherchant innocemment à changer l'atmosphère étouffante de cette maison. Erich les avait remis à leur place.

À présent, les rideaux semblaient se refermer sur elle, la retenir dans leur filet, l'étouffer.

L'étouffer. Elle ferma les yeux au souvenir des petites mains de Tina sur la figure de la poupée, pressant de toute leur force.

Des hallucinations. Avait-elle imaginé le visage, le frôlement des cheveux au-dessus de son lit ? Elle aurait imaginé cela, nuit après nuit ?

« Erich, je ne sais plus où j'en suis. Je ne sais plus reconnaître la réalité. Même avant tout ceci. Et à présent... Il faut que je m'en aille. J'emmènerai les filles.

— Pas question, Jenny. Tu es bien trop perturbée. Pour ton bien, pour leur bien, tu ne peux pas rester seule avec elles. Et, ne l'oublie pas, les filles sont légalement des petites Krueger. Elles sont mes enfants autant que les tiennes.

— Je suis leur mère, leur mère naturelle et leur tutrice.

— Jenny, tâche de te souvenir de ceci, s'il te plaît. Aux yeux

260

de la loi, j'ai en tout point autant de droits que toi sur elles. Et ne te fais pas d'illusion, j'obtiendrais la garde si tu tentais de me quitter. Crois-tu qu'aucun juge te les confierait avec ta réputation dans le pays ?

— Mais ce sont *mes* filles ! Le bébé était ton fils et tu as refusé de lui donner ton nom. Tina et Beth sont mes filles, et tu les veux. Pourquoi ?

— Parce que je te veux. Qu'importe ce que tu as fait, qu'importe que tu sois malade, je te veux. Caroline avait l'intention de me quitter, mais je te connais, Jenny. Tu ne laisserais jamais tes enfants. C'est pourquoi nous resterons toujours ensemble. Nous allons tout reprendre à zéro. Je vais revenir avec toi cette nuit.

— Non.

— Tu n'as pas le choix. Nous oublierons le passé. Je ne parlerai plus jamais du bébé. Je serai à tes côtés si tu as des crises de somnambulisme. Je te protégerai. S'ils ouvrent une enquête sur la mort du bébé, je prendrai un avocat. »

Il l'aidait à se lever. Impuissante, elle se laissa conduire en haut de l'escalier. « Demain, nous remettrons tout en place dans la chambre, lui dit-il. Comme si le bébé n'était jamais né. »

Elle devait se prêter à son jeu pour l'instant. Ils pénétrèrent dans la chambre ; il ouvrit le tiroir du bas de la grande commode. Elle savait ce qu'il y cherchait. La chemise de nuit aigue-marine. « Mets-la pour moi, Jen. Cela fait si longtemps.

— Je ne peux pas. » Elle avait peur. Il la regardait d'un air tellement étrange. Qui était cet homme capable de lui dire qu'on la prenait pour une meurtrière, de lui demander d'oublier le bébé qu'elle venait d'enterrer quelques heures auparavant ?

« Si, tu peux. Tu es très mince à nouveau. Tu es si belle. »

Elle lui prit le vêtement des mains et entra dans la salle de bains. La chemise de nuit lui allait à présent. Jenny se regarda dans le miroir au-dessus du lavabo. Et comprit pourquoi les gens trouvaient qu'elle ressemblait à Caroline.

Ses yeux avaient le même regard triste et perdu que ceux de la femme sur le tableau.

Le lendemain matin, Erich se glissa doucement hors du lit et marcha sur la pointe des pieds dans la chambre. «Je suis réveillée», lui dit-elle. Il était 6 heures, l'heure de la tétée du bébé.

«Tâche de te rendormir, chérie.» Il enfila un gros chandail. «Je vais au chalet. Je n'ai pas terminé toutes les toiles pour l'exposition de Houston. Nous nous y rendrons ensemble, chérie, nous deux et les filles. Ce sera merveilleux.» Il s'assit au bord du lit. «Oh! Jen, je t'aime tant.»

Elle leva les yeux vers lui,

«Dis-moi que tu m'aimes, Jen.»

Elle répéta, soumise: «Je t'aime, Erich.»

La matinée fut lugubre. Le soleil resta caché derrière une nappe grise de nuages. Il faisait sombre, froid, comme avant une tempête de neige.

Jenny habilla Tina et Beth pour sortir. Elsa était en train d'enlever le sapin de Noël et Jenny en cassa quelques petites branches.

«Que vas-tu en faire, maman? demanda Beth.

— Je pensais que nous pourrions les mettre sur la tombe du bébé.»

La terre fraîchement retournée avait gelé pendant la nuit. Les aiguilles luisantes atténuèrent un peu la nudité du petit monticule.

«N'aie pas l'air si triste, maman, implora Beth.

— Je vais essayer, ma Puce.» Elles s'en retournèrent. Si seulement je pouvais ressentir quelque chose, se dit-elle. Je me sens vide, atrocement vide.

Sur le chemin du retour, elle aperçut la voiture de Clyde qui rentrait à la ferme. Elle l'attendit pour lui demander des nouvelles de Rooney.

262

« Ils ne veulent pas la laisser revenir à la maison pour l'instant. Ils vont lui faire des tas d'analyses et ils disent que je ferais mieux de la mettre dans une clinique spéciale pendant quelque temps. Je ne veux pas. Elle était beaucoup mieux depuis votre arrivée, ma'me Krueger. Au fond, je ne m'étais pas rendu compte à quel point Rooney se sentait seule. Elle a toujours peur de s'éloigner de la ferme. Au cas où Arden téléphonerait ou reviendrait. Mais elle n'allait pas bien à nouveau ces derniers jours. Vous vous en êtes aperçue. »

Il avala sa salive, retenant difficilement ses larmes. « Et ma'me Krueger, ça y est, tout le monde sait ce qu'a dit Tina. Le shérif... il est allé parler à Rooney. Il avait apporté une poupée avec lui. Il lui a demandé de montrer comment Caroline caressait le visage d'Erich lorsqu'il était bébé, et comment Tina avait imité la dame du tableau. Je ne sais pas ce qu'il manigance. »

Moi, je sais, pensa Jenny. Erich avait raison. Emily n'avait pas attendu pour bavarder.

Le shérif se présenta trois jours plus tard. « Madame Krueger, je dois vous prévenir que certains bruits courent. J'ai ordre de faire exhumer le corps de votre enfant. Le médecin légiste désire faire une autopsie. »

Debout, elle regarda les bêches trancher dans la terre gelée, le fourgon mortuaire se refermer sur le petit cercueil.

Elle sentit une présence à ses côtés. C'était Mark. « Pourquoi vous torturer, Jenny ? Il ne fallait pas venir.

— Que cherchent-ils ?

— Ils veulent s'assurer qu'il n'y a pas d'ecchymose ou de contusion sur la figure du bébé. »

Elle revit les longs cils jetant une ombre sur les joues pâles, la toute petite bouche, la veine bleue au bord du nez. La veine bleue. Elle ne l'avait jamais remarquée avant le matin où elle l'avait retrouvé mort.

« Aviez-vous constaté quelque chose d'anormal ? » demanda-t-elle. Mark aurait fait la différence entre une veine et une contusion.

« Je lui ai serré la tête en pratiquant le bouche à bouche. Il a pu rester des marques.

— Le leur avez-vous dit ?

— Oui. »

Elle se tourna vers lui. Le vent avait molli, mais le moindre souffle d'air la faisait frissonner. « Vous le leur avez dit pour me protéger, mais ce n'était pas nécessaire.

— Je leur ai dit la vérité. »

Le fourgon s'éloigna sur la route boueuse. « Rentrons », la pressa Mark.

Elle essaya d'analyser ses sentiments tout en marchant péniblement à ses côtés dans la neige fraîche. Il était si grand. Elle s'était accoutumée à la taille relativement petite d'Erich. Kevin était grand, plus d'un mètre quatre-vingts. Mark. Quelle taille pouvait-il mesurer ? Un mètre quatre-vingt-dix ou douze ?

Elle avait mal à la tête. Ses seins la brûlaient. Pourquoi la lactation ne cessait-elle pas ? Cela ne servait plus à rien. Son corsage était mouillé. Erich serait humilié s'il la voyait comme ça. Il était toujours si net. Et si réservé. Le nom des Krueger n'aurait pas été traîné dans la boue s'il ne l'avait pas épousée.

Erich l'accusait d'avoir terni son nom et pourtant il affirmait qu'il l'aimait. Il aimait qu'elle ressemblât à sa mère. Voilà pourquoi il lui demandait toujours de porter la chemise de nuit aigue-marine. Peut-être cherchait-elle à ressembler à Caroline pour lui plaire lorsqu'elle avait ses accès de somnambulisme.

« Ce doit être ça », dit-elle. Elle sursauta au son de sa propre voix. Elle avait inconsciemment parlé tout haut.

« Que dites-vous, Jenny ? *Jenny !* »

Elle tombait ; elle ne pouvait s'empêcher de tomber. Mais quelque chose la retint au moment où ses cheveux effleuraient la neige.

« Jenny ! » Mark la soutenait, la portait. Elle eût voulu ne pas peser trop lourd.

«Jenny, vous êtes brûlante. »

Voilà peut-être pourquoi elle n'arrivait pas à garder les idées claires. Ce n'était pas seulement la maison. Oh! Seigneur, comme elle détestait cette maison!

On la transportait en voiture. Erich la soutenait. Elle se rappelait cette voiture. C'était le break de Mark. Il laissait toujours des livres traîner à l'intérieur.

«Commotion. Montée du lait, dit le docteur Elmendorf. Nous allons la garder ici. »

C'était agréable de se laisser flotter, agréable de porter l'une de ces chemises de nuit rêches de l'hôpital. Elle détestait celle de Caroline.

Erich entrait dans la chambre et repartait en coup de vent. « Beth et Tina vont bien. Elles t'embrassent. »

Mark lui apporta enfin la nouvelle qu'elle attendait. On avait remis le bébé au cimetière. «Il le laisseront tranquille à présent.

— Merci. »

Les doigts de Mark se refermant sur sa main : «Oh! Jenny! »

Elle eut droit à deux tasses de thé et à un toast, ce soir-là.

«Ça fait plaisir de voir que vous allez mieux, madame Krueger. » L'infirmière se montrait spontanément gentille avec elle. Pourquoi cela lui donnait-il envie de pleurer? Elle avait pourtant toujours trouvé normal qu'on l'aimât.

La fièvre persistait, quoique peu élevée. « Je ne vous laisserai pas partir avant d'en être venu à bout», déclara le docteur.

Elle pleurait beaucoup. Elle se réveillait souvent en larmes après un somme.

« J'aimerais bien que vous ayez un entretien avec le docteur Philstrom pendant votre séjour ici», dit le docteur Elmendorf.

Le docteur Philstrom était psychiatre.

Il s'assit près de son lit. C'était un petit homme net, à l'air d'un employé de banque. « J'ai cru comprendre que vous faisiez des cauchemars répétés particulièrement pénibles. »

Ils voulaient tous la faire passer pour folle. « Je n'en fais plus. »

Elle ne mentait pas. Elle s'était peu à peu mise à dormir d'une traite pendant toute la nuit depuis son entrée à l'hôpital. Elle se sentait plus forte chaque jour, plus elle-même. Le matin, il lui arrivait même de plaisanter avec l'infirmière.

Les après-midi étaient plus pénibles. Elle n'avait pas envie de voir Erich. Ses paumes devenaient moites dès qu'elle entendait son pas dans le couloir.

Il lui amena les filles. Elles n'eurent pas le droit d'entrer à l'intérieur de l'hôpital, mais Jenny leur fit des signes par la fenêtre. Elles avaient l'air si malheureux en agitant leurs mains vers elle.

Elle avala un dîner complet ce soir-là. Elle devait reprendre des forces. Rien ne pouvait plus la retenir à la ferme Krueger. Erich et elle ne retrouveraient jamais ce qu'ils avaient connu. Elle imaginait comment partir. Cela se passerait pendant le voyage à Houston. À un moment donné, Beth, Tina et elle quitteraient Erich et prendraient l'avion pour New York. Erich pouvait obtenir la garde des enfants dans le Minnesota, mais à New York on ne la lui accorderait jamais.

Elle vendrait le pendentif de Nana. Un bijoutier en avait offert onze cents dollars il y a quelques années. Une telle somme lui permettrait d'acheter les billets d'avion et d'attendre de trouver une situation.

Loin de la maison de Caroline, du portrait de Caroline, du lit de Caroline, de la chemise de nuit de Caroline, du *fils* de Caroline, elle serait à nouveau elle-même, capable de réfléchir avec calme, de venir à bout une bonne fois pour toutes de ces pensées qui tournaient sans cesse dans sa tête. Elle ressentait tant d'impressions fugaces, indéfinissables.

Jenny s'endormit avec un semblant de sourire sur les lèvres, la joue appuyée au creux de sa main.

Le lendemain, elle téléphona à Fran. Oh ! bienheureuse

liberté ! Savoir que personne n'intercepte la communication dans le bureau.

« Jenny, tu n'as répondu à aucune de mes lettres. Je croyais que tu m'avais larguée à tout jamais. »

Elle ne prit pas la peine d'expliquer qu'elle ne les avait jamais lues. « Fran, j'ai besoin de toi. » Elle expliqua, le plus succinctement possible. « Il faut que je parte d'ici. »

La voix habituellement rieuse de Fran s'étrangla. « Jenny, ça a mal tourné, n'est-ce pas ? Je l'entends à ta voix. »

Plus tard, elle raconterait tout à Fran. À présent, elle dit seulement : « Très mal.

— Compte sur moi. Je te rappellerai.

— Téléphone à partir de 20 heures. Après les visites. »

Fran appela le lendemain à 19 h 10. À la minute où le téléphone sonna, Jenny sut ce qui s'était passé. Fran n'avait pas calculé le décalage horaire. Il était 20 h 10 à New York. Erich se tenait assis près de son lit. Il haussa les sourcils en lui passant le récepteur. La voix de Fran vibrait, triomphante.

« J'ai un plan formidable !

— Fran, comme c'est bon de t'entendre. » Se tournant vers Erich. « C'est Fran, veux-tu lui dire bonjour ? »

Fran comprit sur-le-champ. « Comment allez-vous, Erich ? Je suis navrée d'apprendre que Jenny est tombée malade. »

Après avoir raccroché, Erich questionna :

« Quel plan, Jenny ? »

267

33

ELLE REVINT À LA MAISON le dernier jour de janvier. Beth et Tina lui semblèrent très changées, étrangement silencieuses, irritables. «Tu es toujours partie, maman.»

Elle leur consacrerait plus de temps le soir et pendant le week-end à New York qu'elle ne l'avait fait ici durant toute cette année.

Qu'avait soupçonné Erich après le coup de téléphone de Fran? Jenny s'était montrée évasive. «J'ai eu brusquement envie de téléphoner à Fran. Je ne lui avais pas parlé depuis des siècles. C'est plutôt gentil de sa part de m'avoir appelée, non?»

Elle avait téléphoné à Fran après le départ d'Erich. Fran exultait. «J'ai une amie qui s'occupe des petites classes dans une maternelle près de Red Bank, dans le New Jersey. C'est une école formidable. Je lui ai dit que tu pouvais enseigner la musique et l'art et elle peut t'obtenir un poste, si tu veux. Elle va te chercher un appartement.»

Jenny compta les heures.

Erich se préparait pour l'exposition de Houston. Il rapporta les toiles du chalet.

« J'intitulerai celle-ci *La Pourvoyeuse* », dit-il en soulevant une huile sur toile dans les tons de bleu et de vert. On distinguait un nid en haut d'un orme. La mère volait vers l'arbre, un ver dans son bec. Les feuilles dissimulaient si bien le nid que l'on ne voyait pas les oisillons. Mais on sentait leur présence, d'une certaine façon.

« L'idée de ce tableau m'est venue le premier soir sur la 2e Avenue, en te voyant porter tes filles. Tu avais un air déterminé, et tu n'avais qu'un seul souci : ramener les enfants à la maison et les nourrir. »

Sa voix était pleine de tendresse. Il l'entoura de ses bras. « Comment le trouves-tu ?

— Très beau. »

Les moments où elle examinait sa peinture étaient les seuls où elle ne se sentait pas nerveuse en sa présence. Elle retrouvait l'homme dont elle était tombée amoureuse, l'artiste dont l'extraordinaire talent savait à la fois saisir la simplicité de la vie quotidienne et les émotions qu'elle suscitait.

Les arbres dans le fond. Elle reconnut la ligne des pins noirs de Norvège qui s'élevaient près du cimetière.

« Erich, tu viens juste de terminer cette toile, n'est-ce pas ?

— Oui, chérie. »

Elle pointa son index sur le tableau. « Mais cet arbre n'existe plus. Tu as fait abattre la plupart des ormes près du cimetière au printemps dernier à cause de la maladie.

— J'avais commencé une toile avec cet arbre, mais je ne parvenais pas à exprimer ce que je voulais. Puis un jour, j'ai vu un oiseau apporter leur nourriture à ses petits et j'ai pensé à toi. Tu es toujours ma source d'inspiration, Jenny. »

Une telle remarque l'aurait fait fondre, au début. Aujourd'hui, elle lui faisait seulement peur. Ce genre de réflexion était invariablement suivie d'une autre qui lui mettait les nerfs à vif pour le restant de la journée.

Cela ne rata pas. Erich recouvrit la toile. « J'envoie trente tableaux en tout. L'expéditeur viendra les prendre demain dans la matinée. Seras-tu présente pour t'assurer qu'il n'en oublie pas ?

— Bien entendu. Où veux-tu que je sois ?

— Ne t'énerve pas, Jenny. Je pensais que Mark chercherait à te voir avant de s'en aller.

— Que veux-tu dire ?

— Luke a eu une crise cardiaque peu après son retour en Floride. Mais cela ne lui donne pas pour autant le droit d'essayer de briser notre mariage.

— Erich, qu'est-ce que tu racontes ?

— Luke a téléphoné à Mark, jeudi dernier. Il est sorti de l'hôpital. Il a proposé que tu lui rendes visite en Floride avec les enfants. Mark part demain passer une semaine avec lui. Luke a le toupet de croire que je te laisserais voyager avec son fils !

— C'était vraiment gentil de sa part. » Jenny savait que l'invitation avait été refusée.

« Ce n'était pas gentil. Luke voulait tout simplement te faire venir là-bas pour t'éloigner de moi.

— Erich !

— Ne sois pas si surprise, Jenny. Pourquoi crois-tu que Mark et Emily ont cessé de se voir ?

— Ils ne se voient plus ?

— Jenny, fais-tu exprès de garder un bandeau sur les yeux ? Mark s'est rendu compte tout à coup qu'il n'avait pas envie de se marier et que ce n'était pas honnête de faire attendre Emily pour rien. Il le lui a dit.

— Je n'étais pas au courant.

— Un homme n'agit ainsi que s'il a une autre femme en tête.

— Pas obligatoirement.

— Mark est fou de toi, Jenny. Sans lui, le shérif aurait fait ouvrir une enquête sur la mort du bébé. Tu le sais, non ?

— Non, je l'ignorais. » Toute la sérénité péniblement

270

acquise à l'hôpital abandonnait Jenny. Elle se mit à trembler. « Erich, que cherches-tu à dire ?

— Je dis qu'il y avait une ecchymose sur la narine droite du bébé. Le médecin légiste a déclaré qu'elle était probablement antérieure à la mort du bébé. Mark a soutenu alors avec insistance qu'il avait serré brutalement la tête du bébé en tentant de le réanimer. »

Le souvenir de Mark tenant la petite forme dans ses bras traversa l'esprit de Jenny.

Erich s'était approché d'elle. Les lèvres contre son oreille, il murmura : « Mark le sait. Tu le sais. Je le sais. Le bébé portait une marque, Jenny.

— Qu'essayes-tu de me dire ?

— Rien, chérie. Je te préviens seulement. Nous savons tous les deux combien la peau du bébé était délicate. Il a rejeté ses bras en arrière d'une drôle de façon, cette nuit-là. Il s'est probablement fait mal lui-même. Mais Mark a menti. Exactement comme l'avait fait son père. Personne n'ignorait les sentiments de Luke pour Caroline. Lorsqu'il vient ici, encore maintenant, il s'assied toujours dans le fauteuil en face du portrait. C'est lui qui devait conduire Caroline à l'aéroport le dernier jour. Elle n'avait qu'à faire un signe, et il arrivait. Et Mark s'imagine aujourd'hui qu'il peut en faire autant. Eh bien, non. J'ai téléphoné à Lars Ivanson, le vétérinaire de Hennepin Grove. Il s'occupera de mes bêtes désormais. Mark Garrett ne remettra plus les pieds à la ferme.

— Erich, tu ne peux pas faire une chose pareille !

— Oh si ! je peux le faire. Je sais que tu n'as pas agi sciemment, Jenny, mais tu l'as encouragé. Je l'ai vu. Combien de fois est-il venu te rendre visite à l'hôpital ?

— Deux fois. La première pour me dire que l'on avait remis le bébé dans sa tombe. L'autre pour m'apporter des fruits que Luke avait fait venir de Floride pour moi. Erich, te rends-tu compte que tu interprètes de manière erronée la situation la plus simple, la plus innocente ? Comment cela va-t-il finir ? »

Elle n'attendit pas sa réponse, sortit de la pièce et ouvrit la porte qui donnait sur la véranda. Le dernier rayon de soleil disparaissait derrière les bois. Le vent du soir faisait osciller la balancelle de Caroline. Il n'était pas étonnant que Caroline se fût assise à cet endroit. Elle aussi avait été chassée de la maison.

Erich vint la rejoindre le soir dans la chambre. Elle se raidit, redoutant qu'il s'approchât d'elle. Mais il se tourna sur le côté et s'endormit. Jenny sentit tous ses muscles se relâcher.

Elle ne reverrait plus Mark. Elle serait dans le New Jersey lorsqu'il reviendrait de Floride. Erich avait-il raison en l'accusant d'avoir cherché à attirer l'attention de Mark ? Ou sa jalousie le portait-elle à exagérer ses soupçons alors qu'Emily et Mark avaient simplement décidé de se séparer en s'apercevant qu'ils n'étaient pas faits l'un pour l'autre ?

Pour une fois, Erich ne se trompait peut-être pas.

Le lendemain matin, Jenny établit une liste d'affaires dont elle aurait besoin pour le voyage. Elle s'attendait à ce qu'Erich fît des difficultés pour lui prêter la voiture, mais il n'éleva aucune objection. « Laisse les filles à Elsa », dit-il seulement.

Dès qu'il fut parti pour le chalet, elle entoura d'un trait de crayon sur l'annuaire le nom d'une bijouterie qui annonçait : « *Nous achetons votre or au prix fort.* » La boutique se trouvait dans une galerie commerçante à quelques kilomètres de Granite Place. Jenny décrivit le pendentif de Nana au téléphone. Bien sûr, ça pouvait les intéresser. Elle téléphona immédiatement à Fran. La jeune fille était absente, mais elle avait branché le répondeur. Jenny laissa un message. « Nous serons à New York le 7 ou le 8. Ne rappelle pas. »

Elle profita de la sieste des enfants pour se rendre chez le bijoutier.

On lui offrit huit cents dollars pour le pendentif. Ce n'était pas assez; mais elle n'avait pas le choix.

Elle acheta des produits de maquillage, des sous-vêtements et des collants avec la carte de crédit que lui avait donnée Erich. À son retour, elle tint à lui montrer ses achats.

Leur premier anniversaire de mariage tombait le 3 février. «Pourquoi ne le fêterions-nous pas à Houston, chérie? demanda Erich. Je te donnerai ton cadeau là-bas.

— C'est une bonne idée.» Elle n'était pas suffisamment bonne actrice pour jouer cette comédie d'anniversaire. Mais, oh! Seigneur, bientôt, bientôt, tout serait terminé. L'espoir mit dans son regard une lueur qui n'y avait plus brillé depuis des mois. Tina et Beth réagirent immédiatement. Elles qui étaient devenues si silencieuses s'animèrent en l'écoutant bavarder avec elles. «Vous souvenez-vous de notre beau voyage pour venir ici? Nous allons encore prendre l'avion pour aller dans une grande ville.

— De quoi parlez-vous toutes les trois?

— Je leur raconte le beau voyage que nous allons faire à Houston.

— Tu souris, Jenny. Sais-tu depuis combien de temps tu n'as pas semblé heureuse?

— Trop longtemps.

— Tina, Beth, venez avec papa au magasin. Je vais vous acheter des glaces.»

Beth mit sa main sur le bras de Jenny. «Je préfère rester avec maman.

— Moi aussi, déclara Tina.

— Dans ces conditions, je n'irai pas moi non plus», dit Erich.

Il semblait ne pas vouloir la laisser seule avec les enfants.

Le soir du 5, elle fit ses valises, prenant seulement ce qui lui parut raisonnable pour trois jours.

273

« Quelle fourrure dois-je emporter, la veste ou le manteau ? demanda-t-elle à Erich. Quel temps fait-il à Houston ?

— La veste suffira sans doute. Pourquoi es-tu si nerveuse, Jenny ?

— Je ne suis pas nerveuse. J'ai simplement perdu l'habitude de voyager. Aurai-je besoin d'une robe longue ?

— Peut-être d'une. Ta jupe et ta blouse en taffetas. Tu mettras ton pendentif. »

Y avait-il une intonation particulière dans sa voix ? Jouait-il au chat et à la souris avec Jenny ? Elle s'efforça de prendre un ton naturel. « Très bien. »

Ils avaient un vol à 14 heures à Minneapolis. « J'ai demandé à Joe de nous conduire à l'aéroport, dit Erich.

— Joe !

— Oui, il peut reprendre son travail à présent. Je vais le réengager à la ferme.

— Mais Erich, après tout ce qui s'est passé ?

— Jenny, nous avons tiré un trait sur tout ça.

— Erich, tu as l'intention de le reprendre après toutes ces histoires ! » Elle se mordit la lèvre. Qu'est-ce que cela pouvait lui faire désormais ?

Rooney devait rentrer chez elle vers le 14. Les médecins avaient convaincu Clyde de la laisser à la clinique six semaines pleines. Jenny aurait aimé la revoir avant de partir. Peut-être aurait-elle la possibilité de lui écrire et de lui faire parvenir la lettre par l'intermédiaire de Fran. Elle n'avait pas d'autre solution.

Le jour du départ arriva enfin. Les enfants étaient vêtues de leurs manteaux de velours avec leurs chapeaux assortis. Jenny sentit son cœur se gonfler. Je vais les emmener manger des spaghettis le soir de notre arrivée à New York, se dit-elle.

De la fenêtre de la chambre, elle distinguait à peine un petit coin du cimetière. Après le petit déjeuner, elle alla discrètement sur la tombe du bébé pour lui dire adieu.

Erich avait mis les bagages dans la voiture. «Je vais chercher Joe, lui dit-il. Venez avec moi, les enfants. Laissons maman finir de s'habiller.

— Je suis prête, dit-elle. Attendez une petite minute, je viens avec vous.»

Il sembla ne pas entendre. «Dépêche-toi, maman», lui cria Beth en dévalant les escaliers avec Tina à la suite d'Erich. Jenny haussa les épaules. Autant avoir cinq minutes de plus pour s'assurer qu'elle n'oubliait rien. L'argent du pendentif était dans la poche intérieure de son tailleur qu'elle avait rangé dans la valise.

Elle jeta un coup d'œil dans la chambre des filles avant de descendre. Elsa avait fait les lits et tout remis en ordre. La pièce semblait anormalement nette et si extraordinairement vide qu'on aurait pu jurer que les enfants n'y reviendraient jamais.

Erich avait-il ressenti la même chose?

Soudain inquiète, Jenny descendit en courant l'escalier, enfilant sa veste. Erich serait de retour d'une minute à l'autre.

Dix minutes plus tard, elle sortit dans la véranda. Elle avait trop chaud à l'intérieur. Erich ne devrait plus tarder. Il prenait toujours une grande marge pour se rendre à l'aéroport. Elle resta l'œil rivé sur la route, guettant l'arrivée de la voiture.

Au bout d'une demi-heure, elle téléphona chez les Eckers. Ses doigts s'embrouillèrent en composant le numéro. Par deux fois, elle dut raccrocher et recommencer.

Maude répondit. «Que voulez-vous dire en demandant s'ils sont déjà partis? J'ai vu Erich passer en voiture devant la maison il y a trois quarts d'heure avec les filles… Joe? Joe ne devait pas les conduire à l'aéroport. Qui vous a mis cette idée dans la tête?»

Erich était parti sans elle. Il avait pris les enfants et il était parti sans elle. L'argent se trouvait dans la valise qu'il avait emmenée avec lui. D'une manière ou d'une autre, il avait deviné ses intentions.

Elle téléphona à l'hôtel à Houston. « Je voudrais laisser un message pour M. Erich Krueger. Dites-lui d'appeler sa femme dès son arrivée. »

La voix cordiale à l'accent texan de l'employé de la réservation : « Il doit y avoir une erreur. Ces réservations ont été annulées il y a environ deux semaines. »

À 14 heures, Elsa vint la trouver. « Au revoir, madame Krueger. »

Assise dans le salon, Jenny examinait le tableau de Caroline. Elle ne tourna pas la tête. « Au revoir, Elsa. »

Elsa ne partit pas tout de suite. Sa longue silhouette s'attardait sur le pas de la porte. « Je regrette de vous quitter.

— Me quitter ? » Tirée brusquement de sa rêverie, Jenny se retourna. « Que voulez-vous dire ?

— M. Krueger m'a prévenue qu'il partait avec les enfants et qu'il me ferait savoir la date de son retour.

— Quand vous a-t-il dit cela, Elsa ?

— Ce matin, en montant dans la voiture. Allez-vous rester toute seule ici ? »

Il y avait un curieux mélange d'émotion sur le visage flegmatique. Depuis la mort du bébé, Jenny avait senti une compassion chez Elsa à laquelle elle ne s'attendait pas. « Je suppose que oui », dit-elle lentement.

Quatre heures après le départ de la femme de ménage, Jenny attendait toujours dans le salon. Attendait quoi ? Un coup de téléphone. Erich allait téléphoner. Elle en était certaine.

Comment s'y prendrait-elle lorsqu'il l'appellerait ? Avouer qu'elle avait eu l'intention de le quitter ? Il le savait déjà. Cela ne faisait aucun doute. Promettre de rester avec lui ? Il ne lui ferait pas confiance.

Où avait-il emmené les enfants ?

La pièce s'assombrit. Il fallait allumer.

Mais elle n'en avait pas le courage. La lune apparut à travers la dentelle des rideaux, projetant une tache lumineuse en forme de toile d'araignée sur le tableau.

Jenny se décida enfin à aller à la cuisine. Elle fit du café, s'assit près du téléphone. À 21 heures, la sonnerie retentit. Jenny tremblait tellement qu'elle put à peine soulever le récepteur. « Allô ? » Sa voix était si basse qu'elle se demanda si on pouvait l'entendre.

« Maman ! » Beth semblait si loin. « Pourquoi tu n'as pas voulu venir avec nous aujourd'hui ? Tu avais promis.

— Bethie, où êtes-vous ? »

Le bruit de quelqu'un prenant l'appareil.

La voix de Beth, protestant : « Mais je veux parler à maman ! »

Tina intervint. « Maman, nous n'avons pas fait le voyage en avion comme tu l'avais dit.

— Tina, où êtes-vous ?

— Allô, chérie ? » La voix d'Erich, tendre, pleine de sollicitude. Tina et Beth pleurnichaient dans le fond.

« Erich, où êtes-vous ? Pourquoi as-tu fait cela ?

— Pourquoi ai-je fait quoi, chérie ? T'empêcher de me prendre les enfants ? Les sauver du danger ?

— Du danger ? De quel danger parles-tu ?

— Jenny, j'ai promis de prendre soin de toi. Je suis sincère. Mais je ne te laisserai jamais partir avec les filles.

— Je ne partirai pas, Erich. Ramène-les à la maison.

— Cela ne suffit pas, Jenny. Va dans mon secrétaire. Prends du papier et un stylo. Je reste en ligne. »

Les enfants pleuraient toujours. Mais Jenny entendait autre chose. Des bruits de circulation. Un camion qui changeait de vitesse. Erich devait téléphoner d'une cabine téléphonique sur une autoroute. « *Erich, où es-tu ?*

— Je t'ai dit d'aller chercher du papier et un stylo. Je vais te dicter une lettre. Tu écriras. Dépêche-toi, Jenny. »

Le secrétaire de style 1900 était fermé à l'aide d'une grosse clé dorée. Jenny la fit tomber en essayant de la faire fonctionner. Elle se pencha avec peine pour la ramasser. L'afflux de sang qui lui montait à la tête la fit vaciller. Trébuchant dans sa précipitation pour retourner au téléphone, elle dut s'appuyer au mur.

« Je suis prête, Erich.

— C'est une lettre qui m'est adressée. "Cher Erich…" »

Coinçant le combiné entre son épaule et son oreille, elle griffonna les deux mots.

Il parlait lentement.

« Je me rends compte que je suis très malade. Je sais que j'ai de nombreux accès de somnambulisme. Je crois que j'accomplis des actes effrayants dont je suis incapable de me souvenir. J'ai menti en disant que je n'étais pas montée dans la voiture de Kevin. Je l'ai prié de venir ici pour le persuader de nous laisser tranquilles. Je ne voulais pas le frapper si fort. »

Elle écrivait machinalement, soucieuse de garder tout son calme. Le sens des mots finit par l'atteindre.

« Erich, je ne peux pas écrire cela. Ce n'est pas vrai.

— Laisse-moi finir. Écoute. » Il parlait plus vite à présent.

« Joe menaçait de dire qu'il m'avait vue monter dans la voiture. Je ne pouvais pas le laisser parler. J'ai rêvé que je mélangeais le poison avec l'avoine. Mais je sais que ce n'était pas un rêve. J'espérais que tu accepterais le bébé, mais tu savais qu'il n'était pas de toi. J'ai cru préférable pour nous deux que le bébé ne vécût pas. Il accaparait toute mon attention. Tina m'a vue entrer dans la chambre du bébé. Elle m'a vue presser mes mains sur sa figure. Erich, promets-moi de ne jamais me laisser seule avec les enfants. Je ne suis pas responsable de ce que je fais. »

Le stylo lui échappa des mains. *« Non ! »*

278

« Lorsque tu auras écrit et signé cette déclaration, Jenny, alors je reviendrai. Je mettrai la lettre en lieu sûr. Personne n'en prendra jamais connaissance.

— Erich, je t'en prie. Tu ne peux pas me demander ça.

— Jenny, je peux rester absent pendant des mois, des années, s'il le faut. Tu le sais. Je t'appellerai dans une semaine ou deux. Réfléchis.

— Je ne peux pas.

— Jenny, je sais ce que tu as fait. » Sa voix prit un accent chaleureux. « Nous nous aimons, Jenny. Nous le savons. Mais je ne peux pas prendre le risque de te perdre et de perdre les enfants avec toi. »

Il raccrocha. Elle fixa l'appareil et la feuille de papier froissée dans sa main.

« Oh ! Dieu, dit-elle. Par pitié, aidez-moi. Que faire ? »

Elle téléphona à Fran. « Ne nous attends pas.

— Jenny, pourquoi ? Que se passe-t-il ? » La ligne était mauvaise. Même la voix habituellement forte de Fran semblait venir de très loin.

« Erich a emmené les enfants en voyage. J'ignore quand ils reviendront.

— Jenny, veux-tu que je vienne ? J'ai quatre jours de congé. »

Erich ne supporterait pas que Fran vînt. C'était le coup de téléphone de Fran qui lui avait mis la puce à l'oreille.

« Non, Fran, ne viens pas. Ne téléphone pas non plus. Prie seulement pour moi. S'il te plaît. »

Elle ne pouvait pas dormir dans la chambre. Elle ne pouvait dormir nulle part en haut ; le long couloir sombre, les portes fermées, la chambre des enfants, la pièce où le bébé avait dormi pendant ces quelques brèves semaines.

Elle préféra s'allonger sur le divan près du poêle, enveloppée dans le châle que Rooney lui avait tricoté. La chaudière s'éteignit automatiquement à 22 heures Jenny décida d'allumer le poêle. Elle fit bouger le berceau en prenant une bûche. Oh, mon Pitou, se lamenta-t-elle, revoyant les yeux graves qui s'étaient fixés sur elle, le petit poing qui s'était enroulé autour de son doigt.

Elle ne pouvait pas écrire cette lettre. Au prochain accès de jalousie, Erich serait capable de la remettre au shérif. Combien de temps resterait-il absent?

Elle entendit l'horloge sonner, 1... 2... 3... heures. Elle s'endormit peu après. Un bruit la réveilla. La maison craquait et grinçait comme si le bois jouait. Non, c'était des bruits de pas. Quelqu'un marchait là-haut.

Il lui fallait savoir. Lentement, marche après marche, elle se hissa en haut de l'escalier. Serrant le châle autour de ses épaules pour se protéger du froid. Le couloir était vide. Elle se força à entrer dans la grande chambre, alluma. Il n'y avait personne.

La chambre d'Erich? La porte était entrebâillée. Avait-on oublié de la refermer? Elle entra, alluma le plafonnier. Personne.

Et pourtant, il y avait quelque chose, l'impression d'une présence. Qu'est-ce que c'était? L'odeur du pin. Était-elle à nouveau plus forte? Jenny n'aurait su le dire.

Elle se dirigea vers la fenêtre. Elle avait besoin d'ouvrir, de respirer l'air frais. S'appuyant sur le rebord, elle regarda dehors.

Il y avait une silhouette en bas, la silhouette d'un homme, la tête levée vers la maison. La lune dansait sur son visage. C'était Clyde. Que faisait-il ici? Elle lui fit un signe de la main.

Il pivota sur lui-même et partit en courant.

34

E LLE RESTA tout le reste de la nuit étendue sur le divan, aux aguets.

Parfois, elle croyait entendre des bruits, des pas, une porte se refermer. Imagination. Rien que son imagination. À 6 heures, elle se leva et s'aperçut qu'elle ne s'était pas déshabillée. La robe de soie imprimée qu'elle avait choisie pour voyager était irrémédiablement froissée. Ce n'est pas étonnant que je n'aie pu dormir, se dit-elle.

Une bonne douche chaude effaça un peu de la fatigue qui l'engourdissait. Drapée dans l'épaisse serviette de bain, elle alla dans la chambre et ouvrit le tiroir de la commode. Il y avait une paire de jeans délavés, ceux qu'elle portait à New York. Elle les enfila et fouilla pour trouver un de ses vieux chandails. Erich l'avait obligée à se débarrasser de toutes ses affaires en quittant New York. Mais elle avait tenu à garder quelques vêtements. Il était important pour elle en ce moment de porter quelque chose qui lui appartînt vraiment, qu'elle ait acheté elle-même. Elle se souvint combien elle s'était sentie mal habillée le jour où elle avait rencontré Erich. Elle portait ce chandail bon marché que lui avait offert Kevin et le pendentif en or de Nana.

Elle était arrivée avec ce seul bijou et ses filles. Aujourd'hui, elle n'avait plus le pendentif et Erich avait les enfants.

Jenny contempla le parquet de chêne sombre. Quelque chose attira son attention, juste à l'extérieur de la penderie. Elle se pencha. C'était un bout de fourrure. Elle ouvrit brusquement la porte. Le manteau de vison était à moitié décroché du cintre; une manche pendait, en partie décousue. Qu'est-ce que cela signifiait? S'apprêtant à la remettre en place, Jenny eut un mouvement de recul. Ses doigts avaient glissé jusqu'au cuir à travers la fourrure à la hauteur de l'encolure. Des fragments de fourrure lui restèrent collés à la main.

Le manteau avait été lacéré.

À 10 heures, elle alla jusqu'au bureau. Clyde était assis à la place d'Erich. «Je m'installe toujours là en l'absence d'Erich. C'est plus commode.» Clyde paraissait vieilli. Les rides autour de ses yeux étaient plus prononcées. Elle attendit qu'il lui expliquât pourquoi il était venu inspecter la maison au milieu de la nuit, mais il ne dit rien.

«Combien de temps Erich a-t-il prévu de s'absenter? demanda-t-elle.

— Il ne m'a rien dit de précis, ma'me Krueger.

— Clyde, pourquoi êtes-vous venu devant la maison la nuit dernière?

— Vous m'avez vu?

— Oui, bien sûr.

— Alors, vous l'avez vue, elle aussi?

— Elle?»

Clyde s'écria soudain: «Ma'me Krueger, peut-être Rooney n'est-elle pas aussi folle après tout! Elle passe son temps à dire qu'elle voit Caroline, vous le savez, n'est-ce pas? La nuit dernière, je ne pouvais pas dormir. Sachant qu'ils ne veulent toujours pas laisser Rooney rester à la maison plus de quelques jours à chaque fois, je me suis demandé si je faisais ce qu'il fallait pour elle ; quoi qu'il en soit, je me suis levé. Et, vous vous souvenez, ma'me Krueger, qu'on aperçoit une partie du cimetière depuis notre fenêtre ? Eh bien, j'ai vu quelque chose qui remuait là-bas. Et je suis sorti. »

Le visage de Clyde devint anormalement pâle. « Ma'me Krueger, *j'ai vu Caroline*. Juste comme le disait tout le temps Rooney. Elle allait du cimetière vers chez vous. Je l'ai suivie. Ces cheveux, cette cape qu'elle portait toujours. Elle est entrée par la porte de derrière. J'ai essayé de l'ouvrir après elle, mais c'était fermé à clé. Je n'avais pas mon trousseau sur moi. J'ai fait le tour de la maison et j'ai attendu. Après un moment, j'ai vu la lumière s'allumer dans la grande chambre, puis dans l'ancienne chambre d'Erich. Et ensuite, elle est venue à la fenêtre et elle m'a fait signe.

— Clyde, c'était moi qui étais à la fenêtre. C'est moi qui vous ai fait signe.

— Oh ! mon Dieu, murmura Clyde. Rooney racontait qu'elle voyait Caroline. Tina parle de la dame du tableau. Moi-même, je crois suivre Caroline. Oh ! Seigneur ! — il la regarda d'un air horrifié — et pendant tout ce temps-là, comme l'a dit Erich, c'est de vous qu'il s'agissait.

— Ce n'était pas moi, Clyde, protesta Jenny. Je suis montée parce que j'ai entendu quelqu'un marcher. » Elle s'interrompit, stoppée net par l'expression d'incrédulité sur le visage de Clyde. Elle s'enfuit vers la maison. Clyde avait-il raison ? Avait-elle été se promener du côté du cimetière ? Elle avait rêvé du bébé. Et ce matin encore, elle s'était rendu compte à quel point elle détestait les vêtements qu'Erich lui avait offert. Avait-elle aussi rêvé de cela, et tailladé le manteau ? Peut-être n'avait-elle entendu personne après tout. Elle avait peut-être eu une crise de somnambulisme et s'était retrouvée au premier étage.

C'était elle la dame que Tina avait vue, la dame du tableau.

Elle se fit du café, l'avala brûlant. Elle n'avait rien mangé depuis hier matin. Elle fit griller un petit pain et se força à le grignoter.

Clyde allait déclarer aux médecins avoir vu la femme qu'il prenait pour Caroline. Il dirait qu'il l'avait suivie jusqu'à la maison et qu'elle avait admis lui avoir fait signe.

Erich allait revenir et s'occuper d'elle. Elle allait signer la déclaration. Erich prendrait soin d'elle. Elle resta assise à la table de la cuisine pendant des heures, puis elle se dirigea vers le secrétaire et prit la boîte de papier à lettres. Elle se mit à écrire avec soin, essayant de se rappeler les mots exacts employés par Erich. Elle raconterait également cette dernière nuit. Elle écrivit :

« Et la nuit dernière, j'ai dû avoir une autre crise de somnambulisme. Clyde m'a vue. Je revenais du cimetière. J'avais dû me rendre sur la tombe du bébé. Je me suis réveillée dans ma chambre et j'ai vu Clyde par la fenêtre. Je lui ai fait signe. »

Clyde s'était tenu là, dehors, debout dans la neige durcie. La neige.

Elle n'avait pas mis de chaussures. Elle aurait dû avoir les pieds mouillés si elle était sortie. Les bottes qu'elle avait prévu de prendre pour le voyage se trouvaient à côté du divan, bien cirées. Elle ne les avait pas chaussées pour sortir.

Elle pouvait avoir imaginé le courant d'air froid, imaginé les bruits de pas, oublié qu'elle avait marché en dormant. Mais si elle s'était rendue du côté du cimetière, ses pieds auraient été mouillés, ses collants maculés.

Lentement, elle déchira la lettre, la réduisit en menus morceaux, les regardant se répandre dans la cuisine, impassible. Pour la première fois depuis le départ d'Erich, elle se sentit moins démunie.

Elle n'était donc pas sortie de la maison. Mais Rooney avait vu Caroline. Tina l'avait vue. Elle, Jenny, l'avait entendue marcher à l'étage au-dessus, la nuit dernière. Caroline avait lacéré le manteau de vison. Peut-être en voulait-elle à Jenny de causer tant d'ennuis à Erich? Peut-être était-elle encore en haut? *Elle était revenue.*

Jenny se leva. « Caroline, appela-t-elle. Caroline ! » Sa voix prenait un timbre aigu. Caroline ne l'entendait peut-être pas. Marche après marche, elle gravit l'escalier. La chambre principale était vide. La faible odeur de pin flottait toujours dans l'air. Caroline se sentirait peut-être plus chez elle si Jenny laissait en évidence quelques savonnettes. Elle en retira trois de la coupe de cristal et les plaça sur l'oreiller.

Le grenier. Caroline devait se trouver au grenier. C'était là qu'elle s'était sans doute rendue la nuit passée.

« Caroline ! appela Jenny, s'efforçant de prendre un ton apaisant. N'ayez pas peur de moi. Venez. Je vous en prie. Il faut que vous m'aidiez à retrouver mes enfants. »

Il faisait très sombre dans le grenier. Elle le parcourut de long en large. La mallette de Caroline avec son billet d'avion et l'agenda. Où avait-on rangé le reste de ses bagages? Pourquoi revenait-elle toujours dans cette maison? Elle avait tellement souhaité s'en éloigner.

« Caroline, appela doucement Jenny. Parlez-moi, je vous en prie. »

Le moïse était dans un coin, à nouveau recouvert d'un drap. Jenny s'en approcha, l'effleura tendrement, commença à le balancer. « Mon petit amour, murmura-t-elle, oh ! mon petit amour. »

Quelque chose glissait sur le drap, glissait vers sa main. Une fine chaînette d'or, un pendentif en forme de cœur, un ouvrage en filigrane semblable à un fil d'or tressé, avec un brillant au centre, étincelant dans la pénombre.

Jenny referma la main sur le pendentif de Nana.

« *Nana.* » Prononcer ce nom à voix haute lui fit l'effet

d'une douche froide. Que penserait Nana si elle la trouvait là, debout, en train de converser avec une morte ?

Le grenier l'oppressait d'une manière intolérable. Serrant le pendentif dans sa main, elle dévala les marches jusqu'au premier étage, puis au rez-de-chaussée, et courut à la cuisine. Je deviens folle, pensa-t-elle, se souvenant d'avoir appelé Caroline par son nom.

Imaginer ce que Nana lui aurait conseillé.

Tout paraît plus facile avec une tasse de thé, Jenny.

Elle mit mécaniquement la bouilloire sur le feu.

Qu'as-tu mangé aujourd'hui, Jen ? C'est absurde cette manie de sauter les repas.

Elle ouvrit le réfrigérateur, en sortit de quoi se préparer un club-sandwich et se prit à sourire.

Tout en mangeant, elle s'imagina en train de raconter les événements de la soirée à Nana. « Clyde affirme qu'il m'a vue, mais je n'avais pas les pieds mouillés. Cela aurait-il pu être Caroline ? »

Elle pouvait entendre la réponse de Nana. *Les fantômes n'existent pas. Quand on est mort, on est mort.*

Mais, alors, comment le pendentif pouvait-il se trouver là-haut ?

Cherche.

L'annuaire était rangé dans le tiroir sous le téléphone mural. Son club-sandwich à la main, Jenny le prit. Elle chercha dans les professions la rubrique BIJOUTERIE, VENTES ET ACHATS. Le bijoutier auquel elle avait vendu le pendentif. Elle entoura son nom au crayon-feutre.

Elle composa le numéro, demanda à parler au directeur. Rapidement, elle expliqua son cas. « Je suis Mme Krueger. J'ai vendu un pendentif la semaine dernière. J'aimerais le racheter.

— Madame Krueger, j'aimerais assez ne pas être dérangé pour rien. Votre mari est venu au magasin et m'a dit que vous n'aviez pas le droit de vendre un bijou de famille. Je le lui ai revendu pour le prix que je vous en avais donné.

— *Mon mari?*

— Oui. Il est venu environ vingt minutes après votre passage à la boutique. » L'homme raccrocha.

Jenny contempla le récepteur. Erich l'avait soupçonnée. Il l'avait suivie cet après-midi là, sans doute au volant de l'une des voitures de la ferme. Mais comment le pendentif s'était-il retrouvé au grenier?

Elle alla jusqu'au secrétaire, prit un bloc de papier rayé. Une heure plus tôt, elle avait failli rédiger la déclaration qu'Erich lui réclamait. Maintenant, il y avait autre chose qu'elle voulait voir noir sur blanc.

Elle s'installa à la table de la cuisine. Sur la première ligne, elle écrivit: *Les fantômes n'existent pas.* Sur la seconde: *Je n'ai pas pu me trouver dehors la nuit dernière.* Encore une chose, pensat-elle. Elle écrivit en lettres majuscules sur la troisième ligne: JE NE SUIS PAS QUELQU'UN DE VIOLENT.

Commencer par le commencement. Fixer chaque détail par écrit. Tout avait débuté avec le premier coup de téléphone de Kevin...

Clyde ne revint plus aux abords de la maison. Le troisième jour, Jenny alla jusqu'au bureau. On était le 10 février. Clyde s'entretenait avec un acheteur au téléphone. Elle s'assit et l'observa. Lorsque Erich était là, Clyde avait tendance à se fondre dans le décor. Mais Erich absent, sa voix prenait une nouvelle intonation d'autorité. Elle l'écouta discuter de la vente d'un taureau de deux ans pour plus de cent mille dollars.

Il la regarda avec méfiance après avoir raccroché. Il se souvenait visiblement de leur dernière conversation.

« Clyde, ne prenez-vous pas l'avis d'Erich pour vendre une bête à un tel prix?

— Madame Krueger, quand Erich est là, il s'occupe des

affaires autant qu'il le désire. Mais en fait, il n'a jamais été très intéressé ni par la ferme ni par les cimenteries.

— Je comprends. Clyde, j'ai beaucoup réfléchi. Dites-moi. Où se trouvait Rooney mercredi soir, lorsque vous avez cru voir Caroline ?

— Comment ça, où se trouvait Rooney ?

— Oui, où était-elle ? J'ai téléphoné au docteur Philstrom. C'est le psychiatre que j'avais vu à l'hôpital.

— Je le connais. C'est le médecin de Rooney.

— En effet. Vous ne m'aviez pas dit que Rooney avait eu l'autorisation de venir passer vingt-quatre heures chez elle à partir de mercredi soir.

— Mercredi soir, Rooney était à la clinique.

— Non. Elle se trouvait chez Maude Eckers. C'était l'anniversaire de Maude. Vous deviez aller à une vente de bétail et vous aviez autorisé Maude à aller chercher Rooney. Rooney croyait que vous étiez à Saint-Cloud.

— J'y étais. Je suis rentré vers minuit. J'avais oublié que Rooney devait aller chez Maude.

— Clyde, serait-il possible que Rooney soit sortie de chez Maude, et qu'elle se soit promenée du côté de la ferme ?

— Non. C'est impossible.

— Clyde, elle rôde souvent la nuit. Vous le savez. Ne pourriez-vous l'avoir vue avec une couverture autour d'elle, une couverture qui ressemblerait à une cape vue de loin ? Pensez à Rooney lorsqu'elle a les cheveux dénoués sur les épaules.

— Rooney n'a pas défait son chignon depuis vingt-ans, sauf naturellement…

— Sauf quand ?

— Sauf la nuit.

— Clyde, ne voyez-vous pas ce que j'essaye de vous dire ? Encore une question. Erich a-t-il mis un pendentif dans le coffre, ou vous a-t-il chargé de l'y mettre ?

— Il l'a mis lui-même. Il m'a dit que vous passiez votre temps à l'égarer et qu'il ne voulait pas le voir perdu.

« — En avez-vous parlé à Rooney ?

— Je l'ai peut-être mentionné comme ça, en passant.

— Clyde, Rooney connaît la combinaison du coffre, n'est-ce pas ? »

Il fronça les sourcils, l'air préoccupé.

« C'est possible.

— Et elle a l'autorisation de revenir chez elle plus fréquemment que vous ne l'avez dit ?

— Elle est revenue assez souvent.

— Et il est possible qu'elle se soit promenée par ici dans la nuit de mercredi. Clyde, ouvrez ce coffre et montrez-moi le pendentif. »

Il obéit sans mot dire. Ses doigts tremblaient un peu en composant la combinaison du coffre-fort. La porte s'ouvrit. Il plongea la main à l'intérieur, en retira un écrin et l'ouvrit avec précaution. Il l'éleva, comme s'il espérait qu'une lumière plus intense révélerait ce qu'il cherchait. « Le pendentif n'y est pas », prononça-t-il d'une voix anormalement douce.

Deux jours plus tard, Erich téléphona dans la soirée. « Jenny ! » Il y avait une sorte d'enjouement, de malice dans sa voix.

« *Erich ! Erich !*

— Où es-tu, Jen ?

— En bas, sur le divan. » Elle regarda la pendule. Il était presque minuit. Elle s'était assoupie.

« Pourquoi ?

— Je me sens trop seule en haut, Erich. » Elle souhaitait lui dire de quoi elle soupçonnait Rooney.

« Jenny. » La colère dans sa voix la fit sursauter. « Je veux que tu dormes dans notre chambre, dans notre lit. Je veux que tu portes la chemise de nuit spéciale. Tu m'entends ?

— Erich, je t'en prie. Tina. Beth. Comment vont-elles ?

— Elles vont très bien. Lis-moi la lettre.

— Erich, j'ai découvert quelque chose. Peut-être t'es-tu *trompé*. »

Trop tard. Les mots lui avaient échappé. Elle essaya de les rattraper. « Je veux dire, peut-être n'avons-nous pas très bien compris tous les deux…

— Tu n'as pas écrit la lettre…

— J'avais commencé. Mais Erich, ce que tu crois n'est pas la réalité. J'en ai la certitude maintenant. »

La communication fut coupée.

Jenny sonna à la porte de la cuisine de Maude Eckers. Depuis combien de mois n'était-elle pas venue ici ? Depuis que Maude lui avait ordonné de laisser Joe tranquille.

Maude avait eu raison de s'inquiéter pour Joe.

Elle allait sonner une seconde fois lorsque la porte s'ouvrit. Joe se tenait dans l'embrasure, plus mince, son visage juvénile mûri par quelques rides autour des yeux.

« Joe ! »

Il tendit les mains. Elle les prit spontanément ; dans un élan d'affection, elle l'embrassa sur la joue.

« Joe.

— Jenny, je veux dire, madame Krueger… » Il s'effaça maladroitement pour la laisser passer.

« Votre mère est-elle là ?

— Elle travaille. Je suis seul.

— C'est aussi bien ainsi. Il faut que je vous parle. Je voulais tellement vous parler, mais vous savez…

— Je sais, Jenny. Je vous ai causé bien des ennuis. J'aimerais vous demander pardon à genoux pour ce que j'ai dit le matin de l'accident. Tout le monde a cru que je vous accusais de… eh bien de m'avoir fait du mal. Mais comme je l'ai fait comprendre au shérif, ce n'était pas du tout ça que j'avais voulu dire. Je pensais mourir et ça me tourmentait de vous avoir dit que je vous avais vue ce soir-là. »

Elle s'assit en face de lui de l'autre côté de la table de la cuisine.

290

« Joe, voulez-vous dire que vous ne pensez pas m'avoir vue ce soir-là ?

— C'est ce que j'ai voulu expliquer au shérif, et à M. Krueger, la semaine dernière… il y a toujours eu une chose qui me tracassait.

— Qui vous tracassait ?

— Oui. C'est la façon dont vous bougiez. Vous êtes si gracieuse, Jenny. Vous avez une démarche si vive, si légère, comme une danseuse. La personne qui descendait de la véranda ce soir-là marchait d'une façon *différente*. C'est difficile à expliquer. Et elle était courbée en avant de telle sorte que ses cheveux lui cachaient presque tout le visage. Vous vous tenez toujours si droite…

— Joe, pensez-vous que cela aurait pu être Rooney avec mon manteau ? »

Joe prit l'air embarrassé. « C'est impossible. J'étais resté dans mon coin parce que j'avais vu Rooney dans le chemin qui mène chez vous et que je ne voulais pas me retrouver nez à nez avec elle. Rooney était bien là, mais c'est quelqu'un d'autre qui est monté dans la voiture. »

Jenny se passa la main sur le front. Depuis quelque temps elle en était arrivée à penser que Rooney pouvait être la clé de tous ces mystères. Rooney pouvait entrer et sortir de la maison sans faire le moindre bruit. Rooney aurait pu les entendre, Erich et elle, parler de Kevin. Rooney aurait pu être l'auteur du coup de téléphone. Rooney connaissait l'existence de la cloison entre les deux chambres. Tout prenait un sens si Rooney, vêtue du manteau de Jenny, avait rencontré Kevin ce soir-là.

Mais alors, qui portait ce manteau ? Qui avait organisé la rencontre ?

Elle ne le savait pas.

Mais au moins Joe avait-il pu vérifier qu'il ne s'était pas trompé en soutenant qu'elle, Jenny, n'était pas cette personne.

Elle se leva pour partir. Il n'était pas nécessaire que Maude la trouvât là en rentrant chez elle. Elle serait horrifiée. Jenny s'efforça de sourire. « Joe, je suis contente de vous avoir vu. Vous nous avez manqué. Je suis heureuse de savoir que vous allez reprendre votre travail chez nous.

— J'étais vraiment content lorsque M. Krueger m'a offert de me réengager. Et comme je vous l'ai dit, je lui ai raconté la même chose qu'à vous.

— Qu'a dit Erich ?

— Il m'a dit que je devais me taire, que je ne ferais qu'envenimer les choses si je remuais encore cette histoire. Et j'ai juré de ne plus en parler à âme qui vive. Mais, bien sûr, il ne me défendait sûrement pas de vous en parler, à vous. »

Elle enfila ses gants avec application. Elle ne devait pas lui montrer à quel point elle était bouleversée. *Erich avait exigé qu'elle signât cette déclaration, confessant sa présence dans la voiture de Kevin, même après que Joe lui eut fait part de sa certitude d'avoir vu quelqu'un d'autre y monter vêtu de son manteau.*

Elle devait mettre de l'ordre dans ses idées.

« Jenny, je crois que j'avais un gros béguin pour vous. Je n'ai sûrement pas facilité les choses entre vous et M. Krueger.

— Joe, ce n'est pas grave.

— Mais il faut que je vous dise. Comme je l'ai dit à Man. C'est parce que vous êtes juste le genre de personne que je voudrais rencontrer quand je penserai sérieusement à une femme. J'ai expliqué ça à Man. Elle était si inquiète, elle a toujours dit que mon oncle aurait eu une vie différente s'il n'y avait pas eu Caroline. Mais, ça aussi, c'est en train de s'arranger. Mon oncle n'a plus bu une goutte d'alcool après mon accident. Et ils se voient à nouveau.

— Qui se voit à nouveau ?

— Mon oncle avait quelqu'un dans sa vie au moment de l'accident de Caroline. Quand John Krueger a raconté partout que Josh ne faisait attention à rien parce qu'il passait son temps à tourner autour de Caroline, son amie a été tellement choquée qu'elle a rompu ses fiançailles. Et mon oncle s'est mis à boire. Mais maintenant, après toutes ces années, ils recommencent à se voir.

— Joe, quelle est la femme que revoit votre oncle ?

— La jeune fille avec laquelle il sortait à l'époque. La femme, à présent, bien sûr. Vous la connaissez, Jenny. C'est votre femme de ménage, Elsa. »

35

ELSA AVAIT ÉTÉ FIANCÉE à Josh Brothers. Elle ne s'était jamais mariée. Quelle amertume accumulée au cours de ces années à l'encontre des Krueger! Pourquoi avait-elle accepté ce travail chez eux? La façon dont Erich la traitait était si humiliante. Elsa pouvait avoir pris le manteau dans le placard. Elsa pouvait avoir entendu Jenny parler avec Erich. Elsa pouvait avoir interrogé les enfants au sujet de Kevin.

Mais pourquoi?

Il fallait qu'elle parle à quelqu'un. Elle devait se confier à quelqu'un.

Jenny s'arrêta. Le vent la gifla au front. Il y avait une personne à qui elle pouvait faire confiance, une personne dont le visage occupait à présent ses pensées.

Elle pouvait faire confiance à Mark et il était sans doute revenu de Floride.

Dès qu'elle fut rentrée à la maison, elle chercha le numéro de téléphone de la clinique de Mark et l'appela. On attendait le docteur Garrett d'une minute à l'autre. Qui le demandait?

Jenny ne voulut pas laisser son nom.

« À quelle heure peut-on le joindre ?

— Il est toujours à la clinique entre 5 et 7 heures de l'après-midi. »

Elle lui téléphonerait plus tard chez lui.

Elle alla jusqu'au bureau. Clyde était en train de fermer la caisse. Il y avait une sorte de méfiance, de contrainte, entre eux désormais. « Comment va Rooney ? demanda-t-elle.

— Je la ramène demain pour de bon à la maison, mais ma'me Krueger, juste une chose. J'aimerais que vous laissiez Rooney tranquille. Je veux dire, ne la faites pas venir chez vous, ne lui rendez pas visite. » Il semblait mal à l'aise. « Le docteur Philstrom dit qu'en cas de choc émotionnel, Rooney peut rechuter.

— Et je représente ce choc émotionnel ?

— Tout ce que je sais, ma'me Krueger, c'est que Rooney n'a pas vu Caroline se promener dans les couloirs de la clinique.

— Clyde, avant de fermer, pourriez-vous me donner un peu d'argent. Erich est parti si vite qu'il ne me reste presque plus de liquide, et j'ai besoin de faire quelques achats. D'autre part, pourrais-je vous emprunter votre voiture pour aller en ville ? »

Clyde ferma le tiroir de la caisse et mit la clé dans sa poche. « Erich a été formel sur ce point, ma'me Krueger. Il ne veut pas que vous empruntiez de voiture et il m'a chargé de vous procurer tout ce dont vous auriez besoin jusqu'à son retour. Mais il m'a catégoriquement interdit de vous donner de l'argent. Il m'a menacé de me renvoyer si je vous donnais ne serait-ce qu'un dollar. »

Quelque chose dans l'expression de Jenny lui fit adopter un ton plus amical. « Ma'me Krueger, je ne vous laisserai manquer de rien. Dites-moi seulement ce qu'il vous faut.

— J'ai besoin… » Jenny se mordit les lèvres, tourna les talons et claqua la porte derrière elle en sortant du bureau. Elle courut le long de l'allée, aveuglée par des larmes de rage et d'humiliation.

Les ombres du crépuscule s'étendaient comme des rideaux tirés sur la brique pâle de la maison. À la lisière des bois, les hauts pins noirs de Norvège dressaient leurs silhouettes luxuriantes devant les ramures dépouillées des bouleaux et des érables. Le soleil caché derrière de gros nuages noirs inondait l'horizon de ses rayons diffus, marbrant le ciel de superbes tons de mauve, de rose et de pourpre foncée. Un ciel d'hiver. Une maison d'hiver. C'était devenu sa prison.

À 19 h 8, Jenny tendit la main vers le téléphone dans l'intention d'appeler Mark. Sa main touchait le récepteur lorsque la sonnerie retentit. Elle souleva l'appareil : « Allô ?

— Jenny, tu dois vivre le téléphone à la main. Attendais-tu mon appel ? » Il y avait une pointe d'irritation dans le ton légèrement moqueur d'Erich.

Jenny sentit ses mains devenir moites. Instinctivement, elle serra plus fortement le récepteur. « J'attendais de tes nouvelles. » Sa voix était-elle naturelle ? Pouvait-il percevoir sa nervosité ?

« Erich, comment vont les enfants ?

— Très bien, naturellement. Qu'as-tu fait, aujourd'hui ?

— Peu de chose. J'ai un peu plus de travail à la maison, maintenant qu'Elsa ne vient plus. Je ne m'en plains pas. » Fermant les yeux, elle choisit soigneusement chacun de ses mots, et ajouta sans en avoir l'air, « Oh ! j'ai vu Joe. » Elle continua rapidement, ne voulant ni mentir ni avouer qu'elle s'était rendue chez les Eckers. « Il est si content que tu l'aies engagé à nouveau, Erich.

— Je suppose qu'il t'a raconté par le menu la conversation que j'ai eue avec lui ?

— Que veux-tu dire ?

— Je veux parler de sa façon d'embrouiller les choses en affirmant en un premier temps t'avoir vue monter dans la voiture, pour revenir aussitôt après sur ses déclarations. Tu savais que Joe t'avait vue monter dans la voiture ce soir-là et tu me l'avais caché. J'avais toujours cru que seule Rooney t'avait vue.

— Mais, Joe a dit… il m'a dit qu'il t'avait raconté… Il est certain qu'il s'agissait d'une autre personne portant mon manteau.

— Jen, as-tu signé cette déclaration ?

— Erich, ne vois-tu pas que nous avons un témoin qui…

— Tu veux dire que nous avons un témoin qui est sûr de t'avoir vue et qui, pour se faire valoir auprès de moi, pour retrouver son travail, est maintenant prêt à se récuser. Jenny, ne t'entête plus à refuser la vérité. Ou bien tu prépares cette déclaration et tu me la lis la prochaine fois que je téléphonerai, ou bien tu renonces à revoir les enfants jusqu'à leur majorité. »

Jenny perdit son contrôle. « Tu ne peux pas faire ça ! J'obtiendrai un mandat d'arrêt contre toi. Ce sont mes enfants. Tu ne peux pas disparaître avec elles.

— Jenny, elles m'appartiennent autant qu'à toi. Je les ai seulement emmenées en vacances. Je t'ai déjà avertie qu'aucun juge ne te les confierait. J'ai une pleine ville de témoins prêts à jurer que je suis un père modèle. Jenny, je t'aime assez pour te donner une chance de vivre encore avec elles, pour me soucier de toi. Ne me pousse pas à bout. Bonsoir, Jenny. Je te rappellerai bientôt. »

Jenny contempla le récepteur soudain muet. Toute la fragile confiance qu'elle avait peu à peu acquise l'abandonna d'un coup. Ne lutte plus, lui murmurait une voix à l'oreille. Écris cette confession. Lis-la-lui. Finis-en une bonne fois.

Non. Les lèvres serrées, elle composa le numéro de Mark. Il répondit à la première sonnerie.

« Docteur Garrett.

— Mark. » Pourquoi cette voix chaude, profonde, lui faisait-elle immédiatement monter les larmes aux yeux ?

« Jenny. Que se passe-t-il ? Où êtes-vous ?

— Mark, je… pouvez-vous… il faut que je vous parle. » Elle s'arrêta, puis reprit. « Mais je préférerais que personne ne vous vît ici. Si je coupe à travers champs à l'ouest, pourriez-vous me prendre en chemin ? À moins que… bien sûr, si vous avez d'autres projets… ne vous tracassez pas pour moi.

— Attendez-moi près du moulin. J'y serai dans un quart d'heure. »

Jenny monta dans sa chambre et alluma la lampe de chevet. Elle laissa une lumière allumée dans la cuisine, une plus petite dans le salon. Clyde pouvait venir faire un tour d'inspection.

Elle était obligée de courir le risque d'un nouvel appel d'Erich au cours des prochaines heures.

Elle quitta la maison et marcha dans l'ombre de l'étable et des nourrisseurs. Derrière les clôtures électriques, elle distinguait les silhouettes des bêtes se pressant près des granges. Comme il n'y avait rien à paître dans les prairies recouvertes de neige, les bœufs se rassemblaient près des bâtiments où on apportait leur nourriture.

Moins de dix minutes plus tard, elle atteignit le moulin, entendit le ronflement sourd d'une voiture qui approchait. Mark conduisait avec les lanternes allumées. Elle s'avança à découvert et lui fit signe. Il s'arrêta, se pencha pour lui ouvrir la portière.

Il sembla comprendre qu'elle désirait s'éloigner rapidement. Il ne parla pas avant d'avoir atteint la route de campagne.

« Je croyais que vous étiez à Houston avec Erich, Jenny.

— Nous n'y sommes pas allés.

— Erich sait-il que vous m'avez téléphoné ?

— Erich est parti. Il a emmené les enfants avec lui. »

Il émit un sifflement. « C'est ce que papa… » Il se tut. Elle sentit son regard se poser sur elle, soudain intensément consciente de son teint hâlé par le vent, de ses cheveux drus couleur de sable, de ses longs doigts habiles encerclant le volant. Erich la mettait toujours mal à l'aise, sa seule présence rendait l'atmosphère tendue. La présence de Mark produisait exactement l'effet inverse.

Des mois s'étaient écoulés depuis cette unique fois où elle avait pénétré chez lui. Le soir, la maison était aussi accueillante que dans son souvenir : le fauteuil à oreillettes, avec son tissu de velours un peu usé, devant la cheminée ; une grande table basse en chêne, face au sofa, recouverte de journaux et de magazines ; des rayonnages encadrant la cheminée bourrés de livres de toutes les dimensions, de toutes les formes.

Mark l'aida à retirer son manteau.

« La vie à la campagne ne vous a pas fait grossir, fit-il remarquer. Avez-vous dîné ?

— Non.

— Je m'en doutais. » Il lui servit un verre de xérès. « C'est le jour de sortie de ma femme de ménage aujourd'hui. J'allais justement me préparer un hamburger lorsque vous avez appelé. Je reviens tout de suite. »

Jenny s'assit sur le sofa, puis ôta instinctivement ses bottes et se pelotonna dans les coussins. Nana et elle possédaient le même genre de sofa quand elle était enfant. Elle se souvenait encore de la façon dont elle s'y blottissait les jours de pluie avec un livre, laissant agréablement passer les heures.

Mark réapparut au bout de quelques minutes, portant un plateau. « Le spécial Minnesota, dit-il en souriant. Hamburgers, pommes frites, laitue et tomates. »

L'odeur était délicieuse. Jenny commença à manger et s'aperçut qu'elle mourait de faim. Elle savait que Mark attendait qu'elle en vînt au fait et expliquât la raison de son appel. Jusqu'où devait-elle aller dans ses révélations ? Mark serait-il horrifié d'apprendre ce dont Erich la soupçonnait ?

Il était assis dans le fauteuil en face d'elle, ses longues jambes étendues devant lui, le regard soucieux, le front plissé par l'attention. Elle ne trouvait pas désagréable d'être l'objet de cette attention. C'était même curieusement réconfortant, comme s'il allait analyser ce qui n'allait pas et tout arranger.

Son père avait souvent la même expression. Luke! Elle n'avait pas demandé de ses nouvelles. «Comment va votre père?

— Mieux. Mais il m'a fait très peur. Il ne se sentait pas très bien avant de partir pour la Floride. Puis il a eu cette attaque. Il est rentré chez lui maintenant et il paraît être en forme. Il souhaitait vraiment votre visite, Jenny. Il la souhaite encore.

— Je suis contente qu'il aille mieux.»

Mark se pencha en avant. «Racontez-moi, Jenny.»

Elle lui dit tout, le regardant bien en face, voyant son regard s'assombrir, des rides se creuser autour de ses yeux et de sa bouche, et son expression s'adoucir quand elle lui parla du bébé d'une voix étranglée.

«Vous voyez, je comprends pourquoi Erich me croyait coupable de ces choses atroces. Mais maintenant, je sais que ce n'était pas moi. Cela veut dire qu'une autre femme joue mon rôle. J'étais absolument certaine que c'était Rooney, mais ce ne peut être elle. Et je me demande... Pensez-vous que ce soit Elsa? Cela me semble si étrange qu'elle ait gardé toute cette rancœur pendant vingt-cinq ans... Erich n'était qu'un enfant.»

Mark ne répondit pas. Il avait l'air grave, troublé.

«Vous ne croyez pas que j'aurais pu faire tout cela, n'est-ce pas? s'exclama Jenny. Mon Dieu, êtes-vous comme Erich? Croyez-vous...»

Le nerf sous son œil gauche se mit à tressauter. Elle se couvrit la joue d'une main pour l'arrêter, puis sentit ses genoux commencer à trembler. Se penchant en avant, elle prit ses jambes à deux mains. Tout son corps était maintenant agité d'un tremblement incontrôlé.

«Jenny, Jenny.» Mark l'entourait de ses bras, la maintenait contre lui, lui pressait la tête contre sa poitrine, les lèvres dans ses cheveux.

«Je ne pourrais faire de mal à personne. Je ne peux pas signer et affirmer que j'ai pu...»

Il la serra plus fort dans ses bras. «Erich est dé... déséquilibré... oh! Jenny!»

De longues minutes passèrent avant qu'elle ne se calmât. Elle se força à s'écarter de lui, sentit ses bras forts la relâcher. Sans un mot, ils se regardèrent, puis Jenny détourna les yeux. Il y avait un châle en cachemire posé sur le dossier du sofa. Il l'en entoura. «Je crois que nous avons tous les deux besoin d'une bonne tasse de café.»

Elle contempla la cheminée pendant qu'il était à la cuisine, regardant les bûches se fendre, se fragmenter, se transformer en braises incandescentes. Elle se sentit soudain épuisée. Mais c'était une fatigue différente, dépourvue de cette impression d'engourdissement et de tension, plutôt une sorte de détente, comme après une longue course.

Après s'être confiée à Mark il lui semblait être débarrassée d'un poids accablant. Elle entendait le tintement des tasses et des soucoupes, humait l'odeur du café, écoutait le bruit de ses pas dans la cuisine; elle se souvenait de l'étreinte de ses bras...

Dès qu'il revint avec le café, elle put exposer certains faits précis qui aidèrent à détendre l'atmosphère chargée d'émotion. «Erich sait que je ne resterai pas avec lui. À l'instant même où il ramènera mes filles, je partirai.

— Êtes-vous certaine de vouloir le quitter, Jenny?

— Aussi vite que je pourrai. Mais d'abord, je veux le forcer à ramener mes filles. Ce sont mes enfants.

— Il a raison de prétendre qu'en tant que père adoptif, il a autant de droits sur elles que vous. De plus, Erich est capable de rester au loin indéfiniment. Laissez-moi prendre l'avis de deux ou trois personnes. J'ai un ami avocat, expert en matière de droit civil. D'ici là, lorsque Erich vous téléphonera, quoi qu'il arrive, ne vous opposez pas à lui. Ne lui dites pas que vous m'avez parlé. Vous me le promettez?

— Bien sûr.»

Il la reconduisit chez elle et arrêta la voiture au moulin. Mais il insista pour traverser avec elle l'étendue paisible des champs jusqu'à la maison. « Je veux être sûr que vous êtes bien rentrée, dit-il. Montez au premier étage et si tout va bien, baissez les stores de votre chambre.

— Qu'entendez-vous par si tout va bien ?

— Si Erich avait par hasard décidé de revenir ce soir, et cela pendant votre absence, je craindrais le pire. Je vous appellerai demain soir après avoir consulté quelques personnes.

— Non, ne m'appelez pas. Laissez-moi le faire. Clyde est au courant de chaque coup de téléphone que je reçois. »

Quand ils furent arrivés à la hauteur de la grange, Mark déclara: « Je vous observerai d'ici. Tâchez de ne pas vous faire trop de souci.

— Je vais essayer. Il y a une chose qui me rassure, Erich adore Tina et Beth. Il prendra bien soin d'elles. C'est au moins une consolation. »

Mark lui pressa la main sans rien dire. Elle se faufila rapidement sur le bord du sentier jusqu'à la porte donnant dans la cuisine et regarda autour d'elle. La tasse et la soucoupe qu'elle avait mises à égoutter dans l'évier étaient toujours à la même place. Elle eut un sourire amer. Erich n'était sûrement pas revenu. La tasse et la soucoupe auraient été rangées.

Elle gagna rapidement le premier étage, entra dans sa chambre et baissa les stores. Depuis l'une des fenêtres elle regarda la haute silhouette de Mark disparaître dans l'obscurité. Un quart d'heure plus tard, elle était dans son lit. C'était le moment le plus pénible. Ne pas pouvoir traverser le couloir pour aller border Tina et Beth dans leurs lits. Elle essaya d'imaginer Erich s'évertuant à les distraire.

Elles s'étaient beaucoup amusées à la fête locale avec lui, l'an dernier. Il avait souvent passé des journées entières avec elles dans le parc d'attractions. Il faisait preuve d'une patience infinie avec les enfants.

Mais toutes les deux semblaient si anxieuses, quand il les

302

avait laissées parler à leur mère au téléphone, le premier soir après leur départ.

Elles devaient s'être habituées à l'absence de Jenny maintenant, comme elles s'étaient accoutumées à son séjour à l'hôpital.

Ainsi qu'elle l'avait dit à Mark, une chose la réconfortait : ne pas avoir à s'inquiéter pour les enfants.

Jenny se souvint de la façon dont il lui avait pressé la main alors. Pourquoi ?

Elle resta éveillée toute la nuit. Si ce n'était pas Rooney… si ce n'était pas Elsa… alors qui ?

À l'aube, elle se leva. Elle ne pouvait attendre le retour d'Erich. Elle s'efforça d'étouffer l'angoisse atroce, lancinante, les hypothèses effrayantes qui lui avaient traversé l'esprit durant la nuit.

Le chalet. Il fallait qu'elle le trouve. Tout son instinct l'avertissait qu'il fallait commencer par le chalet.

36

ELLE COMMENÇA à chercher le chalet à l'aube. À 4 heures du matin, elle avait allumé la radio et écouté les prévisions météorologiques. La température chutait rapidement. Il faisait moins trente degrés, un vent froid soufflait du Canada. On annonçait une forte tempête de neige. Elle devait atteindre la région de Granite Place dans la soirée du lendemain.

Elle prépara une Thermos de café, mit un chandail supplémentaire sous sa combinaison de ski. Ses seins la faisaient terriblement souffrir. Songer au bébé pendant la nuit avait suffi à raviver les élancements douloureux. Elle ne voulait pas s'attarder à penser à Tina et à Beth pour l'instant. Elle ne pouvait que prier, avec des mots gauches, implorants… Veillez sur elles, je vous en prie. Faites qu'il ne leur arrive aucun mal…

Elle savait que le chalet devait se trouver environ à vingt minutes de marche depuis la lisière des bois. Elle partirait de l'endroit où elle voyait toujours Erich disparaître à travers les arbres, et ferait des allers et retours en partant de ce point. Peu importait le temps que cela lui prendrait.

Elle revint à la maison à 11 heures, se fit chauffer du potage, changea de chaussettes et de moufles, trouva une autre écharpe pour s'emmitoufler la figure et reprit son chemin.

À 17 heures, alors que les ombres s'allongeaient, se confondant presque avec l'obscurité, et que Jenny se désespérait de devoir abandonner ses recherches, elle franchit une éminence et tomba sur le petit chalet au toit d'écorce qui avait été la première maison d'habitation des Krueger dans le Minnesota.

Il avait un aspect fermé, inhabité, mais qu'avait-elle donc imaginé ? Que de la fumée s'échapperait de la cheminée, que les lampes seraient allumées, que… Oui. Elle avait espéré y trouver Beth et Tina avec Erich.

Elle déchaussa ses skis, cassa un carreau avec son marteau et enjamba l'appui de la fenêtre pour entrer dans le chalet. Il faisait glacial à l'intérieur, l'atmosphère froide d'un endroit sans chauffage où le soleil ne pénètre jamais. Clignant des yeux pour s'habituer à la pénombre, Jenny se dirigea vers les autres fenêtres, remonta les stores et regarda autour d'elle.

Elle vit une pièce de six mètres sur six, un poêle colonial, un tapis d'Orient aux couleurs passées… et des tableaux. Chaque centimètre carré de mur était couvert par les œuvres d'Erich. Même la demi-obscurité ne parvenait pas à cacher la remarquable puissance, la beauté de sa peinture. Comme à l'habitude, la révélation de l'art d'Erich apaisa Jenny. Les craintes qui l'avaient assaillie durant la nuit lui parurent soudain risibles.

La quiétude des sujets qu'il avait choisis ; le nourrisseur dans une tempête d'hiver, la biche, tête levée, prête à prendre la fuite dans les bois ; le veau cherchant à téter sa mère. Comment un être capable de peindre avec une telle sensibilité, une telle autorité, pouvait-il se montrer aussi hostile, aussi soupçonneux ?

Elle se tenait devant un casier rempli de toiles. Un détail attira son attention sur la première d'entre elles. Sans comprendre, elle les examina toutes, les unes après les autres. La signature dans le coin à droite. Elle n'était pas appuyée, rapide, comme celle d'Erich, mais délicate, faite de fines touches de pinceau, une signature en accord avec les thèmes paisibles de ces toiles : *Caroline Bonardi*. Sur chacune d'entre elles.

Jenny scruta les toiles accrochées au mur. Celles qui étaient encadrées étaient signées *Erich Krueger*, les autres, *Caroline Bonardi*.

Mais Erich avait dit que Caroline avait peu de talent...

Son regard allait d'un tableau portant la signature d'Erich à un autre signé par Caroline. La même lumière diffuse, le même sapin caractéristique à l'arrière-plan, la même utilisation des couleurs. Erich copiait le style de Caroline.

Non !

Les tableaux encadrés étaient ceux qu'il avait choisis pour sa prochaine exposition. C'étaient ceux qui portaient sa signature. Il ne les avait pas peints. Le même artiste les avait tous exécutés. Erich se bornait à s'approprier l'œuvre de Caroline. Voilà pourquoi il s'était montré tellement embarrassé le jour où Jenny lui avait fait remarquer que l'orme qui figurait dans un de ses tableaux, soi-disant récent, avait été abattu plusieurs mois auparavant.

Un dessin au fusain attira son attention. Il était intitulé *Autoportrait*. C'était *Souvenir de Caroline* en réduction, probablement une étude esquissée avant d'entreprendre ce qui était le chef-d'œuvre de l'artiste.

Oh ! mon Dieu. Toute l'émotion que l'œuvre du peintre lui avait fait attribuer à Erich n'était qu'un mensonge.

Alors, pourquoi venait-il si fréquemment ici ? Qu'y faisait-il ? Elle aperçut l'escalier, s'y précipita. La pente du toit força Jenny à se baisser en atteignant la dernière marche avant d'avancer dans la pièce.

En se redressant, elle reçut en plein visage une explosion de couleurs cauchemardesques. Frappée d'horreur, elle contempla sa propre image sur le mur du fond. Un miroir ?

Non. Le visage peint ne broncha pas à son approche. Le dernier rayon du crépuscule filtrant par l'étroite lucarne venait zébrer la toile, comme s'il la désignait d'un doigt fantomatique.

Un collage de scènes diverses : des scènes de violence, peintes de couleurs agressives. Le personnage central, elle-même, Jenny, le visage tordu par la douleur, le regard fixé sur des corps semblables à des marionnettes. Ceux de Beth et de Tina, gisant désarticulés sur le sol dans leurs robes bleues mêlées l'une à l'autre, les yeux exorbités, la langue tirée, leurs ceintures de velours bleu nouées autour de leurs cous. Sur le mur derrière l'image de Jenny, une fenêtre tendue d'un rideau bleu. Dans l'ouverture du rideau, le visage d'Erich apparaissait, triomphant, sadique. Et partout dans le tableau, en tons de vert et de noir, la même silhouette ondulante, mi-femme, mi-serpent, avec le visage de Caroline et sa cape enroulée autour d'elle comme la peau écailleuse du reptile. La silhouette de Caroline penchée sur un moïse surréaliste suspendu dans le ciel, des mains de femme, grotesques, démesurées, semblables à des nageoires, couvrant la figure du bébé et les mains de l'enfant rejetées en arrière, avec ses petits doigts écartés sur l'oreiller. La silhouette de Caroline en manteau marron se reflétant dans le pare-brise d'une voiture ; un autre visage à côté du sien. Celui de Kevin, déformé, hagard, caricatural, avec sa tempe meurtrie et gonflée, contre la vitre. La silhouette de Caroline, les pans de sa cape flottant autour d'elle, guidant les sabots d'un cheval sauvage vers une forme aux cheveux blonds étendue sur le sol. Joe. Joe, s'écartant d'un bond pour éviter les sabots du cheval.

Jenny entendit le son rauque qui lui montait aux lèvres, la plainte aiguë, le cri violent de protestation. Ce n'était pas Caroline, cette forme mi-femme, mi-serpent. C'était le visage d'Erich qui apparaissait sous les cheveux sombres emmêlés, les yeux d'Erich qui la regardaient sauvagement sur la toile.

Non. Non. Non. Ces révélations tourmentées, démentes,

cet art — le mal incarné, doté d'une puissance auprès de laquelle l'élégance en demi-teintes de l'œuvre de Caroline paraissait inconsistante.

Erich n'avait pas peint les toiles dont il se disait l'auteur. Mais celles qu'il avait *réellement exécutées* révélaient le génie d'un esprit démoniaque. Elles étaient dévastatrices par leur puissance, l'incarnation du mal, l'image même de la folie !

Jenny ne pouvait détacher les yeux de son propre visage, du visage de ses enfants, de leur regard implorant, de la ceinture qui enserrait leur mince cou blanc.

Enfin, elle se força à arracher la toile du mur, s'en emparant avec horreur, comme si ses doigts se refermaient sur les feux mêmes de l'enfer.

Elle parvint à attacher ses skis, reprit sa route à travers bois. La nuit tombait, l'obscurité s'étendait. La toile donnait prise au vent comme une voile, la faisait dévier hors de son chemin, heurter les arbres. Le vent rendait dérisoires les appels au secours qui lui déchiraient la gorge. « À l'aide ! À l'aide ! À l'aide ! »

Elle perdit son chemin, revint sur ses pas dans le noir, aperçut à nouveau l'ombre du chalet. Non. Non.

Elle allait mourir de froid dans cet endroit, avant de pouvoir trouver un être humain qui arrêterait Erich à temps, à supposer qu'il n'était pas déjà trop tard. Elle perdit la notion du temps. Pendant combien d'heures n'avait-elle cessé de trébucher, de tomber, de se relever, de reprendre sa route ? Depuis combien de temps serrait-elle cette maudite toile contre elle ? Depuis combien de temps hurlait-elle sans fin ? Elle sentit seulement sa voix se briser en sanglots rauques lorsqu'elle aperçut indistinctement une lueur à travers un bouquet d'arbres et comprit qu'elle avait atteint la lisière de la forêt.

La lueur qu'elle avait vue, c'était le reflet de la lune sur le granit de la tombe de Caroline.

Avec un dernier sursaut d'énergie, elle franchit les champs enneigés. La maison était dans le noir. Seul le reflet du croissant de lune permettait d'en distinguer les contours. Mais les fenêtres du bureau étaient éclairées. Jenny s'avança dans cette direction, la toile battant au vent plus violemment maintenant qu'elle avait quitté l'abri des arbres.

Elle n'avait plus de voix. Elle ne pouvait plus proférer un son en dehors de ces gémissements gutturaux qui semblaient sortir du fond d'elle-même. Ses lèvres formaient encore les mots, à l'aide, à l'aide.

Arrivée à la porte du bureau, elle essaya de tourner la poignée de ses mains transies, de détacher ses skis, mais n'eut pas la force de faire fonctionner les fixations. Elle ne put que frapper avec son bâton de ski jusqu'à ce que la porte s'ouvrît toute grande, et que Mark la recueillît dans ses bras.

« Jenny ! Oh ! Jenny !

— Tenez bon, madame Krueger. » On lui ôtait ses skis. Elle reconnut cette silhouette trapue, le profil massif. Le shérif Gunderson.

Mark la forçait à ouvrir ses doigts crispés sur la toile. « Jenny, montrez-moi cela. » Puis, d'une voix épouvantée : « Oh ! mon Dieu !

— Erich ! C'est Erich qui a peint cela ! » Sa voix n'était plus qu'une sorte de croassement. « Il a tué mon bébé. Il s'habille comme Caroline. Beth et Tina. Peut-être les a-t-il tuées elles aussi…

— Erich a peint ceci ? » C'était le shérif Gunderson, incrédule.

Elle se retourna brusquement vers lui. « Avez-vous découvert mes petites filles ? Pourquoi êtes-vous ici ?

— Jenny. » Mark la tenait serrée contre lui, sa main arrêtant le flot de paroles sur sa bouche. « Jenny, j'ai appelé le shérif Gunderson parce que je ne pouvais pas vous joindre. Jenny, où avez-vous trouvé cette toile ?

— Dans le chalet… tous ces tableaux. Mais pas les siens… C'est Caroline qui les a peints.

— Madame Krueger… »

Elle pouvait donner libre cours à sa douleur avec lui. Elle imita sa grosse voix. «N'avez-vous vraiment rien à dire, madame Krueger. Un détail dont vous vous souvenez tout à coup?» Elle éclata en sanglots.

«Jenny, implora Mark. Ce n'est pas la faute du shérif. J'aurais dû m'en douter. Papa commençait à avoir des soupçons…»

Le shérif étudiait le tableau, son visage soudain défait, creusé de profonds sillons. Il avait les yeux rivés sur le coin en haut, à droite de la toile, l'endroit où la silhouette grotesque de Caroline se penchait sur le moïse suspendu dans le ciel. «Madame Krueger, Erich est venu me voir. Il m'a dit qu'il avait appris des bruits courant sur la mort du bébé. Il m'a demandé avec insistance d'ordonner une autopsie.»

La porte s'ouvrit brutalement. Erich, pensa Jenny. Oh! Seigneur, c'est Erich. Mais c'était Clyde qui se précipitait vers eux, l'air à la fois effrayé et réprobateur. «Que se passe-t-il ici, nom de Dieu?» Il lança un regard au tableau. Jenny le vit devenir livide, sa peau tannée prenant soudain une couleur crayeuse.

«Clyde, qui est là?» appela Rooney. Ses pas se rapprochaient, crissant sur la neige glacée. «Cachez cette horreur, implora Clyde. Ne la laissez pas voir ça…» Il fourra la toile dans le placard de la réserve.

Rooney apparut sur le seuil de la porte. Elle avait les joues un peu plus remplies, de grands yeux calmes. Jenny sentit ses bras maigres l'étreindre. «Jenny, vous m'avez manqué.

— Vous aussi, vous m'avez manqué», parvint-elle à prononcer à travers ses lèvres crispées.

Elle en était venue à accuser Rooney de tout ce qui était arrivé, rejetant ses confidences comme le fruit d'un cerveau dérangé.

«Jenny, où sont les enfants? Puis-je leur dire bonsoir?»

La question lui fit l'effet d'un coup en plein visage. «Erich est parti avec elles.» Sa voix tremblait, une voix au timbre artificiel.

« Allons, Rooney, tu reviendras demain. Il vaut mieux rentrer à la maison. Le docteur voulait que tu te mettes tout de suite au lit », tenta de la convaincre Clyde.

Il la prit par le bras, la fit avancer et, tournant la tête en partant : « Je reviens tout de suite », dit-il.

En l'attendant, Jenny s'efforça de raconter comment elle avait découvert le chalet. « C'est grâce à vous, Mark. Hier soir, vous êtes resté silencieux lorsque j'ai dit que les enfants seraient bien avec Erich. Plus tard, dans mon lit… j'ai su… que vous étiez inquiet pour elles. Et j'ai commencé à réfléchir. Si ce n'était ni Rooney, ni Elsa, ni moi… L'idée restait ancrée dans mon esprit : Mark a peur pour les enfants. Et j'ai pensé : Erich, ce ne peut être qu'Erich.

« La première nuit… il m'a obligée à porter la chemise de nuit de Caroline… Il voulait que je *sois* Caroline… Il est même allé dormir dans son lit d'enfant. Et il plaçait toujours ces savons au pin sur les oreillers des enfants. Je savais que c'était lui. Et Kevin. Il a dû écrire — ou téléphoner — pour prévenir de son arrivée dans le Minnesota… Erich jouait tout le temps au chat et à la souris avec moi. Il devait savoir que j'avais rencontré Kevin. Il surveillait le kilométrage de la voiture. On a dû lui raconter les propos de la femme dans le restaurant.

— Jenny !

— Non, laissez-moi vous *raconter*. Il m'a emmenée à nouveau dans le restaurant. Quand Kevin a menacé d'interrompre la procédure d'adoption, il l'a fait venir ici. Voilà pourquoi l'appel venait de notre téléphone. Erich et moi mesurons la même taille lorsque je porte des chaussures à talons. Avec mon manteau… et la perruque brune — on pouvait le prendre pour moi jusqu'à ce qu'il fût dans la voiture. Il a sans doute frappé Kevin. Et Joe. Erich était jaloux de Joe. Il a pu rentrer un jour plus tôt ; il était au courant de l'histoire de la mort-aux-rats. Mais mon bébé. Il haïssait le bébé. Sans doute à cause de ses cheveux roux. Dès le début, en lui donnant le nom de Kevin, il devait avoir l'intention de le tuer. »

Ces sanglots sans larmes, rauques, venaient-ils d'elle? Elle ne pouvait plus s'arrêter de parler. Il fallait qu'elle raconte.

«Ces nuits où je sentais quelqu'un se pencher au-dessus de moi. Il ouvrait la cloison. Il devait porter sa perruque. La nuit où je suis partie pour accoucher. Je l'ai réveillé. J'ai touché sa paupière. C'est cela qui m'a effrayée. C'est ce que je sentais en étendant la main dans le noir… la peau douce d'une paupière, des cils épais…»

Mark la berçait dans ses bras.

«Il a pris mes enfants. Il a pris mes enfants.

— Madame Krueger, pouvez-vous retrouver le chemin du chalet?» Le ton du shérif était pressant.

Tout espoir n'était peut-être pas perdu? «Oui, si nous partons du cimetière…

— Jenny, vous ne pouvez pas venir, protesta Mark. Nous suivrons vos traces.»

Mais elle ne voulut pas les laisser partir sans elle. Elle parvint à les conduire jusqu'au bout, le shérif, Mark et Clyde. Ils allumèrent les lampes à huile, plongeant l'intérieur du chalet dans une douce lumière du temps passé, contrastant avec le froid pénétrant de la pièce. Ils contemplèrent la signature délicate, *Caroline Bonardi*, et entreprirent de fouiller les meubles. Mais il n'y avait aucun papier personnel; les buffets ne contenaient que des couverts et des assiettes.

«Il devait pourtant bien ranger ses fournitures quelque part! s'exclama Mark.

— Mais l'atelier est vide, dit Jenny d'un air abattu. Il n'y avait rien d'autre que la toile; c'est si petit.

— Ce ne doit pas être si petit que ça, rétorqua Clyde. Le haut a la dimension du chalet. Il doit y avoir une cloison.»

Il y avait là un espace de rangement représentant la moitié de la surface de l'atelier et auquel on accédait par une porte dans l'angle droit, une porte que Jenny n'avait pas remarquée dans la pénombre de la pièce. Ils découvrirent des cartons à dessin, des douzaines de toiles de Caroline, un chevalet, un casier à tiroirs rempli de fournitures, deux valises. Jenny s'aperçut qu'elles étaient assorties à la petite mallette rangée dans le grenier de la maison. Une grande cape verte et une perruque sombre étaient posées sur l'un des couvercles.

« La cape de Caroline », fit doucement Mark.

Jenny se mit à fouiller dans le casier. Mais il ne contenait que des fournitures : des fusains, des pastels, de l'essence de térébenthine, des brosses et des toiles vierges. Rien, rien qui pût indiquer où Erich était parti.

Clyde entreprit de chercher dans une pile de toiles rangées près de la porte. « Regardez ! » Son cri était empli d'horreur. Il soulevait une toile, peinte dans les tons verdâtres d'une eau dormante. Un collage surréaliste d'Erich enfant et de Caroline. Les scènes s'entremêlaient, se superposaient. Erich avec une crosse de hockey à la main. Caroline penchée sur un veau ; Erich la poussant, le corps de Caroline flottant dans une cuve — non, c'était le réservoir d'eau —, ses yeux fixés sur lui. L'extrémité de la crosse projetant la lampe suspendue au plafond dans le réservoir. Le visage enfantin d'Erich devenu démoniaque, ricanant devant la forme en train d'agoniser dans l'eau.

« Il a tué Caroline, gémit Clyde. Il a tué sa mère quand il avait dix ans.

— Que dites-vous ? » Ils se retournèrent tous ensemble. Rooney se tenait sur le seuil de l'atelier, Rooney et ses grands yeux maintenant pleins d'angoisse. « Je me doutais bien qu'il se passait quelque chose », dit-elle. Elle ne regardait pas la toile que tenait Clyde, mais celle qui reposait maintenant sur le dessus de la pile. Même déformé, Jenny reconnut le visage d'Arden. Arden qui regardait à travers la fenêtre du chalet. Derrière elle, une silhouette enveloppée d'une cape, des cheveux bruns, le visage d'Erich. Des mains enserrant la gorge d'Arden, des mains auxquelles les doigts n'étaient pas attachés. Arden étendue dans une tombe sur le dessus d'un cercueil, des pelletées de terre jetées sur sa jupe bleu vif, et l'inscription sur la pierre tombale derrière sa tête : CAROLINE BONARDI KRUEGER. Dans l'angle, la signature, comme une balafre, *Erich Krueger*.

« C'est Erich qui a tué ma petite fille », sanglota Rooney.

Ils finirent par s'en retourner jusqu'à la maison. Mark pressait la main de Jenny dans la sienne. Un Mark silencieux qui ne tentait même pas de la réconforter de mots inutiles.

Une fois à la maison, le shérif Gunderson se dirigea vers le téléphone. « Nous prenons peut-être pour des actes les créations imaginaires d'un esprit dérangé. Il y a une façon de nous en assurer et nous ne devons pas perdre une minute. »

Le cimetière fut à nouveau violé. Dans la nuit, les projecteurs illuminèrent les tombes d'une clarté aveuglante et surnaturelle. Des marteaux piqueurs entamèrent le sol durci de la tombe de Caroline. Rooney contemplait la scène, étrangement calme à présent.

Ils aperçurent soudain des fragments de laine bleue mélangée à la terre.

Une voix d'homme s'éleva de la tombe. « Elle est là. Pour l'amour de Dieu, éloignez la mère. »

Clyde entoura Rooney de son bras, la forçant à reculer. « Au moins nous savons la vérité », dit-il.

La lumière du jour pointait lorsqu'ils revinrent à la maison. Mark prépara du café. Quand avait-il commencé à penser que les enfants étaient en danger avec Erich ? lui demanda Jenny.

« Lorsque vous avez quitté la maison hier soir, Jenny, j'ai téléphoné à papa. Je savais qu'il avait été terriblement bouleversé en entendant Tina parler de la dame du tableau qui avait recouvert le bébé. Il m'a révélé qu'Erich avait souffert de troubles psychotiques dans son enfance. Caroline lui avait confié qu'Erich était obsédé par elle. Elle l'avait surpris en train de l'épier pendant son sommeil, cachant sa chemise de nuit sous son oreiller, s'enveloppant dans sa cape. Elle

Welcome to Fort Nelson Public
Library!
you checked out the following items:

1. Foreign Language
   Barcode: Due: 2011-01-14
2. Foreign Language
   Barcode: Due: 2011-01-14
3. Foreign language
   Barcode: Due: 2011-01-14
4. Little Critter's Read-it-yourself
   storybook : six funny
   easy-to-read stories
   Barcode: BFN03977 Due:
   2011-01-14
5. Bear's Berry Christmas
   Barcode: BFN03484 Due:
   2011-01-14
6. The prince and the pauper
   Barcode: BFN051865 Due:
   2011-01-14
7. Here comes Santa Claus
   Barcode: BFN62374 Due:
   2011-01-14
   Renew in person, by phone
   (250-774-6777) or online:
   http://fortnelson.belibrary.ca
   Hours: Mon-Tues-Wed- 12-5pm
   and 7-9pm Thurs-Fri 10am-5pm
   Sat-Sun 12-4pm

l'emmena consulter un médecin, mais John Krueger refusa tout net de le faire soigner. Il déclara qu'aucun Krueger n'avait souffert de troubles mentaux ; c'était simplement Caroline qui le gâtait trop ; elle lui consacrait trop de temps ; voilà tout.

« Caroline était alors au bord de la dépression. Elle fit la seule chose qui lui était possible. Elle abandonna la garde de l'enfant, à la condition que John mît Erich en pension. Elle espérait qu'un changement d'atmosphère pourrait améliorer son état. Mais lorsqu'elle mourut, John ne tint pas sa promesse. Erich ne reçut jamais aucune aide.

« Quand papa a entendu ce que disait Tina au sujet de la femme du tableau, quand il a entendu Rooney déclarer avoir vu Caroline, il a commencé à entrevoir la vérité. Cette révélation provoqua probablement sa crise cardiaque. J'aurais aimé qu'il m'ait fait confiance. Il n'avait bien entendu aucune preuve. Mais c'est pourquoi il m'a demandé d'exhorter Erich à vous permettre de lui rendre visite en Floride avec vos filles.

— Madame Krueger », la voix du shérif était hésitante. Craignait-il qu'elle continuât à lui en vouloir ? « Le docteur Philstrom de la clinique psychiatrique vient d'arriver. Nous lui avons montré ce que nous avons découvert dans le chalet. Il a des choses à vous demander.

— Jenny, pouvez-vous me rapporter exactement les paroles d'Erich la dernière fois qu'il vous a téléphoné ?

— Il était en colère parce que j'essayais de lui dire qu'il se trompait peut-être à mon sujet.

— A-t-il fait allusion aux enfants ?

— Il m'a dit qu'elles allaient bien.

— Quand leur avez-vous parlé pour la dernière fois ?

— Il y a neuf jours.

— Je vois. Jenny, je vais être franc. Les choses ne se présentent pas bien, mais il semble qu'Erich ait peint cette dernière toile juste avant de disparaître avec vos filles. Il y a beaucoup de détails dans ce tableau. Même s'il est venu dans ce chalet — et nous savons qu'il y est venu, on y a retrouvé une paire de ciseaux avec des brins de fourrure dessus. Même ainsi, tout semble indiquer qu'il a peint le tableau avant de partir avec les enfants. »

Une lueur d'espoir. «Vous pensez qu'elles ne sont peut-être pas mortes?

— Je ne peux faire aucune promesse. Mais réfléchissez. Erich rêve encore de vivre avec vous, de vous avoir entièrement en son pouvoir, une fois cette confession signée. Il sait que sans les enfants il n'a point de prise sur vous. Aussi, tant qu'il ne renoncera pas à reprendre la vie commune avec vous, il reste une chance, une petite chance... »

Jenny se redressa. Tina. Beth. Si vous étiez mortes, je le saurais. Exactement comme je savais que Nana allait mourir la dernière nuit. Comme je savais que quelque chose allait arriver au bébé.

Mais Rooney n'avait pas su. Pendant dix ans, elle avait attendu le retour de sa fille. Et pendant tout ce temps, le corps d'Arden reposait presque sous ses fenêtres.

Combien de fois Jenny avait-elle vu Rooney se recueillir sur la tombe de Caroline? Quelque chose la poussait-elle à s'y rendre? Quelque chose d'enfoui dans son inconscient qui lui disait qu'elle se rendait aussi sur la tombe d'Arden?

Elle demanda son avis au docteur Philstrom. «Est-ce *possible*, docteur? fit-elle gravement, d'une voix presque enfantine.

— Je l'ignore, Jenny. Je pense seulement que Rooney savait au fond d'elle-même qu'Arden ne pouvait pas s'enfuir définitivement. Elle connaissait son enfant.

— Je veux mes enfants, dit Jenny. Je les veux tout de suite. Comment Erich peut-il me détester au point de vouloir leur faire du mal?

— Il s'agit d'un être totalement irrationnel, dit le docteur Philstrom. Un homme qui vous désirait parce que vous ressemblez de façon frappante à sa propre mère, mais qui vous

316

haïssait d'avoir pris sa place ; qui ne pouvait croire en votre amour pour lui parce qu'il se sait incapable de susciter un tel attachement, et qui vivait dans une peur mortelle de vous perdre.

— Nous allons faire imprimer des avis de recherche, madame Krueger, dit le shérif. Nous allons afficher les photos de vos filles dans tous les villages du Minnesota et dans les États frontaliers. Nous passerons des annonces à la télévision. Quelqu'un les a forcément vues. Clyde s'occupe de rechercher tous les titres de propriété d'Erich. Nous perquisitionnerons chacune de ces propriétés. Rappelez-vous, nous savons qu'il est venu au moins une fois à la ferme, et cela seulement cinq heures après son coup de fil. Nous allons donc nous concentrer dans une zone pouvant être atteinte en cinq heures de voiture à partir d'ici. »

La sonnerie du téléphone les fit tous sursauter. Le shérif Gunderson s'apprêta à décrocher. D'un mouvement instinctif, Jenny s'empara du récepteur.

« Allô ? » La voix était incertaine. Était-ce Erich ? Oh ! mon Dieu, se pouvait-il que ce fût Erich ?

« Allô, maman ! »

C'était Beth.

37

« B ETH ! » Elle ferma les yeux, pressa son poing fermé sur sa bouche. Beth était toujours en vie. Quoi que Erich eût décidé de faire aux enfants, pour le moment elles étaient encore saines et sauves. Les portraits de Beth et de Tina sur le tableau, petites marionnettes raidies, leurs ceintures de velours nouées autour de leurs cous. L'image hantait Jenny.

Elle sentit les mains de Mark, ses mains fortes, rassurantes, sur ses épaules. Elle inclina le récepteur vers lui afin qu'il pût saisir la conversation.

« Beth, allô, chérie. » Elle s'efforça de prendre une voix naturelle et joyeuse, réfrénant à grand-peine son envie de crier *Beth où êtes-vous* ? « Est-ce que vous vous amusez bien avec papa ?

— Maman, tu n'es pas gentille. Tu es venue dans notre chambre hier soir, et tu n'as pas voulu nous parler. Et tu as serré Tina trop fort sous la couverture. »

La voix plaintive de Beth était suffisamment aiguë pour que Mark l'entendît. Jenny vit l'angoisse emplir son regard, reflet de sa propre terreur.

Serré Tina trop fort sous la couverture. Non. Non. Par pitié. Mon Dieu. Le bébé. Et maintenant Tina.

« Tina a beaucoup pleuré.

— Tina a pleuré. » Jenny lutta contre le vertige qui la prenait. Elle ne devait pas s'évanouir. « Passe-la-moi, Bethie. Je t'aime, ma Puce. »

Beth se mit à pleurer. « Je t'aime aussi, maman. S'il te plaît, viens vite.

— Maman. » Tina sanglotait. « Tu m'as fait mal. La couverture était sur ma figure.

— Tina, je suis désolée. Je te demande pardon. » Jenny s'efforça de contenir l'émotion qui lui brisait la voix. « Pardonne-moi, Tina. »

Il y eut un bruit sourd dans le téléphone, puis les pleurs de Tina dans le fond.

« Jenny, pourquoi es-tu si bouleversée ? Les enfants rêvaient. Elles ont simplement envie que tu sois là, tout comme moi, chérie.

— *Erich* ! » Jenny se rendit compte qu'elle criait. « Où es-tu, Erich ? S'il te plaît, je te le promets, je signerai cette confession. Je signerai tout ce que tu voudras. Mais s'il te plaît, laisse-moi revoir mes enfants. »

Mark lui serra l'épaule, la mettant en garde. « J'ai besoin de ma famille, Erich. » Elle tenta de maîtriser son émotion, se mordant les lèvres pour se retenir de le supplier de ne pas leur faire de mal. « Erich, nous pouvons être si heureux. J'ignore pourquoi je fais des choses aussi étranges en dormant, mais tu as promis de t'occuper de moi. Je suis sûre que j'irai mieux.

— Tu voulais me quitter, Jenny. Tu faisais semblant de m'aimer.

— Erich, reviens et nous pourrons parler. Ou bien laisse-moi t'envoyer la lettre. Dis-moi où tu te trouves.

— As-tu parlé de nous à quelqu'un ? »

Jenny jeta un regard vers Mark. Il secoua la tête. « Pourquoi en aurais-je parlé ? »

319

— J'ai essayé de te téléphoner à trois reprises hier après-midi. Tu n'étais pas là.

— Erich, j'étais restée sans nouvelles de toi depuis si long-temps. J'avais besoin de prendre l'air. Je suis allée faire un tour à skis. J'aimerais tant pouvoir skier à nouveau avec toi. C'était tellement amusant, tu te souviens ?

— J'ai voulu appeler Mark hier soir. Il n'était pas chez lui. Te trouvais-tu avec lui ?

— Erich, j'étais ici. Je reste toujours à la maison à t'attendre. »

Tina s'était mise à hurler. Il y avait des bruits de circulation ; on aurait dit des camions changeant de vitesse en bas d'une côte. Erich était-il venu à la ferme hier soir ? S'était-il rendu au chalet ? Non. S'il avait vu la fenêtre brisée, il aurait compris que quelqu'un avait pénétré à l'intérieur et il n'aurait pas téléphoné.

« Jenny, j'ai l'intention de revenir. Tu vas rester à la mai-son. Ne sors plus. Ne va plus skier. Je ne veux pas que tu bouges d'ici. Et un jour, j'ouvrirai la porte et je serai là. Nous serons à nouveau une famille. Tu veux bien Jenny ?

— Oui, Erich. Oui, je te le promets.

— Maman, je veux parler à maman. » Beth suppliait. « S'il te plaît, s'il te plaît. »

Il y eut un déclic brutal, puis le bourdonnement de la tona-lité dans l'écouteur.

Jenny écouta Mark répéter la conversation. Elle intervint seulement lorsque le shérif demanda : « Mais comment les enfants ont-elles pu penser qu'il s'agissait de vous ?

— Parce qu'il a emmené ma valise. Il a probablement mis une de mes robes de chambre… peut-être la rouge que je ne retrouve plus. Il a sans doute emporté une perruque brune. Les enfants croient me voir dans leur sommeil. Docteur Philstrom, que va-t-il faire, maintenant ?

— Tout est possible, Jenny. C'est indéniable. Mais, à mon avis, aussi longtemps que subsistera en lui l'espoir de vous

320

voir rester auprès de lui, les enfants ne courent pas grand danger.

— Mais Tina, hier soir…

— Vous connaissez la réponse. Vous étiez sortie lorsqu'il a essayé de vous téléphoner dans l'après-midi. Il n'a pas pu joindre Mark dans la soirée. Certains psychopathes acquièrent un sixième sens presque surnaturel. Son instinct l'a prévenu que vous étiez ensemble. Dans sa frustration, il en est venu à s'attaquer à Tina. »

Jenny avala sa salive, tentant de calmer le tremblement de sa voix. « Il semble si bizarre, presque incohérent. Et supposez qu'il revienne bientôt ? Il pourrait très bien décider de rentrer ce soir. Il connaît chaque centimètre carré de la propriété. Il peut arriver ici en skis. Il peut conduire une voiture que nous ne connaissons pas. Il peut venir à pied depuis la rivière. S'il aperçoit des étrangers dans la maison, ce sera la fin. Il faut que vous partiez tous. Supposez, oh ! mon Dieu, supposez qu'il se rende compte que l'on a ouvert la tombe de Caroline. Il saura alors que l'on a découvert le corps d'Arden. Ne comprenez-vous pas ? Il ne faut rien ébruiter. Il ne faut pas faire imprimer des avis de recherche. Personne ne doit venir à la maison. Le chalet ! S'il se rend au chalet, s'il voit la vitre brisée… les morceaux de tissu cloués aux arbres… »

Le shérif Gunderson regarda tour à tour Mark, puis le docteur Philstrom. « Apparemment vous semblez d'accord tous les deux. Très bien. Mark, voulez-vous faire venir Clyde et Rooney. Je m'occupe des hommes que nous a envoyés le médecin légiste. Ils sont encore en train de passer au crible la terre dans le cimetière. »

Rooney montra un sang-froid surprenant. Jenny vit le docteur Philstrom l'examiner avec attention. Mais Rooney semblait ne se préoccuper que de Jenny. Elle la serra contre elle, pressant sa joue contre la sienne. « Je sais, ma chérie. Je sais ce que c'est. »

Clyde avait pris dix ans au cours des dernières heures. « Je relève la liste de toutes les propriétés d'Erich, dit-il. J'aurai bientôt fini.

— Cette toile, dit Jenny. Il faut la remettre à sa place. Elle était accrochée sur le grand mur de l'atelier.

— Je l'ai laissée dans la réserve du bureau, dit le docteur Philstrom. Mais il me semblerait préférable que Mme Toomis accepte de retourner à la clinique jusqu'à ce que tout cela soit terminé.

— Je veux rester avec Clyde, déclara Rooney. Je veux rester avec Jenny. Je vais très bien. Ne comprenez-vous pas ? Je *sais* maintenant.

— Rooney ne me quittera pas », dit Clyde d'un ton définitif.

Le shérif Gunderson se dirigea vers la fenêtre.

« C'est plein de marques de pas et de traces de pneus dehors, dit-il. Il nous faudrait une bonne tempête de neige pour recouvrir tout ça. On l'annonce pour ce soir. Priez pour que ce soit vrai. »

La tempête se déclencha en début de soirée. Les flocons tombèrent drus, serrés, sur la maison, les granges, les champs. Le vent se leva, soulevant des tourbillons de neige qui s'accumulèrent en lourdes masses contre les arbres et les bâtiments.

Le lendemain matin, le cœur rempli de gratitude, Jenny découvrit la blancheur immaculée du paysage. La sépulture ouverte allait être recouverte d'un manteau blanc, les traces qui conduisaient au chalet effacées. S'il venait, Erich ne pourrait rien soupçonner. Même lui qui repérait immédiatement un livre dérangé dans la bibliothèque, un vase déplacé d'un centimètre, ne décèlerait aucune marque de leur passage dans le chalet.

Pendant la nuit, malgré les routes glissantes, le shérif était revenu avec deux de ses adjoints. L'un avait branché une table d'écoute sur le téléphone et donné à Jenny un talkie-walkie en lui expliquant comment l'utiliser. L'autre avait fait des copies des documents triés par Clyde, des pages et des pages de déclarations de revenus détaillant le patrimoine de la famille Krueger: titres de propriété, contrats de location, immeubles de bureaux, entrepôts. On remit les originaux en place. Les copies furent confiées aux enquêteurs chargés de trouver toutes les cachettes possibles.

Jenny refusa catégoriquement de laisser un policier s'installer dans la maison. «Erich peut ouvrir la porte d'un instant à l'autre. Supposez qu'il s'aperçoive de la présence d'un étranger. Et il s'en apercevrait. Croyez-moi. Je ne peux pas prendre ce risque.»

Elle se mit à compter les jours, consciente du fait que les secondes se transformaient en minutes, les minutes en quarts d'heure, en demi-heures… Elle avait découvert le chalet le 15. On avait ouvert la tombe de Caroline le 16, le jour où Erich avait téléphoné. La tempête de neige prit fin le 18. Le déneigement commença dans tout le Minnesota. Les lignes téléphoniques avaient été coupées pendant toute la journée du 17 et une partie du 18. Si Erich avait essayé de téléphoner? Se rendrait-il compte que Jenny n'y pouvait rien s'il n'avait pu la joindre? Toute la région de Granite Place avait été plus durement touchée que le reste du comté.

Pourvu qu'il ne se mette pas en colère, pria-t-elle. Seigneur, ne le laissez pas s'en prendre aux enfants.

Au matin du 19, elle vit Clyde se diriger vers la maison. Il avait perdu sa démarche assurée. Il s'enfonçait dans la neige poudreuse, courbé en avant, la figure crispée, plus en raison du fardeau invisible qu'il semblait porter que pour lutter contre le vent.

Il entra dans la cuisine, tapant du pied pour se réchauffer. «Il vient d'appeler.

— Erich! Clyde, pourquoi ne m'avez-vous pas passé la communication? Pourquoi ne m'avez-vous pas laissé lui parler?

— Il ne voulait pas vous parler. Il voulait simplement savoir si la ligne avait été coupée hier soir. Il m'a demandé si vous étiez sortie. Ma'me Krueger, Jenny. Il a un don de double vue. Il m'a dit que ma voix était bizarre. J'ai répondu que je ne m'en rendais pas compte, que nourrir tout le bétail par cette tempête m'avait donné beaucoup de travail. Il a paru rassuré. Il a alors ajouté que l'autre jour… vous vous souvenez de son appel juste après que nous avons découvert Arden ?

— Oui.

— Il a dit qu'il a repensé à ce coup de téléphone, que j'aurais dû me trouver dans le bureau à ce moment-là, que j'aurais dû répondre d'abord. Jenny, on dirait qu'il nous épie tout le temps. On dirait qu'il connaît chacun de nos mouvements.

— Que lui avez-vous répondu ?

— Je lui ai dit que j'avais été cherche Rooney à la clinique ce matin-là, que je ne m'étais pas encore rendu au bureau et que le téléphone était resté branché pour la nuit dans la maison. Puis il m'a demandé si Mark était venu fouiner dans les parages. C'est le mot qu'il a employé, fouiner.

— Et qu'avez-vous dit ?

— J'ai dit que le docteur Ivanson était venu examiner les animaux. Je lui ai demandé si j'aurais dû appeler Mark à sa place. Il a répondu que non.

— Clyde, a-t-il parlé des enfants ?

— Non, ma'me. Il a juste ajouté qu'il vous appellerait et que vous deviez rester à la maison pour attendre son coup de téléphone. Jenny, j'ai essayé de le garder en ligne afin que l'on puisse le repérer, mais il parlait très vite et il a raccroché brutalement. »

Mark téléphonait tous les jours. « Jenny, je voudrais tant être auprès de vous.

— Mark, Clyde a raison. Il a un sixième sens. Il a posé des questions à votre sujet. Ne venez surtout pas. »

L'après-midi du 25, Joe passa la voir. « Madame Krueger, est-ce que M. Krueger va bien ?

— Pourquoi, Joe ?

— Il m'a téléphoné pour prendre de mes nouvelles. Il voulait savoir si je vous avais vue. Je lui ai répondu que je vous avais rencontrée une fois par hasard. Je n'ai pas raconté que vous étiez venue à la maison. Vous comprenez. Il m'a dit de reprendre mon travail dès que je le pourrai, mais que si jamais je vous approchais ou s'il m'entendait vous appeler Jenny, il me tirerait dessus avec le fusil qu'il avait utilisé pour tuer mes chiens. Il a dit *mes* chiens. Cela signifie qu'il a tué aussi l'autre. On dirait un fou. Je crois qu'il vaut mieux que je m'en aille dans notre intérêt à vous et à moi. Dites-moi ce que je dois faire. »

On dirait un fou. Il menaçait ouvertement Joe à présent. Le désespoir fit oublier à Jenny sa terreur. « Joe, en avez-vous parlé à quelqu'un ? En avez-vous parlé à votre mère ?

— Non, ma'me. Je ne veux pas l'affoler.

— Joe, je vous en prie, ne parlez à personne de ce coup de téléphone. Et si Erich rappelle, restez calme et détendu avec lui. Dites-lui que le docteur vous a conseillé d'attendre encore quelques semaines, mais que vous acceptez de travailler pour lui. Et pour l'amour du Ciel, ne lui dites pas que vous m'avez revue.

— Jenny, ça va très mal, n'est-ce pas ?

— Oui. » Il était inutile de le nier.

« Où est-il parti avec les filles ?

— Je ne sais pas.

— Je vois. Jenny, vous pouvez avoir confiance en moi. Je le jure devant Dieu.

— Je vous crois. Et s'il vous téléphone à nouveau, faites-le-moi savoir tout de suite.

— Entendu.

— Et, Joe... si... je veux dire, il pourrait revenir. Si jamais vous l'apercevez, lui ou sa voiture, il faut que je le sache immédiatement.

— Je vous avertirai. Elsa est venue chez nous avec l'oncle

Josh. Elle a parlé de vous, elle a dit que vous étiez très gentille.

— Elle n'a pourtant jamais semblé beaucoup m'aimer.

— Elle avait peur de M. Krueger. Il lui avait dit de rester à sa place, de tenir sa langue, de s'assurer que rien n'était déplacé ni changé dans la maison.

— Je n'ai pas compris pourquoi elle continuait à travailler pour nous compte tenu de la façon dont Erich la traitait.

— À cause de l'argent. Elle disait qu'elle aurait travaillé pour le diable avec un si gros salaire. » Joe posa sa main sur la poignée de la porte. « Il est bien possible qu'elle ait travaillé pour le diable, n'est-ce pas ? »

Février n'est pas le mois le plus court de l'année, pensait Jenny. Il n'en finissait plus. Jour après jour ; minute après minute. Ces longues nuits d'épouvante à contempler la coupe de cristal qui se détachait dans l'obscurité. Elle enfilait tous les soirs la chemise de nuit de Caroline, plaçait une savonnette au pin sous son oreiller, afin d'imprégner le lit de la senteur sylvestre.

Si Erich survenait une nuit à l'improviste, comme un voleur, s'il entrait dans la chambre, la chemise, le parfum auraient peut-être sur lui un effet sécurisant.

Lorsqu'elle parvenait à s'endormir, elle rêvait des enfants. Tina et Beth l'attendaient, l'appelaient, *maman, maman* ; elle s'affalait sur le lit, pressant les petits corps remuants contre elle, et au moment où elle s'apprêtait à les prendre dans ses bras, elle se réveillait.

Elle ne rêvait jamais du bébé. Comme si toute l'énergie qu'elle avait consacrée à préserver la faible lueur de vie dans le petit corps était maintenant réservée à Beth et à Tina.

Elle connaissait par cœur sa confession ; elle se répétait sans cesse « je ne suis pas responsable... »

Pendant la journée, elle ne s'éloignait jamais bien loin du téléphone. Elle occupait la plupart de ses matinées à faire le ménage. Elle époussetait, balayait, lavait, encaustiquait, faisait l'argenterie. Mais elle ne passait jamais l'aspirateur, de crainte de ne pas entendre la sonnerie du téléphone. L'après-midi, Rooney venait la voir. Une Rooney calme, différente, pour qui l'attente était terminée.

« Il me semble que nous pourrions confectionner des patchworks pour les lits des enfants, suggéra-t-elle. Aussi longtemps qu'Erich imaginera qu'il peut se retrouver en famille avec vous et les enfants dans la maison, il ne leur fera aucun mal. Mais en attendant, il faut vous occuper les mains. Sinon, vous allez devenir folle. »

Rooney alla chercher au grenier le sac renfermant les chutes d'étoffe. Elles se mirent à coudre. Jenny pensait à la légende des trois sœurs qui filaient, mesuraient et coupaient le fil du temps. Mais au lieu de trois nous ne sommes que deux, se dit-elle. Erich représente la troisième. C'est lui qui peut trancher le fil de la vie.

Rooney triait et empilait les bouts de tissu en tas bien alignés sur la table de la cuisine. « Il faut qu'ils soient gais et colorés, dit-elle. Nous n'utiliserons pas de couleurs sombres. » Elle remit pêle-mêle dans le sac les morceaux dont elle ne voulait pas. « Ceux-là provenaient d'une nappe de la vieille Mme Krueger, la mère de John. Caroline et moi, nous nous demandions toujours comment l'on pouvait aimer des couleurs aussi sinistres. Et cette toile à voile, c'est une pièce que Caroline avait achetée pour recouvrir la table de pique-nique. Erich avait cinq ans cet été-là. Et, tenez, je me demande pourquoi je conserve ce reste de tissu bleu. Je vous avais raconté que j'avais fait des rideaux pour la grande pièce du fond. Une fois accrochés aux fenêtres, on se serait cru dans une caverne, tellement la pièce était sombre. Oh ! après tout… » Elle les remit dans le sac. « On ne sait jamais, on peut en avoir besoin un jour. »

Il semblait à Jenny que Rooney avait perdu sa vivacité, maintenant qu'il ne lui restait plus d'espoir. Toutes ses paroles étaient prononcées d'une voix monocorde. « Une fois qu'on aura retrouvé Erich, nous ferons un bel enterrement à Arden. Le plus pénible pour moi aujourd'hui, c'est de repenser au passé, de me souvenir de la façon dont Erich m'encourageait à croire qu'Arden était toujours en vie. Clyde n'avait cessé d'affirmer qu'Arden ne pouvait pas avoir fait une fugue. J'aurais dû le savoir aussi. Je pense que je le savais au fond de moi-même. Mais dès que je me mettais à dire que mon Arden était sans doute retournée à Dieu, Erich se trouvait là pour répliquer : "Je ne peux pas croire cela, Rooney." Il était bien cruel d'entretenir ainsi mes illusions ; c'était comme empêcher la plaie de se refermer. Je vous le dis, Jenny. Il ne mérite pas de vivre.

— Je vous en prie, Rooney, ne parlez pas ainsi.

— Pardonnez-moi, Jenny. »

Le shérif Gunderson téléphonait chaque soir. « Nous avons vérifié toutes les propriétés. Nous avons envoyé des photos à toute la police de la région avec la consigne de ne rien ébruiter et de ne pas l'arrêter si on l'apercevait, lui ou sa voiture. Il ne se trouve à aucun des endroits indiqués sur les déclarations de revenus. »

Il essaya de la réconforter avec ménagement. « Pas de nouvelles, bonnes nouvelles, madame Krueger. En ce moment, les enfants sont peut-être en train de jouer sur une plage au soleil en Floride. »

Dieu le veuille, mais elle n'y croyait pas.

Mark appelait tous les soirs. Ils ne parlaient qu'une minute ou deux. « Rien, Jen ?

— Rien.

— Bon. Je ne veux pas occuper la ligne. Courage, Jenny. »

Courage. Elle essaya d'organiser ses journées. Les nuits d'insomnie et les cauchemars la poussaient à se lever dès l'aube. Depuis plusieurs jours, elle n'était pas sortie de la maison. Tôt le matin, la télévision donnait un cours de yoga. Elle se retrouva fidèlement devant le poste, accomplissant mécaniquement les exercices du jour.

À 7 heures, c'était l'émission « Bonjour l'Amérique ». Jenny se força à écouter les nouvelles, les interviews. Un jour apparurent sur l'écran des photos d'enfants disparus. Certains depuis des années. Amy… Roger… Tommy… Linda… José… l'un après l'autre. Chacun évoquant le désespoir d'une famille. Un jour s'ajouteraient sur la liste Elisabeth et Christina… surnommées Beth et Tina. Leurs visages souriants apparaîtraient-ils ainsi sur l'écran ? Leur père adoptif est parti avec elles le 6 février, il y a trois ans. Si quelqu'un pouvait fournir…

Les soirées obéissaient également à un rituel. Elle s'installait dans le coin repas de la cuisine, lisant ou se forçant à regarder la télévision. Généralement, elle tournait le bouton au hasard et prenait le premier programme qui lui tombait sous les yeux. Elle subissait ainsi sans les voir des comédies de boulevard, des matchs de hockey, des vieux films. Elle essayait de lire, mais s'apercevait au bout de quelques pages qu'elle n'avait rien retenu.

La dernière nuit de février, elle se sentit spécialement nerveuse.

Il semblait régner un calme particulièrement angoissant dans la maison. La niaiserie stéréotypée d'un programme soi-disant comique lui fit éteindre le téléviseur. Elle resta assise, le regard perdu devant elle. Le téléphone sonna. Ayant dorénavant perdu tout espoir, elle saisit le récepteur.

« Allô ?

— Jenny, le pasteur Barstrom à l'appareil. Comment allez-vous ?

— Très bien, merci.

— J'espère qu'Erich vous a transmis nos condoléances pour la mort de votre bébé. Je voulais vous faire une visite mais il m'a demandé d'attendre un peu. Erich est-il là ?

« — Non, il est absent. Je ne sais pas exactement quand il sera de retour.

— Ah bon ! Pouvez-vous simplement lui rappeler que notre centre paroissial est presque terminé. Étant donné qu'il est notre plus généreux bienfaiteur, je tenais à l'informer que l'inauguration aura lieu le 10 mars. C'est un homme très charitable, Jenny.

— Oui. Je lui dirai que vous avez appelé. Bonne nuit, pasteur. »

Le téléphone sonna à deux heures moins le quart. Jenny était étendue dans son lit, une pile de livres à ses côtés, espérant que l'un d'eux l'aiderait à passer la nuit.

« Jenny ? »

« Oui. » Était-ce Erich ? Il avait un timbre de voix différent, perçant, tendu.

« Jenny, à qui parlais-tu au téléphone aux environs de 8 heures du soir ? Tu souriais en parlant.

— Aux alentours de 8 heures ? » Elle essaya de prendre un ton posé, de ne pas hurler : *Où sont Beth et Tina ?* « Attends. » Elle marqua une pause. Le shérif Gunderson ? Mark ? Elle n'osa mentionner ni l'un ni l'autre. Le pasteur Barstrom. « C'était le pasteur Barstrom, Erich. Il désirait te joindre pour t'inviter à l'inauguration du centre paroissial. » Ses mains étaient moites, sa bouche tremblait. Elle attendit sa réaction. Il fallait le garder en ligne. Peut-être pourrait-on ainsi localiser l'appel.

« Es-tu certaine que c'était le pasteur Barstrom ?

— Erich, pourquoi l'inventerais-je ? » Elle se mordit les lèvres. « Comment vont les enfants ?

— Très bien.

— Laisse-moi leur parler.

— Elles sont très fatiguées. Je les ai mises au lit. Tu étais jolie ce soir, Jenny.

— *J'étais jolie.* » Elle frissonna.

« Oui, j'étais là. Je regardais par la fenêtre. Tu aurais dû deviner que j'étais là. Si tu m'aimes, tu aurais dû le deviner. »

Jenny regarda la coupe de cristal dans l'obscurité, irréelle, verte.

« Pourquoi n'es-tu pas rentré ?

— Je n'en avais pas envie. Je voulais simplement m'assurer que tu restais toujours à la maison en train de m'attendre.

— Je t'attends, Erich, et j'attends aussi les enfants. Si tu ne veux pas revenir, laisse-moi au moins te rejoindre, rester à tes côtés.

— Non, pas encore. Es-tu couchée, Jenny ?

— Oui, bien sûr.

— Et quelle chemise de nuit portes-tu ?

— Celle que tu aimes. Je la porte très souvent.

— J'aurais peut-être dû rester.

— J'aurais bien aimé que tu restes. »

Il y eut un silence. Dans le fond, elle entendait le bruit de la circulation. Il devait toujours appeler du même endroit. *Il s'était tenu derrière la fenêtre.*

« Tu n'as pas dit au pasteur Barstrom que j'étais furieux contre toi, n'est-ce pas ?

— Bien sûr que non. Il sait bien à quel point nous nous aimons.

— Jenny, j'ai essayé de téléphoner à Mark mais le poste était occupé. N'étais-tu pas en train de lui parler ?

— Non, pas du tout.

— Tu étais vraiment en train de parler au pasteur Barstrom ?

— Pourquoi ne lui téléphones-tu pas pour le lui demander ?

— Non. Je te crois, Jenny. J'essayerai à nouveau de joindre Mark. Je venais juste de me souvenir. Je lui ai prêté un livre et je voudrais le récupérer. C'est un livre qui se trouvait sur le troisième rayon de la bibliothèque, le quatrième en partant de la droite. » La voix d'Erich changeait tout à coup ; elle devenait sifflante, mal assurée. Il y avait quelque chose de particulier dans cette voix.

331

C'était la même voix de crécelle, les mêmes hurlements sur-aigus qui l'avaient déjà tellement bouleversée : « Mark est-il ton nouvel amant ? Sait-il nager ? Putain, sors du lit de Caroline. Tout de suite. »

Il y eut un déclic. Puis le silence. Et la tonalité, un bour-donnement impersonnel émanant de l'écouteur qu'elle gar dait dans sa main.

38

L E SHÉRIF GUNDERSON téléphona vingt minutes plus tard. « Jenny, le central a pu repérer l'origine de l'appel. Nous connaissons la zone d'où il a téléphoné. C'est aux environs de Duluth. »

Duluth. À l'extrémité nord de l'État. À près de six heures de route. S'il se trouvait dans cette région, cela signifiait qu'il avait dû se mettre en chemin au milieu de l'après-midi pour pouvoir regarder par la fenêtre à 8 heures du soir.

Et qui se trouvait auprès des enfants pendant toutes ces heures? Les laissait-il seules? N'étaient-elles plus en vie? Elle ne leur avait plus parlé depuis le 16 février. Presque deux semaines.

« Il est en train de craquer », dit-elle d'une voix neutre. Le shérif ne chercha pas à lui prodiguer un vain réconfort. « C'est aussi mon avis.

— Que pouvons-nous faire?

— Voulez-vous que nous lancions un appel public? Que nous communiquions l'information aux chaînes de télévision, à la presse?

— Seigneur, non. Ce serait signer l'arrête de mort de mes enfants.

— Alors, nous allons constituer une équipe spéciale d'enquêteurs pour passer au peigne fin toute la région de Duluth.
J'aimerais aussi placer un agent auprès de vous dans la maison. Votre propre vie est peut-être en danger.

— C'est hors de question. Il le saurait. »

Il était presque minuit. Le 28 février allait faire place au
1er mars. Jenny se souvint des superstitions de son enfance.
Si vous vous endormiez la dernière nuit du mois en disant « le
lièvre, le lièvre » et que vous vous réveilliez le premier jour
du mois suivant en disant « le lapin, le lapin », votre vœu était
exaucé. Nana et elle s'amusaient à y jouer.

« Le lièvre, le lièvre », dit Jenny à haute voix dans la pièce
silencieuse. Elle haussa le ton: « Le lièvre, le lièvre. » Elle cria,
hurla : « Le lièvre, le lièvre, je veux mes enfants ! » Elle
s'écroula en sanglotant sur l'oreiller. « Je veux Beth, je veux
Tina. »

Elle avait les yeux tellement gonflés le lendemain matin
qu'elle y voyait à peine. Malgré tout elle s'habilla, descendit
au rez-de-chaussée, se fit du café et lava sa tasse et sa soucoupe. L'idée de manger lui soulevait le cœur, et ça ne rimait
à rien d'utiliser le lave-vaisselle pour une malheureuse tasse
à café et sa soucoupe.

Elle enfila son blouson de ski et fit rapidement le tour de
la maison jusqu'à la fenêtre de la cuisine qui donnait sur le
coin repas. Il y avait des traces de pas dans la neige devant la
fenêtre, des traces de pas qui venaient des bois et retournaient
vers les bois.

Erich s'était posté là, le visage collé contre la vitre, à
l'épier.

Le shérif téléphona à nouveau vers midi. « Jenny, j'ai com-
muniqué l'enregistrement au docteur Philstrom. Il pense que
nous devrions prendre le risque de faire un appel au public pour
la recherche des enfants. Mais la décision vous appartient.

— Laissez-moi réfléchir. » Elle voulait prendre l'avis de
Mark.

Rooney arriva à 14 heures.

«Voulez-vous faire un peu de couture?

— Je veux bien.»

Rooney prit une chaise près du poêle et sortit placidement ses carrés de tissu.

«Eh bien, nous allons le voir apparaître bientôt, déclara-t-elle.

— Qui?

— Erich, bien sûr. Vous savez bien que Caroline lui avait promis d'être toujours présente pour son anniversaire. Depuis sa mort, il y a vingt-cinq ans, Erich n'a jamais manqué d'être ici ce jour-là. C'est exactement ce qui s'est passé l'année dernière. Il errait partout comme s'il cherchait quelque chose.

— Et vous croyez qu'il va venir aussi cette fois-ci?

— Il l'a toujours fait.

— Rooney, faites une chose pour moi, n'en parlez à personne, ni à Clyde, ni à quiconque.»

Apparemment enchantée de son rôle de conspiratrice, Rooney acquiesça avec enthousiasme. «On restera toutes les deux à l'attendre, n'est-ce pas, Jenny?»

Jenny ne pouvait même pas partager la nouvelle avec Mark. Lorsqu'il lui téléphona pour l'inciter à laisser le shérif utiliser les médias, elle refusa. Elle finit par accepter un compromis. «Attendons encore une semaine. Je vous en prie, Mark.»

La semaine se terminait le 9 mars. L'anniversaire d'Erich tombait le 8 mars.

Il serait là le 8. C'était une certitude. Si le shérif et Mark soupçonnaient sa venue, ils insisteraient pour cacher des policiers aux alentours de la ferme. Mais Erich le sentirait.

Si les enfants étaient encore vivantes, c'était sa dernière chance de les retrouver. Erich était en train de perdre le peu de prise qu'il avait encore sur la réalité.

Jenny vécut dans les transes toute la semaine, incapable d'autre chose que de supplier inlassablement: «Ô Dieu de miséricorde, épargnez-les.» Elle retrouva le chapelet de Nana dans son écrin d'ivoire, le prit dans ses doigts. Elle ne put réciter la moindre prière. «Nana, viens, prie pour moi.»

Le 2… le 3… le 4… le 5… le 6… Faites qu'il ne neige pas. Faites que les routes soient praticables. Le 7. Le matin du 7, la sonnerie du téléphone retentit. Un appel avec préavis, en provenance de New York.

C'était M. Hartley. «Jenny, cela fait si longtemps que je n'ai pas eu de vos nouvelles. Comment allez-vous? Et vos filles?

— Bien. Nous allons bien.

— Jenny, je suis très ennuyé mais nous avons un très gros problème. La fondation Wellington, vous vous souvenez, a acheté *Moisson dans le Minnesota* et *Printemps à la ferme*. Et ils ont payé un prix très élevé, Jenny.

— Oui.

— Ils ont fait nettoyer les tableaux. Et, Jenny, je regrette d'avoir à vous dire cela, mais Erich a falsifié la signature. Il y en a une autre sous la sienne, *Caroline Bonardi*. Je crains un terrible scandale, Jenny. Les responsables de la fondation Wellington ont convoqué une assemblée extraordinaire pour demain après-midi, et ils ont organisé une conférence de presse ensuite. Demain soir, cette histoire va faire les gros titres.

— Arrêtez-les! Il faut les arrêter!

— Les arrêter? Mais Jenny, comment le pourrais-je? Une affaire de faux est une chose extrêmement sérieuse. Lorsque vous payez des millions à un nouvel artiste… quand cet artiste reçoit les plus hautes récompenses… on ne peut garder le silence au sujet d'un faussaire, Jenny. Je regrette, mais cela me dépasse maintenant. À l'heure où je vous parle, une enquête est ouverte pour déterminer l'identité de Caroline Bonardi. En toute amitié, je voulais que vous soyez avertie.

— Je préviendrai Erich. Merci, monsieur Hartley.»

Longtemps après avoir raccroché, Jenny resta immobile, fixant du regard le récepteur. Il n'y avait aucun moyen d'arrêter la nouvelle. Les journalistes allaient se précipiter, vouloir parler à Erich. Une longue enquête ne serait pas nécessaire pour découvrir que Caroline Bonardi était la fille du peintre Everett Bonardi et la mère d'Erich Krueger. Il suffirait d'examiner attentivement les toiles pour être à même de déterminer qu'elles avaient toutes plus de vingt-cinq ans.

Elle monta se coucher tôt avec l'espoir qu'Erich serait davantage tenté de venir si la maison était plongée dans l'obscurité. Elle prit un bain comme elle l'avait fait la première nuit, et cette fois-ci versa une poignée de sels parfumés au pin dans la baignoire. L'odeur emplit la pièce. Elle laissa ses cheveux tremper dans l'eau pour les imprégner du parfum. Chaque matin, elle rinçait la chemise de nuit aigue-marine. Elle l'enfila, plaça un morceau de savon sous l'oreiller, et du regard fit le tour de la chambre. Tout devait être à sa place habituelle, rien ne devait perturber le sens de l'ordre d'Erich. Les portes des placards étaient fermées. Jenny rapprocha d'un centimètre la brosse en argent du polissoir à ongles. Les rideaux étaient impeccablement tirés. Elle replia le couvre-lit en brocart sur les draps bordés de dentelle.

Elle finit par se mettre au lit. Le talkie-walkie que lui avait donné le shérif et qu'elle emportait dans la poche de ses jeans faisait une bosse sous l'oreiller. Elle le glissa dans le tiroir de la table de nuit.

Tout au long de la nuit, elle écouta l'horloge carillonner les heures. S'il te plaît, Erich, viens. Elle voulait le forcer à venir. S'il était dans la maison, s'il entrait à pas de loup dans ce couloir, l'odeur du pin l'attirerait.

Mais lorsque les premiers rayons du soleil commencèrent à filtrer à travers les rideaux, il n'y avait toujours aucun signe de sa présence. Jenny resta couchée jusqu'à 8 heures. L'approche du jour décuplait son effroi. Elle avait tellement espéré entendre un bruit de pas pendant la nuit, voir la porte s'entrouvrir et Erich venir à sa recherche, à la recherche de Caroline.

À présent, il ne restait plus que quelques heures avant les nouvelles du soir à la radio.

Le temps était couvert, mais le bulletin n'annonçait pas de neige. Jenny ne savait comment s'habiller. Erich était si soupçonneux. S'il la trouvait portant autre chose qu'un pantalon et un pull-over, il était capable de l'accuser d'attendre un autre homme.

Elle ne prenait presque plus la peine de se regarder dans une glace. Ce matin, elle s'examina attentivement. La vue de ses pommettes saillantes, de son regard fixe, hagard, lui causa un choc. Ses cheveux lui tombaient sur les épaules maintenant. Elle les attacha sur sa nuque avec une barrette. Elle se souvint du soir où elle avait aperçu le visage d'Erich dans le miroir embué, Erich lui tendant la chemise de nuit aiguemarine. Son instinct l'avait avertie ce soir-là, mais elle n'avait pas voulu en tenir compte.

Elle passa l'inspection dans toutes les pièces du rez-de-chaussée. Elle nettoya le dessus du comptoir, les appareils de cuisine. Elle n'avait pratiquement rien mangé d'autre que des soupes en boîte pendant ces dernières semaines. Mais Erich voulait que tout soit impeccable. Elle passa un chiffon sur les rayonnages de la bibliothèque et remarqua que le quatrième livre en partant de la droite sur la troisième étagère manquait, comme Erich l'avait dit.

Il était vraiment étrange qu'elle eût refusé la vérité pendant si longtemps, refusé l'évidence, perdu un bébé et peut-être ses filles parce qu'elle ne voulait pas voir qui était le véritable Erich.

Le temps s'assombrit vers midi. À 15 heures, le vent se leva, gémissant dans les cheminées, chassant les nuages et le soleil réapparut brusquement, tard dans l'après-midi, étincelant sur les champs de neige tôlée qui luisaient comme sous l'effet de la chaleur. Jenny allait d'une fenêtre à l'autre, surveillant la forêt, la route qui menait à la rivière, s'efforçant de distinguer une ombre sous l'avancée du toit de la grange.

Elle vit les ouvriers de la ferme rentrer chez eux à 16 heures, des hommes qu'elle ne connaissait pas. Erich leur avait interdit une fois pour toutes de venir aux abords de la maison. Elle ne s'approchait jamais d'eux dans les champs. L'expérience avec Joe lui avait suffi.

À 17 heures, elle prit les informations à la radio. La voix précise et rapide du commentateur annonça de nouvelles réductions du budget, une réunion au sommet à Genève, la tentative d'assassinat du nouveau président iranien. « Et voici une dépêche qui nous parvient à l'instant... La fondation Wellington vient de révéler une stupéfiante affaire de faux. Le célèbre artiste Erich Krueger, originaire du Minnesota, considéré comme le peintre le plus important depuis Andrew Wyet, a indûment signé de son nom les toiles qu'il présentait comme son œuvre. Le véritable auteur de ces tableaux est en réalité Caroline Bonardi. On a établi que Caroline Bonardi était la fille du portraitiste bien connu Everett Bonardi, et la mère d'Erich Krueger. »

Jenny ferma la radio. Dans un instant le téléphone allait se mettre à sonner. Dans quelques heures les journalistes auraient envahi la maison. Erich les apercevrait, entendrait peut-être même les nouvelles diffusées par la radio, saurait que tout était joué. Et il se vengerait définitivement de Jenny, si ce n'était déjà fait.

Comme aveuglée, elle sortit de la cuisine d'un pas chancelant. Que faire ? Que pouvait-elle faire ? Sans savoir où elle se dirigeait, elle pénétra dans le salon. Le soleil couchant inondait la pièce, illuminant le portrait de Caroline. Prise d'une amère pitié pour cette femme qui avait connu le même désarroi, Jenny scruta la toile de plus près : Caroline, assise dans la véranda, sa cape vert foncé enroulée autour d'elle, quelques mèches de cheveux voletant sur son front. Le coucher du soleil, la silhouette du petit Erich se précipitant vers sa mère.

La silhouette du petit Erich se précipitant…

Les rayons du soleil se répandaient dans toute la pièce. Ce serait un coucher de soleil flamboyant, avec des rouges, des orange et des violets, avec des nuages noirs striés d'éclats de lumière.

La silhouette se précipitant vers sa mère…

Erich se trouvait quelque part dans les bois. Jenny en était sûre. Et il n'y avait qu'un moyen pour le forcer à en sortir.

Le châle que Rooney lui avait tricoté… Non, il n'était pas assez grand, mais si elle portait quelque chose en plus… la couverture de l'armée qui avait appartenu au père d'Erich. Elle était rangée dans le coffre de cèdre. Elle avait presque le même ton que la cape de Caroline.

Elle grimpa en courant les deux étages qui menaient au grenier, ouvrit le coffre, fouilla à l'intérieur, écartant les deux uniformes de la dernière guerre. Tout au fond se trouvait la couverture, dont la teinte kaki rappelait celle de la cape. Des ciseaux ? Il y en avait une paire dans son panier à ouvrage. Le soleil baissait. Dans quelques minutes, il serait caché.

De retour dans la cuisine, elle découpa d'une main tremblante une ouverture dans le milieu de la couverture, assez grande pour y passer la tête. Puis elle jeta le châle sur ses épaules. La couverture tombait jusqu'à terre, drapée comme une cape autour d'elle.

Ses cheveux. Ils étaient maintenant plus longs que ceux de Caroline ; mais sur le tableau, ils étaient relevés en chignon. Jenny arrangea sa coiffure devant la glace de la cuisine, tournant les mèches autour de ses doigts, les attachant avec une grande barrette sur le sommet de la tête. Caroline inclinait la tête sur le côté, les mains croisées sur ses genoux, la droite reposant sur la gauche. Jenny se tint debout devant la porte ouest de la véranda. Je *suis* Caroline, pensa-t-elle. Je vais marcher comme Caroline, m'asseoir comme Caroline, je vais contempler le coucher du soleil comme elle le faisait toujours. Je vais regarder mon petit garçon s'élancer en courant vers moi.

Elle ouvrit la porte et s'avança calmement dans l'air froid et piquant. Elle se dirigea vers la balancelle, l'orienta pour qu'elle fît face au soleil couchant et s'y assit.

Elle n'omit pas de déplier le châle sur l'accoudoir gauche de la balancelle, inclina légèrement la tête sur la droite, joignit les mains sur ses genoux, la main droite sur la main gauche. Puis, doucement, très doucement, elle commença à se balancer.

Le soleil réapparut derrière le dernier nuage, globe incandescent, bas dans le ciel, prêt à disparaître au-dessous de l'horizon ; il descendait, descendait, inondant le ciel de couleur.

Jenny continuait à se balancer.

Des violets et des roses, des pourpres et des orange, des ors, et des nuages isolés, se gonflant comme de la gaze sous la brise mordante ; le bruissement des pins à l'orée des bois.

Elle se balançait, en avant, en arrière, contemplant le soleil couchant. Seul comptait le coucher du soleil. Le petit garçon allait bientôt sortir en courant des bois pour retrouver sa maman... Viens, mon petit garçon, viens Erich.

Elle entendit une plainte aiguë, une plainte qui montait, s'amplifiait, stridente : « Aaah... arrière... démon... démon sorti du tombeau... Va-t'en... va t'en... »

Une silhouette approchait en titubant. Une silhouette armée d'un fusil. Une silhouette enveloppée d'une cape verte, avec de longs cheveux noirs que le vent soulevait en mèches éparses, une silhouette avec un regard fixe et un visage déformé par la terreur.

Jenny se dressa. La silhouette s'arrêta, leva le fusil, visa.

« Erich, ne tire pas ! » Elle se précipita vers la porte, saisit la poignée. La porte s'était bloquée de l'intérieur. Elle s'était refermée derrière elle. Levant la couverture, essayant de ne pas trébucher sur les pans qui traînaient par terre, elle se mit à courir en zigzag, dévala les marches de la véranda, traversa le champ. Les coups de feu la poursuivaient. Une brûlure lui transperça l'épaule… une sensation de chaleur dans le bras. Elle chancela ; elle ne savait plus où courir.

L'étrange hurlement derrière elle. «Démon, démon…» L'étable apparaissait indistinctement sur sa droite. Erich n'y avait jamais plus pénétré depuis la mort de Caroline. Dans un sursaut désespéré, Jenny ouvrit violemment la porte, celle qui donnait sur la petite pièce où étaient entreposés les bidons de lait.

Il était tout près derrière elle. Elle se précipita dans l'étable même. Les vaches étaient rentrées des pâturages. Paisibles dans leurs stalles, elles la regardaient d'un air indifférent, ruminant le foin disposé dans les râteliers devant elles. Les pas se rapprochaient.

Elle courut aveuglément jusqu'à l'autre bout de l'étable, jusqu'au coin le plus reculé, là où se trouvaient le réservoir d'eau, l'enclos pour les veaux nouveau-nés. Le réservoir était vide. Elle se retourna et fit face à Erich.

Il était à peine à trois mètres d'elle. Il s'arrêta et se mit à rire. Il épaula, mit en joue avec la même précision que le jour où il avait tué le chien de Joe. Ils se regardèrent, visions identiques dans leurs capes vertes, avec leurs longs cheveux bruns. Il avait maladroitement relevé les siens ; ses mèches blondes s'échappaient de la perruque en petites boucles sur son front.

«Démon… démon…»

Elle ferma les yeux. «Ô Seigneur…»

Elle entendit le coup partir, puis un cri se terminant en gargouillement. Mais il n'était pas sorti de ses lèvres. C'était Erich qui s'affaissait sur le sol, Erich qui saignait par la bouche et le nez, Erich dont les yeux devenaient vitreux, dont la perruque se maculait de rouge. Derrière lui, Rooney abaissait un fusil de chasse. «Voilà pour Arden», dit-elle lentement.

Jenny tomba à genoux. «Erich, les enfants… sont-elles en vie ?»

Ses yeux étaient troubles, mais il fit un signe. «Oui…

— Y a-t-il quelqu'un auprès d'elles ?

— Non… seules…

— Erich, où sont-elles ? »

Ses lèvres tentèrent de former les mots. « Elles sont… » Il essaya de lui prendre la main, accrocha ses doigts autour de son pouce… « Pardon, maman. Pardon, maman… Je ne voulais pas… te faire… mal. »

Ses yeux se fermèrent. Son corps eut un dernier soubresaut et Jenny sentit la pression de ses doigts se relâcher.

39

IL Y AVAIT FOULE dans la maison, mais Jenny ne percevait que de vagues ombres chinoises ; le shérif Gunderson, les assistants du médecin légiste qui avaient tracé à la craie le contour du corps d'Erich avant de l'emporter, les journalistes accourus en masse après avoir appris la nouvelle des faux et qui restaient pour couvrir un événement de bien plus grande importance. Ils étaient arrivés à temps pour prendre des photos d'Erich, sa cape drapée autour de lui, sa perruque aux mèches collées par le sang, son visage étrangement calme dans la mort.

On les avait autorisés à se rendre au chalet, à photographier, à filmer les superbes toiles de Caroline, les tableaux tourmentés d'Erich. « Plus nous insisterons sur le caractère d'extrême urgence de notre recherche, plus il se trouvera de gens pour nous aider », avait déclaré Wendell Gunderson.

Mark était là. Il avait découpé la couverture et le chemisier de Jenny, désinfecté, bandé la blessure.

« Cela ira pour le moment. Dieu merci, ce n'est que superficiel. »

Elle frémit au contact des longs doigts caressants malgré

la douleur qui la transperçait. Si quelqu'un pouvait l'aider, c'était Mark.

Ils trouvèrent la voiture qu'Erich avait prise, cachée dans l'un des chemins qu'empruntaient les tracteurs de la ferme. Il l'avait louée à Duluth, à six heures de route. Il avait abandonné les enfants au moins treize heures auparavant. Mais où ?

Les voitures défilèrent pendant toute la soirée. Maude et Joe arrivèrent. Maude, massive, à la hauteur de la situation, penchée sur Jenny. « C'est affreux. » Quelques minutes après, Jenny l'entendit s'affairer dans la cuisine. Puis elle sentit l'arôme du café.

Le pasteur Barstrom vint à son tour. « John Krueger s'inquiétait à propos de son fils. Mais il ne m'avait jamais révélé pour quelle raison. Et ensuite, tout semblait si bien réussir à Erich. »

Le bulletin météorologique : « Une tempête de neige s'approche du Minnesota et du Dakota. » Une tempête. Mon Dieu, les enfants sont-elles bien au chaud ?

Clyde s'approcha d'elle. « Jenny, il faut m'aider. Ils veulent faire entrer Rooney à la clinique encore une fois. »

Elle sortit de sa léthargie. « Rooney m'a sauvé la vie. Si elle n'avait pas tiré sur Erich, il m'aurait tuée.

— Elle a dit à l'un des journalistes qu'elle l'avait fait pour venger Arden, dit Clyde. Jenny, aidez-moi, s'ils l'enferment à nouveau, elle ne le supportera pas. Elle a besoin de moi comme j'ai besoin d'elle. »

Jenny se leva du divan, se retint un instant au mur et alla à la recherche du shérif. Il était au téléphone.

« Imprimez le maximum d'avis. Collez-les dans tous les supermarchés, dans toutes les stations-service. Mettez-en aussi de l'autre côté de la frontière, au Canada. »

Quand il eut raccroché, Jenny lui dit : « Shérif, pourquoi voulez-vous faire entrer Rooney à la clinique ? »

Il prit un ton apaisant. « Jenny, essayez de comprendre.

Rooney a bel et bien eu l'intention de tuer Erich. Elle l'attendait dehors avec un fusil.

— Elle voulait me protéger. Elle savait quel danger je courais. Elle m'a sauvé la vie.

— C'est bon, Jenny. Laissez-moi voir ce que je peux faire. »

Jenny étreignit Rooney en silence. Rooney avait adoré Erich depuis le jour de sa naissance. Quoi qu'elle ait pu dire, elle ne l'avait pas tué à cause d'Arden. Elle l'avait tué pour sauver la vie de Jenny. Je n'aurais pas pu le tuer de sang-froid, pensa-t-elle. Et Rooney non plus.

La nuit passa. On fouilla à nouveau toutes les propriétés de la famille Krueger. Des douzaines de fausses nouvelles circulaient. La neige commença à tomber en flocons serrés, glacés.

Maude prépara des sandwiches. Jenny avait la gorge nouée. Elle finit par prendre un peu de consommé. À minuit, Clyde rentra chez lui en emmenant Rooney. Maude et Joe partirent à leur tour. Le shérif dit : « Je ne bougerai pas de mon bureau pendant toute la nuit. Je vous appelle dès que j'ai des nouvelles. » Seul Mark resta.

« Vous devez être fatigué. Rentrez chez vous. »

Il ne répondit pas. Il alla chercher des couvertures et des oreillers, força Jenny à s'étendre sur le divan près du poêle, mit une bûche dans le foyer. Il s'allongea dans le grand fauteuil.

Dans la pénombre, elle fixait le berceau rempli de bois, à côté du fauteuil. Elle avait refusé de prier après la mort du bébé. Elle n'avait pas réalisé la profondeur de son amertume. Maintenant… j'accepte cette perte. Mais, je vous en prie, gardez-moi mes filles.

Peut-on conclure un marché avec Dieu ?

Elle finit par s'assoupir. Mais les élancements dans son épaule la maintenaient au bord de l'éveil, consciente de remuer nerveusement, de gémir doucement. Puis la douleur s'estompa. Jenny se calma. Lorsqu'elle ouvrit les yeux un moment plus tard, elle était couchée contre Mark, qui l'entourait de son bras, et emmitouflée dans le patchwork.

Quelque chose la tracassait. Quelque chose dans son subconscient tentait de faire surface, quelque chose de terriblement important et qui lui échappait. Cela se rapportait à la dernière toile d'Erich, celle où il surveillait Jenny à travers la fenêtre.

À 7 heures du matin, Mark prépara du café et des toasts. Jenny monta prendre une douche, tressaillit au moment où le jet atteignit le pansement de son épaule.

Rooney et Clyde venaient d'arriver lorsqu'elle redescendit. Ils regardaient les informations en buvant un café. On allait passer les photos des enfants dans l'émission « Aujourd'hui » et dans « Bonjour l'Amérique ».

Rooney avait sorti les morceaux d'étoffe. « Voulez-vous coudre, Jenny ?

— Non, je m'en sens incapable.

— Cela m'aide, pour ma part. » Elle expliqua à Mark : « Nous faisons des patchworks pour les lits des enfants. On va retrouver les petites. »

Clyde voulut la faire taire. « Rooney, je t'en prie.

— Mais si, on va les retrouver. Vous voyez ces jolis tons colorés. Pas de couleurs sombres pour mes patchworks. Oh ! attention, voilà les nouvelles. »

Ils regardèrent Jane Pauley commenter : « Le scandale des faux qui a ébranlé le monde de l'art dans la journée d'hier se révèle aujourd'hui n'être qu'une petite partie d'un drame infiniment plus grave. Erich Krueger… »

Ils virent apparaître le visage d'Erich sur l'écran. C'était la photo qui figurait sur la brochure de la galerie. Les cheveux d'un blond doré, aux boucles courtes, les yeux bleu sombre, le demi-sourire. On passa des vues de la ferme, un plan du corps que l'on emportait.

Maintenant Tina et Beth souriaient sur l'écran. « Et ce matin,

347

on n'a toujours pas retrouvé les deux petites filles, disait Jane Pauley. Au moment de mourir, Erich Krueger a dit à sa femme que les enfants étaient toujours en vie. Mais la police n'en est pas certaine. Le dernier tableau pourrait laisser croire que Tina et Beth sont mortes. »

La dernière toile d'Erich apparut en gros plan sur l'écran. Jenny contempla les petits corps de poupées affaissés, sa propre image tourmentée au regard fixe, Erich surveillant la scène par la fenêtre, riant derrière le rideau écarté.

Mark se leva brusquement pour éteindre le récepteur.

« J'avais dit à Gunderson de ne pas les laisser prendre des photos à l'intérieur du chalet. »

Rooney s'était dressée d'un bond en même temps que lui.

« Vous auriez dû me laisser voir ce tableau, cria-t-elle. Vous auriez dû me le montrer. Ne comprenez-vous pas ? Les rideaux… les rideaux bleus ! »

Les rideaux ! Voilà ce qui n'avait cessé de tourmenter Jenny. Rooney éparpillait tous les morceaux de tissu sur la table de la cuisine, l'étoffe bleu foncé, le dessin à peine marqué visible sur la toile.

« Rooney, où les avait-il mis ? crièrent-ils tous ensemble. Où ? »

Consciente de l'importance de l'information qu'elle détenait, Rooney tira Mark par la manche, criant dans son excitation : « Mark, vous le savez bien ! Le pavillon de pêche de votre père ! Erich s'y rendait toujours avec vous. Vous n'aviez pas de rideaux dans la chambre des invités et il disait qu'elle était trop claire. Je les lui ai donnés il y a huit ans.

— Mark, serait-il possible qu'elles soient là-bas ? s'écria Jenny.

— C'est possible. Papa et moi ne sommes plus allés dans ce pavillon depuis plus d'un an. Erich en possède une clé.

— Où se trouve-t-il ?

— Il se trouve… dans la région de Duluth. Sur une petite île. Cela pourrait coller… simplement…

— Simplement quoi ? » Elle entendait le bruit de la neige fouettant les vitres.

« Il n'y a pas de chauffage. »

Clyde exprima à voix haute la peur qui s'était emparée de chacun d'entre eux. « Cet endroit n'a pas de chauffage et les enfants pourraient s'y trouver seules en ce moment ? »

Mark se rua sur le téléphone.

Une demi-heure plus tard, le chef de la police de Hathaway les appelait.

« Nous les avons trouvées. »

Éperdue, Jenny entendit Mark demander : « Sont-elles saines et sauves ? »

Elle saisit l'écouteur pour entendre la réponse. « Ouais, mais c'était de justesse. Krueger les avait menacées de les punir si elles mettaient le pied hors de la maison. Seulement il faisait si froid à l'intérieur et il était parti depuis si longtemps que la plus âgée des deux petites a décidé de prendre le risque de sortir. Elle a réussi à ouvrir la porte. Elles venaient de quitter le pavillon à la recherche de leur maman, lorsque nous les avons trouvées. Elles n'auraient pas survécu une demi-heure de plus dans cette tempête. Attendez une minute. »

Jenny entendit que l'on déplaçait le téléphone. et deux petites voix qui disaient : « Allô, maman ! »

Mark la tint serrée dans ses bras tandis qu'elle sanglotait : « Ma Puce, mon Vif-Argent. Je vous aime. Je vous aime. »

349

40

AVRIL JAILLIT dans tout le Minnesota comme un don des dieux. Le halo pourpre apparut autour des arbres où l'on voyait déjà se former les minuscules bourgeons prêts à s'épanouir. Les daims sortaient des bois, les faisans piétaient sur les chemins, le bétail se répandait dans les pâturages, la terre s'amollissait et la neige fondait dans les sillons, bénéfique à la future récolte.

Beth et Tina recommencèrent à monter à cheval. Beth, prudente, bien droite, Tina toujours prête à lancer son poney au galop. Jenny montait Fille de Feu aux côtés de Beth, Joe chevauchait auprès de Tina.

Jenny aurait voulu donner toujours plus de temps aux enfants, embrasser sans fin leurs joués douces, presser les petites mains fermes, écouter leurs prières, répondre aux confidences apeurées. «Papa me faisait si peur. Il mettait ses mains sur ma figure, comme ça. Il avait l'air si bizarre.

— Papa ne le faisait pas exprès. Il ne voulait faire de mal à personne. Il n'y pouvait rien. »

Elle avait pendant si longtemps voulu retourner à New York,

quitter cet endroit. Le docteur Philstrom l'avait mise en garde : « Ces poneys sont la meilleure thérapeutique pour les enfants.

— Je ne peux pas passer une nuit de plus dans cette maison. »

Mark avait trouvé la solution : l'ancienne maison de la directrice d'école à l'ouest de sa propriété, qu'il avait transformée pour son usage personnel des années auparavant. « Lorsque papa est parti s'établir en Floride, je suis revenu habiter dans la maison principale et j'ai loué cet endroit, mais il est inoccupé depuis six mois. »

Cette maison ne manquait pas de cachet avec ses deux chambres, sa cuisine spacieuse, son salon au charme vieillot, et elle était suffisamment petite pour que ce Jenny pût se trouver en un instant auprès de Tina lorsque la petite fille se mettait à hurler au milieu d'un cauchemar.

« Je suis là, mon Vif-Argent. Rendors-toi vite. »

Elle annonça à Luke son intention de faire donation de la ferme Krueger à la Société nationale d'histoire.

« Réfléchissez, Jenny, lui dit-il. Cette propriété vaut une fortune et Dieu sait si vous avez mérité de la conserver.

— Je n'en ai aucun besoin, et je ne pourrais jamais y vivre. »

Elle ferma les yeux, voulant effacer le souvenir du moïse dans le grenier, de la cloison, de la chouette sculptée, du portrait de Caroline.

Rooney venait fréquemment la voir, toute fière de conduire la voiture que Clyde lui avait achetée, une Rooney apaisée qui n'avait plus besoin d'attendre à la maison le jour où Arden voudrait bien revenir. « On peut tout accepter, Jenny, s'il le faut. Ne pas savoir est la pire des tortures. »

Les gens de Granite Place se mirent à l'inviter. « Il est grand temps de vous accueillir parmi nous, Jenny. »

Beaucoup ajoutaient : « Nous sommes si désolés. » Ils lui apportaient des boutures, des graines.

Elle se mit à cultiver son jardin, enfonçant ses doigts dans la terre meuble et humide.

Le bruit du vieux break confortable dans l'allée. Les petites filles qui couraient au-devant de l'oncle Mark. L'heureuse sensation d'être, à l'exemple de la terre, prête pour une nouvelle saison, pour un nouveau commencement.

Dépôt légal : octobre 1994
Imprimé en Allemagne
N° d'éditeur : 24501
Cet ouvrage a été composé
par Infoprint
et imprimé en octobre 1994
par Mohndruck
Gütersloh (Allemagne)
pour France Loisirs